TEMAS

■ LA LEY

HF238124

Traumatismos cervicales leves derivados de los accidentes de tráfico

Miguel Ángel de Dios de Dios

 Wolters Kluwer

© **Miguel Ángel de Dios de Dios**, 2021
© **Wolters Kluwer España, S.A.**

Wolters Kluwer
C/ Collado Mediano, 9
28231 Las Rozas (Madrid)
Tel: 91 602 01 82
e-mail: clienteslaley@wolterskluwer.es
http://www.wolterskluwer.es

Primera edición: Febrero 2021

Depósito Legal: M-3681-2021
ISBN versión electrónica: 978-84-18662-03-4
ISBN versión impresa con complemento electrónico: 978-84-18662-02-7

Diseño, Preimpresión e Impresión: Wolters Kluwer España, S.A.
Printed in Spain

Traumatismos cervicales leves derivados de los accidentes de tráfico

Miguel Ángel DE DIOS DE DIOS

A Darío, mi vida, faltabas tú

«Los denominados traumatismos menores de los que se ha pretendido, no que sean menores, sino que no sean traumatismos» [1]

---

(1)   Medina Crespo, M.: *Reflexiones sobre un Baremo que no es el que tendría que haber sido: beneficios, maleficios y reformas necesarias para la restauración de la reparación completa.* Artículo monográfico. Editorial Sepín jurídica. Noviembre 2018.

ÍNDICE SISTEMÁTICO

ABREVIATURAS Y ACRÓNIMOS

BALS: Biomechanical Analysis of Law Speed collisions

CC. AA: Comunidades Autónomas

CCS: Consorcio de Compensación de Seguros

CICOS: Centro Informático de Compensation de Siniestros

CIDE/ASCIDE: Convenios entre Compañías Aseguradoras

DAA: Declaración Amistosa de Accidente

DELTA-V: Cambio de velocidad

FD: Fundamento jurídico

FF y CC: Fuerzas y Cuerpos de Seguridad

FIVA: Fichero Informativo de Vehículos Asegurados

ICEA: Investigación Cooperativa entre Entidades Aseguradoras

IDEA: Declaración Electrónica de Accidente

IMLCF: Institutos de Medicina Legal y Ciencias Forenses

LECiv.: Ley de Enjuiciamiento Civil

LECrim.: Ley de Enjuiciamiento Criminal

LSV: Ley de Tráfico, Circulación de Vehículos a motor y Seguridad Vial

MADYMO: Matematical DYnamic MOdel

OMC: Organización Médica Colegial

RGCir.: Reglamento General de Circulación

SLC: Síndrome del latigazo cervical

SAP: Sentencia de la Audiencia provincial

SRI: Sistema de Retención Infantil

SCCS: Daños consorciables. Vehículos asegurados en el CCS o fondo de garantía

SOA: Seguro Obligatorio del Automóvil

LRSVDPAC: Ley 35/2015, de Reforma del Sistema para la Valoración de los Daños y Perjuicios Causados a las Personas en Accidentes de Circulación

MCT: Minor Cervical Trauma

NIC: Neck Injury Criterion

RM: Resonancia Magnética

OPF: Ojo, posible fraude

RD: Real Decreto

SINCO: Fichero Histórico de Seguiros de Automóviles

SDM: Siniestros Daños Materiales

SDP: Sistema de Daños Personales

SPC: Síndrome Postraumático Cervical

TAC: Tomografía Axial Computable

TMC: Traumatismo menor cervical

TIREA: Tecnologías de la Información y Redes para las Entidades Aseguradoras

UNESPA: Unión Española de Entidades Aseguradoras

ULFAC: Unidad de lucha contra el fraude derivado del accidente de tráfico

VDC: Valoración del Daño Corporal

WAD: Whiplash - Associated Disorders

INTRODUCCIÓN

El síndrome del latigazo cervical «SLC» se ha convertido en el protagonista de las colisiones a baja velocidad. Un timo jurídico que cabalga sobre las vaguedades propias de un sistema legislativo que se ha visto obligado a establecer un régimen jurídico especial.

¿No será que tenemos una venda en los ojos, que nos quedamos a medio camino? Me explico, con anterioridad al Baremo 2015 la ley no articulaba ningún precepto específico sobre la lesión cervical leve. Esto provocó que la reclamación campara a sus anchas. Sin embargo, a partir de la entrada en vigor del Baremo 2015 ya se establece ese régimen específico que alberga o ampara la reclamación. Unas cantidades exiguas para atajar la fuga de agua, pero al fin y al cabo cantidades.

El sector asegurador asume a regañadientes esta regulación. En realidad es el chocolate del loro. El legislador da pábulo a la reclamación del traumatismo leve de la columna vertebral, pero con matices. Contra el vico de pedir, la virtud de no dar. Resulta que ahora siguen las reclamaciones pero esos ajustes avocan a la víctima a una indemnización que ni es integra, ni justa. Siempre planea la sombra del fraude. Como sucede con la inversión de la carga de la prueba del artículo 217 de la LECiv., se es culpable hasta que se demuestre lo contrario. Por tanto, se es embustero hasta que la aseguradora crea lo contrario. Y digo crea, porque probar lo contrario se me antoja complicado.

El artículo 135 y concordantes de la Ley 35/2015, de 22 de septiembre, de reforma del sistema para la valoración de los daños y perjuicios causados a las personas en accidentes de circulación establece los criterios de causalidad aplicables a los traumatismos leves de la columna vertebral. Sin duda, el punto de partida para llevar a cabo la reclamación de la víctima. Este hecho se convierte en una *conditio sine qua non*, ya que sin nexo de causalidad no se cumple con uno de los requisitos esenciales de la responsabilidad civil.

La lesión cervical leve asociada al latigazo cervical es algo tan cotidiano como un resfriado en invierno. Cuando escuchamos que alguien ha sufrido una colisión por alcance lo primero que nos viene al pensamiento es el latigazo cervical. A partir de ahí saltan todas las alarmas, si no es la propia víctima, siempre habrá alguien a su alrededor, círculo de amistades, familia, allegados o incluso los propios funcionarios de policía quienes informen sobre la aparición de los síntomas y su necesidad de acudir a los servicios de urgencias del hospital más cercano.

La literatura médica sigue sin ofrecer una determinación efectiva y contundente en relación a la lesión cervical leve. Las pruebas de imagen tampoco ayudan. En este caso, la anamnesis pone de manifiesto la menor, es decir no siendo grave, en ausencia de lesiones óseas (fracturas, fisuras, etc.) o hernias, lo pautado por el facultativo obedecerá a una cervicalgia postraumática o contractura cervical.

Nuestro "sistema tabular" ha dado carta de naturaleza a un tipo de lesión que se sustenta sobre la base en de la existencia de dolor, sin ser necesario verificar la lesión mediante pruebas médicas complementarias.

Con estas mimbres, sin perder de vista el reducido hábitat de la lesión cervical leve, me he propuesto, con mayor o menor acierto, desarrollar los contenidos del Baremo. Siempre con un criterio eminentemente práctico. A ello contribuye la consulta a las últimas resoluciones de nuestras audiencias provinciales. No tanto, en jurisprudencia de Tribunal Supremo, dado la escasa relevancia de la controversia.

Empero, ni jurisprudencia, ni la vía extrajudicial ha contribuido decisivamente a esclarecer algunas situaciones que se me antojan difíciles de solucionar por el grado de subjetividad que rezuman. Así ocurre con el perjuicio leve por la pérdida de la calidad vida derivada de las secuelas, ¿cómo probar una lesión que se diagnostica a través del dolor de quien la padece?

El esfuerzo probático para acreditar de la lesión cervical leve hospeda pericias médicas y técnicas. Tanto el informe médico, como el informe biomecánico pueden ser decisivos para el juzgador. Contienen información cualificada para acreditar o desvirtuar el nexo de causalidad. El concurso de las dos pericias desenmascara el mecanismo lesional. Sin embargo, esa dualidad pericial no lo es tanto. Existe una línea jurisprudencial que aboga por el peso específico del informe médico concluyente, sobre la prueba biomecánica. Algo lógico si tenemos presente la reiteración de las conclusiones que contienen los informes biomecánicos. Repiten hasta la saciedad estudios estadísticos sobre la cinemática de las colisiones. Nos encontramos con sentencias que estiman las pretensiones de la víctima aun con informes biomecánicos desfavorables. Escaso margen de convicción frente al informe médico concluyente.

El puzle de la reclamación se consigue cuando las piezas de la causalidad genérica encajan. Criterios que han sido incorporados a la Ley 35/2012 a través del artículo 135. El incumplimiento de cualquiera de ellos puede dar al traste con la indemnización. En ocasiones, el juzgador ha proclamado la existencia del nexo de causalidad omitiendo el criterio cronológico de las 72 horas.

Todo el sistema quiebra cuando aparece el término fraude. Existe una simbiosis o relación de convivencia entre colisión por alcance a escasa velocidad, síndrome de latigazo cervical y fraude a compañía aseguradora, siendo el Seguro Obligatorio del Automóvil el cauce o canal del que se sirve la víctima, perjudicado o afectado para alcanzar el resarcimiento del daño.

Los informes sobre fraude suscritos por las Cías. Aseguradoras revelan un incremento significativo. La tasa de fraude por CC.AA. se sitúa entre el 1,2-2,2%. Esto tiene sus inconvenientes, se calcula que las primas de las pólizas en el ramo vehículos acusan un 5% de subida gracias a las acciones fraudulentas.

Los intentos de defraudar en este sector han salido a la luz en diferentes estudios. Según la medición realizada por el barómetro del fraude en el seguro de autos de Línea Directa, este se ha multiplicado por 3,5 entre 2009 y 2016, lo que supone 833 millones de euros de pérdidas anuales para las aseguradoras. Esta cifra representaría el 9,89% de las prestaciones pagadas por las compañías[1]. El volumen anual implica un encarecimiento aproximado de 30 euros por cada prima, sobrecoste al que hace cargo el asegurado y que se usa para paliar las consecuencias que en las aseguradoras tiene el fraude no detectado o insuficientemente probado.

Es importante tener en cuenta el elevado número de casos que son cometidos por tramas sofisticadas, por lo que este tipo de prácticas bien puede estar sirviendo como antesala a la producción de realidades de crimen organizado, por lo que parece coherente arbitrar soluciones de carácter sectorial que contribuyan al beneficio común, tanto de asegurados, perjudicados, como de entidades aseguradoras[2]

---

(1)   «Los fraudes al seguro del coche cuestan a las aseguradoras 833 millones de euros anuales». *El País* (22.01.2018).

(2)   *Código tipo del Fichero de Prevención del fraude en seguros de ramos diversos, UNESPA,* *01.2018,* disponible enhttp://www.agpd.es/portalwebAGPD/canaldocumentacion/codigos_tipo/common/pdfs/C-OO-DIGO-TIPO-CT-0002-2017-UNESPA-FRAUDE-RAMOS-DIVERSOS-11-12-17-DEF.pdf

Pese a los esfuerzos del sector asegurador por suavizar y neutralizar sus efectos, aún no ha sido posible desarrollar un medio o sistema capaz de poner bajo sospecha la lesión cervical derivada del accidente de circulación. Una situación que supone un alto coste social y económico que no deja indiferente al sector. Fruto de ello el grado de desconfianza y desprotección en las relaciones aseguraticias[3].

No obstante, con el objetivo de perseguir acciones fraudulentas, basándome en mi propia experiencia profesional como Policía Judicial de Tráfico he incluido un proyecto que puede servir de base a las FF y CC de Seguridad que quieran contribuir a detectar hechos de este tipo a través de informes indiciarios. Un documento que contiene información relevante sobre los intentos de fraude por fingir, exagerar las lesiones o simular el siniestro vial.

---

(3)   E. CLARAMUNT, M.M. y FORTIANA. J.: *Herramientas estadísticas para el estudio de perfiles de riesgo*, Anales del Instituto de Actuarios Españoles, Tercera Época 7. Pp. 59-89.

CAPÍTULO I

LESIÓN CERVICAL DERIVADA DEL ACCIDENTE

1. CONSIDERACIONES GENERALES ACERCA DE LA LESIÓN CERVICAL

Estamos ante un tipo de lesión muy extendía entre las víctimas de accidentes de tráfico, generalmente derivada de la colisión por alcance a escasa velocidad, colisiones frontales en incluso laterales excéntricas. Esta clasificación no resulta baladí, ya que el movimiento del cuello varía en función del tipo de colisión. Si bien, no es la única causa. Existen otros mecanismos lesionales que pueden provocar un esguince cervical como puede ser las maniobras forzadas del cuello como consecuencia de un puñetazo, al zambullirse, un empujón sorpresivo e incluso una mala postura en la cama. Se estima que en España[1] se producen entre 25.000 y 30.000 casos anuales del denominado traumatismo cervical menor por accidente de circulación. Lesión que se considera leve y a quien la padece herido no hospitalizado[2].

Ahora bien, pese representar algo más del 34% de las lesiones del accidente de tráfico lo cierto es que existen otros factores que desvirtúan la verdadera transcendencia de este cuadro clínico. Entre ellos, la sospecha constante de que la víctima simule o exagere la sintomatología postraumática debido, en parte a la falta de pruebas médicas objetivas. Un diagnóstico que en la mayor parte de las ocasiones se basa en el relato del paciente. Resulta comúnmente aceptado que tras la primera asistencia sanitaria el parte médico refiera al menos una contractura muscular. Sería inusitado que ese primer informe no diagnosticara lesión alguna.

---

(1) Número de reclamaciones relacionadas con traumatismo cervical leve en algunos de los Estados miembros: Reino Unido 76%, Alemania 47%, España 32%, Italia 66%, Países Bajos 40%, Noruega 52%- Todo ello, según *Comparative Study of Comité Européen des Assurances* (CEA): *Minor Cervical Trauma Claims*.

(2) Según Anexo II, apartado c) de la Orden INT/2223/2014, de 27 de octubre, por la que se regula la comunicación de la información al Registro Nacional de Víctimas de Accidentes de Tráfico:
c) «Herido con asistencia sanitaria igual o inferior a veinticuatro horas»: Toda persona herida en un accidente de tráfico que no haya precisado hospitalización superior a veinticuatro horas y que haya sido atendido por los servicios sanitarios correspondientes.

Arranca aquí, por tanto, una problemática que se me antoja perdurable. Una situación embarazosa que al parecer trae de cabeza al sector asegurador aunque, conviene afirmarlo, sin llegar a convertirse en una seria amenaza para la estabilidad del sistema.

En cambio, no podemos decir lo mismo de la comprometida y delicada situación en la que se vieron envueltas las Aseguradoras y Administraciones públicas ante el alarmante número de accidentes luctuosos. El progresivo aumento de fallecidos en accidente de circulación provocaba un desgaste imponderable de recursos económicos, sociales y familiares que hicieron tambalear todas las estructuras en las que se apoyaban las acciones de prevención, regulación y reparación dirigidas a lenificar o erradicar el siniestro vial. No obstante, sin relajarse, pero si con cierto optimismo, es un hecho axiomático que el alarmante número de accidentes con fallecidos han descendido de forma notable. Hemos pasado de la escalofriante cifra de 9.344 fallecidos en 1989 a los 1.830 fallecidos en 2017[3]. Tres décadas marcadas por un acuciante descenso en el número de fallecidos por accidentes de circulación.

Durante el año 2020[4] (año atípico por pandemia COVID-19) se han producido en las vías interurbanas 797 accidentes mortales en los que han fallecido 870 personas y otras 3.463 requirieron ingreso hospitalario, lo que supone un descenso de un 21% en el número de accidentes y fallecidos (-213 accidentes y -231 fallecidos) y un descenso del -22% en heridos graves (-970).

Retomando el tema del traumatismo menor cervical en lo que atañe al desvelo o inquietud que despierta en el sector asegurador no parece que vaya más allá de incluir este tipo de siniestralidad en los ejercicios contables de las compañías. Desde la entrada del conocido por todos como Baremo de Valoración del Daño Corporal es posible realizar una estimación bastante aproximada de la indemnización que va a recibir la víctima por la lesión menor cervical. Y es así, dada la desincronización o descoordinación, al menos aparente, entre los servicios médicos de las aseguradoras y el cuerpo de facultativos de los Institutos de Medicina Legal y Ciencias Forenses.

---

(3) *Anuario Estadístico de Accidentes 2017*. Ministerio del interior. Dirección General de Tráfico (DGT). Madrid, 2017-http://www.dgt.es/Galerias/seguridad-vial/estadisticas-e-indicadores/publicaciones/anuariestadistico-de-accidentes/Anuario-estadistico-de-accidentes-2017.pdf.

(4) *Revista.dgt.es/es/noticias/nacional/2021/01 enero*.

En el mismo sentido, tampoco parecen preocupantes los datos que vienen revelando los estudios[5] de investigación sobre el fraude a las aseguradoras. Hasta cierto punto asumible, si tenemos en cuenta el gran porcentaje de benéficos que están obteniendo algunas compañías.

El SLC se ha convertido en la protagonista de las colisiones a baja velocidad *low speed collisions*[6]. Accidentes de circulación donde los daños materiales y el grado de deformación de los vehículos son de escasa consideración, prácticamente inapreciables, lo que hace que se subestimen posibles consecuencias lesivas.

Definición de colisión a baja velocidad según la SAP de Las Palmas, de 4 de septiembre de 2012. Extracto del fundamento jurídico quinto:

> «(…) A este respecto, se ha de tener presente que en el campo de la accidentología clínica, se entiende por colisión abaja velocidad la que sucede con una velocidad igual o inferior a 16 km./h (10 millas/h.), debiendo recordarse que en la perspectiva médica y accidentológica está comprobado científicamente su potencial lesivo, y así, verbigracia, en una monografía de René Caillet, dedicada al dolor cervical, y que correspondía a una edición española (Barcelona, 1988), ya se hacía comprender que accidentes aparentemente inofensivos pueden tener consecuencias nada desdeñables para los ocupantes de automóviles, y, contrariamente a lo indicado en su informe por el perito de la parte recurrente, la investigación científica es unánime en que a partir de 8 km/hora se pueden producir lesiones». en los ocupantes».

(5)   COBO GONZÁLEZ, P.: *Manual de investigación de siniestros y lucha contra el fraude en el Seguro de Automóviles*. Mapfre. Madrid, 1993, Pp. 3 y 4. En el mismo sentido, *Vid*. ICEA *Manual de lucha contra el fraude en el seguro de automóviles*. Madrid, 1995, p. 1.

(6)   La comunidad científica sostiene que este tipo de colisión es la que tiene lugar a una velocidad aproximada de 10 millas por hora, unos 16 km/h, donde no se aprecian daños materiales, o con daños de escasa entidad y cuya mecánica accidental es la colisión por alcance. No obstante, los investigadores coinciden en señalar que a partir de 8 Km/h se pueden producir lesiones en los ocupantes (en ocasiones un impacto a 4 Km/h también puede producir un esguince cervical). Los umbrales de lesión se expresan en DELTA-V o cambio de velocidad. El umbral de las lesiones relacionado con el cambio de velocidad varía en general según el tipo de impacto sea posterior (8 km/h), lateral (16 Km/h) y frontal (24 Km/h). En profundidad *vide*: JOUVENCEL M. R.: *Latigazo cervical y colisiones a baja velocidad. La ausencia de daños en el vehículo no supone inexistencia de lesiones en los ocupantes*. Ed. Díaz de Santos, S.A. Madrid, 2003. YOGANANOAN, NARAYAN. PNTAR, FRANK A.: *Frontiers in whiplash truma. Clinical & Biomechanical*. Ed. Ios Press. USA 2000. Págs. 17-24. RAST, PETER H. STEAMS, ROBERT E.: *Low Speed Accidents: Investigation. Documentation and Case Preparation*. Lawers & Judges Publishing Company. Incorporated 2000.

Los principales estudios europeos[7], a la cabeza FOLKSAM, establecen que sin daños en los vehículos las lesiones en las personas son mínimas y no alcanzan los 30 días de curación. En consonancia con estas investigaciones algunas resoluciones judiciales, como sucede con la sentencia de la Audiencia provincial de Murcia, de 17 de julio de 2000, han incorporado en sus fundamentos jurídicos estas tesis o teorías.

> «(…) en los accidentes de tráfico que se producen a una velocidad inferior a 15 km/h, las fuerzas biomecánicas que se trasmiten a los ocupantes del vehículo son inferiores a la que el cuerpo soporta en actividades cotidianas como deambular, corre o saltar, actividades cotidianas en las que no se suelen producir lesiones, tesis cuya traslación al caso enjuiciado comporta la imposibilidad de apreciar protusión discal no acompañada de la sintomatología que le es propia (…)».

Si bien es cierto que existen distintos tipos de colisiones entre vehículos que provocan *Whiplash o Minor Cervical Trauma*[8] «MCT» no lo es menos que el caldo de cultivo lo propicia la colisión por alcance en vía urbana[9]. A cualquiera que se le pregunte sobre esta clase de accidente reconocería haber

---

(7)   Sin embargo, existe cierto grado de controversia en todos y cada uno de los estudios científicos sobre este extremo. Así, con algo menos de rigor, hay quienes sostienen que a menos de 14 Km/h no pueden producirse síndromes asociados al latigazo cervical .
        En todo caso, parece un hecho consensuado, que aunque el vehículo no presente daños materiales de importancia (en alcance posterior una velocidad de entre 8 y 19,6 Km/h los ocupantes y conductor pueden sufrir lesiones cervicales NAVIN FP, ROMILLY DP.: *An investigation into vehicle and occupancy response subjected to low- speed rear impacts.* Proceedings of the Multidisciplinary Road Safety Conference VI, June 5-7, 1989, Fredericton, New Brunswick.

(8)   *The minor cervical trauma may be defined as a lesión of the cervical spine, caused by acceleration-deceleration mechanisms, whitout neurological complications an without affecting the osseous, nervous or ligamentary-disc structures, which may lead to painful symtoms whwn at resto r during novement and be accompanied by reduced mobility of cervical spine. Comité européen Des Assurances. Comparative Study of Comité Européen des Assurances [en línea] París: CEA/AREDOC-CEREDOC, 2004.* Disponible en: https://www.svv.ch/sites/default/files/2017-12/CEA_HWS-Studie_englisch.pdf. The common definition of minor cervical trauma is a lesión of the cervical spine, caused by …
        Terminología adoptada por el artículo 135 de la Ley 35/2015, de 22 de septiembre, de reforma del sistema para la valoración de los daños y perjuicios causados a las personas en accidentes de circulación.

(9)   En los últimos años ha aumentado el número de accidentes por alcance. En 2010 se registraron 15.074 accidentes por alcance. de los que resultaron 124 muertos, 917 heridos graves y 21.758 heridos leves. El informe revela que el 20% de los accidentes de tráfico son por alcance. Generalmente en vía urbana. De tal forma, que, según el estudio de la DGT sobre principales cifras de siniestralidad vial en el año 2010, el 54% de los accidentes en los que estaba implicado al menos un turismo se produjo en zona urbana. Más detalles sobre este extremo en «Anuario estadístico de accidentes año 2010». Servicio de Estadística de la Dirección General de Tráfico. Observatorio Nacional de Seguridad Vial. NIPO 128-11017-1.

visto o, incluso, haber sufrido sus consecuencias[10]. No nos sorprende ya encontrar a dos vehículos implicados en accidente de circulación y a sus conductores cumplimentando la declaración amistosa de accidente «DAA». Esta imagen confirma que el ámbito urbano[11] es el lugar donde se producen la mayoría de los alcances. Se calcula que al menos el 25% de los accidentes de tráfico en Europa y Estados Unidos son ocasionados como consecuencia de un alcance.

El denominado[12] *whiplash,* esguince cervical, es una lesión de la columna cervical que acontece generalmente tras la colisión de vehículos a motor, al producirse una forzada extensión o flexión del cuello y una violenta oscilación de la cabeza de delante hacia atrás o de atrás hacia delante unido a movimientos de lateralidad y torsión forzada del cuello. Se trata, por tanto, de una pérdida transitoria de la congruencia articular que puede ser más o menos intenso. A lo largo de la secuencia hiperextensión-hiperflexión pueden aparecer lesiones en músculos, ligamentos, discos, cápsulas articulares, platillos vertebrales, nervios del sistema simpático cervical, nervios craneales e incluso en el esófago, tráquea y articulación termoporomandibular[13].

---

(10) En 2012 se produjeron 19.658 accidentes por colisión trasera y múltiple de los que resultaron: 282 fallecidos, 1.115 heridos graves y 30.998 heridos leves.

(11) Se han detectado algunos factores que contribuyen a esta realidad. Ello explica que la colisión por alcance sobreviene o tiene mayor incidencia en determinadas zonas. Así sucede en los cruces regulados por cedas al paso y semáforos. La regulación semafórica de las intersecciones demuestra su efectividad en la reducción de accidentes por colisiones en embestidas, sin embargo aumenta las colisiones por alcance. También en los cambios de rasante, en las incorporaciones a glorietas o intersecciones giratorias, en los pasos de peatones y en los giros a la izquierda en calzadas de doble sentido. Del mismo modo, las rampas convierten a los vehículos pesados en lentos, con posibilidad de alcances. En profundidad *vide* DE DIOS DE DIOS, M. A.: *Intervalo o distancia de seguridad entre vehículos y colisión por alcance. Tráfico y Seguridad Vial,* ISSN 1139-4447, núm. 171. Ed. La Ley. Madrid, 2012. Págs. 23-36.

(12) Existe una gran controversia a la hora de utilizar la terminología clínica para referirse a esta patología: *whiplash o minor cervical trauma, whiplash síndrome,* síndrome del latigazo cervical o síndrome postraumático cervical (SPC), esguince cervical, contusión o distensión cervical, cervicalgia, entre otros.
En el mismo sentido los países del entorno europeo han puesto de manifiesto la importancia de este tipo de lesión: *Schleudertrauma* (Alemania), *coup du lapin* (Francia), *truamatismo cervicale* (Italia), *entorse cervical* (Portugal), *cervical strain, neck strain or sprain* (Inglaterra) en general *neck injury* o comúnmente *whiplash.* Como han revelado los principales campos de investigación de la comunidad científica este tipo de dolencia (*whiplash asociated disorders* (WAD)) *is frequently the result of trauma from falls or motor vehicle accidents* (MVAs).

(13) IRIGOYEN ALBA, J. y RAPÚN ARA, A.: *Bases anatómicas y fisiológicas de las lesiones cervicales traumáticas.* Revista Española de Abogados Especializados en Responsabilidad Civil y Seguro. Cuarto trimestre, núm. 48. Año 2003. Págs. 17-26.

La etimológica del término cervical hunde sus raíces en la locución latina *cérvix/cervid/cervicalis*, parte de atrás del cuello, aunque también referido al cuello uterino. Acepción que se utiliza en medicina para referirse al cuello del útero. En el siglo XIII se utilizaba la palabra *cervigal* (m. de *cervid*) para referirse a la región cervical: «diol una espadada por medio del cervigal[(14)]».

A pesar de ser un tema de rabiosa actualidad, llama la atención que, en 1923 CROWE H[(15)] descubriese los efectos de las fuerzas de aceleración y desaceleración que soporta el cuello tras un accidente con vehículo a motor. En esta etapa incipiente del desarrollo automovilístico no resulta extraño encontrar mecanismos lesionales derivados del tránsito ferroviario. Así lo ponen de manifiesto algunos estudios sobre el trastorno o síndrome de la «columna vertebral ferroviaria» *railway spine o railway brain*[(16)] que comenzó a diagnosticarse a partir del siglo XIX en personas lesionadas como consecuencia de accidentes de ferrocarriles. Tanto es así, que en algunos países del continente europeo comienzan a brotar leyes que traen consigo sistemas de compensación financiera (1871). Se trata de las leyes prusiana (1838) y austriaca (1869) sobre ferrocarriles[(17)]. Aunque la mayor parte de los informes por lesiones en el cuello derivados de accidentes de vehículos a motor comenzaron a aparecer a principios del siglo XX.

Como podemos apreciar la proliferación de tratados sobre esta lesión ha provocado que la OMS, a través del *Quebec Task Force on Whiplash and Associated Dissorder y el Task Force on Neck Pain 2000-2010,* adopte la definición ofrecida por SPITZER en la que se establece que el esguince cervical es un mecanismo aceleración-desaceleración con transferencia de energía a la región cervical donde se

---

(14) ALONSO PEDRAZ M.: *Dirección Medieval Español. Desde las Glosas Emilianenses y Silenses (s. X) hasta el siglo XV.* Universidad Pontifica de Salamanca (UPSA). Salamanca, 1986. Pp. 684.

(15) CROWE H.: *Un nuevo signo diagnóstico de lesiones en el cuello.* Cal Med 1964; 100: 12-13. Con posterioridad a este trabajo existen otros estudios, entre algunos de ellos: GAY Y ABBOTT (1953), SEVERY (1955) CLEMENS Y BURROW (1972), WHITE Y PANJABI (1978), DENG (1989).

(16) TODMAN, D.: *Whiplash Injuries: A Historical Review.* The Internet Journal of Neurology. Volume 8, number 2, 2006.

(17) La ley prusiana de 3 de noviembre de 1838 en su artículo 25 predica, «las empresas de ferrocarriles responderán de todos los daños que ocurran en el transporte a las personas y cosas, sean o no transportadas por dichas empresas, y éstas sólo quedarán libres de responsabilidad probando que el daño fue producido por la propia culpa del perjudicado o por caso fortuito exterior e inevitable». En el mismo sentido la Ley austriaca de 5 de marzo de 1869. EXNER, A.: *De la fuerza mayor en el Derecho mercantil romano y en el actual.* Madrid 1905. Pp. 22 y 23.

pueden lesionar los tejidos blandos o huesos, y en ocasiones es posible que se produzcan una gran variedad de manifestaciones clínicas.

En el mismo sentido, con el propósito de armonizar o estandarizar los tipos de traumatismos de columna, la OMS ha propuesto una clasificación que va del grado 0 (no hay molestias ni signos físicos) hasta el IV, donde se considera como traumatismo cervical leve «TCL» los grados I y II, siendo los más frecuentes. Éstos implican dolor y rigidez en el cuello sin signos físicos o con leve disminución de la movilidad y dolor puntual. La inmensa mayoría de los llamados esguinces cervicales causados por un accidente de tráfico se engloban en el grado I de la escala. En cambio, los traumatismos cervicales de grado III y IV son muy escasos.

Como podemos apreciar, lejos de ser un problema trivial, la práctica totalidad de los estados de nuestro entorno europeo considera al «SLC» como una fuente de progresiva preocupación, ya que supone un coste a la Unión Europea de casi 10.000 millones de euros en indemnizaciones. Ello explica que países como Alemania, España, Inglaterra, Italia, Portugal y Francia hayan puesto en marcha sistemas jurídico-procesales para mitigar los efectos negativos de este tipo de traumatismo. El común denominador de todos ellos revela el fuerte impacto que las reclamaciones están teniendo en el mercado asegurador. Es cierto que el número de fallecidos por accidentes de tráfico ha alcanzado cotas extraordinariamente bajas en estos últimos años, en cambio el número de lesionados leves ha experimentado un aumento significativo, alcanzando la cifra de 100.000 esguines cervicales leves en 2012.

Esta nueva magnitud de la accidentalidad ha desbordado las previsiones de las compañías aseguradoras. No obstante, hay que decir que han detectado el problema con bastante antelación. Así, de forma apriorística, se barajan al menos tres variables que demuestran este incremento. Por un lado, llama la atención el número de siniestros con presencia de daños personales; de otra parte, el aumento del número de víctimas por siniestro y el incremento en el número de fraudes. Este último aspecto cobra cierta importancia durante la crisis económica de finales de la primera década del siglo XXI, el escaso reproche social y judicial, a los diagnósticos médicos sin conocer circunstancias y a que las aseguradoras prefieren liquidar a judicializar. Resulta un hecho incontestable la existencia de toda una infraestructura creada en torno a los siniestros de tráfico de la que no escapan ni los centros asistenciales, ni determinados bufetes de abogados en defensa de las víctimas.

Por ello, como señalaba *ut supra,* en algunos Estados miembros[18] se han dispuesto mecanismos de control y seguimiento. Veamos a continuación algunos de ellos.

En el caso de Portugal destaca la obligación del lesionado de dejarse examinar por el médico de la compañía aseguradora. Por su parte, el ordenamiento alemán se muestra proclive al carácter objetivo de la lesión mediante pruebas de imagen[19], donde la víctima debe de probar, a la vista de las pruebas médicas, la existencia de la lesión y la verdadera repercusión, que dicha dolencia tiene en su esfera patrimonial o personal. De tal forma, que si no se manifiesta y solo aparecen molestias, rara vez se va a indemnizar. En el mismo sentido, con algunos matices, se nos muestra el régimen del Reino Unido. Una comisión, nombrada por el Parlamento fue la encargada de estudiar este aspecto. En un primer análisis de la situación denunciaba la paradoja entre lesionados y aseguradoras, dado que son las propias compañías y abogados especializados en responsabilidad civil automovilística los que han propiciado un clima adecuado para que las personas encartadas en un accidente de circulación reclamen siempre las lesiones por insignificantes que sean (alrededor de 554.000 reclamaciones en 2010 y 2011).

Ahora bien, si existe un caso paradigmático en cuanto al método o forma de llevar a cabo la indemnización es el establecido en el derecho francés. La *Loi Badinter* 1995 prevé el deber de información de las víctimas para con la aseguradora responsable. Lo que comúnmente se conoce como la Ficha de Información de la Víctima. Este documento debe de implementarse por la víctima en un plazo de 6 semanas. Asimismo, ésta queda obligada a remitir al asegurador de responsabilidad civil un certificado médico inicial descriptivo de las lesiones que padece.

En Italia existe una costumbre absolutamente mayoritaria de que la víctima presente un certificado de urgencias dentro de las 48 horas de haber sufrido el accidente. Algo similar a lo que ocurre en nuestro país con el criterio cronológico de las 72 horas posteriores del siniestro que prevé el artículo 135, apartado b). de la LRCSCVM. Pero no queda ahí la cosa, con carácter

---

(18)   Datos obtenidos del *Comparative Study of Comité Européen des Assurances (CEA): Minor Cervical Trauma Claims.* Núm. de reclamaciones relacionadas con traumatismo cervical leve: Reino Unido 76%, Alemania 47%, España 32%, Italia 66%, Países Bajos 40%, Noruega 52%, entre otros.

(19)   Datos obtenidos del *Comparative Study of Comité Européen des Assurances (CEA): Minor Cervical Trauma Claims.* Núm. de reclamaciones relacionadas con traumatismo cervical leve: Reino Unido 76%, Alemania 47%, España 32%, Italia 66%, Países Bajos 40%, Noruega 52%, entre otros.

más exhaustivo, propone un análisis *sui géneris* de la causalidad a través de cuatro criterios generales: de exclusión, cronológico, topográfico y de intensidad.

1.1. Etiología de la lesión: causas y factores

Como hemos visto, la raíz etiológica del traumatismo cervical en lo referente a la siniestralidad vial aparece en un tipo de dinámica accidental identificada como colisión por alcance o posterior. En ocasiones en impactos frontolaterales e incluso en aceleraciones o reducciones bruscas de velocidad sin impacto. Sin embargo, el accidente de tráfico no es el único mecanismo de producción. Existen otras causas excardinadas del siniestro vial. En este sentido, un puñetazo en el rostro, una posición forzada de la cabeza mientras se duerme e incluso al adoptar un posición heterodoxa al zambullirse en el agua pueden provocar este tipo de lesión.

Los mecanismos de producción incardinados en la dinámica del accidente no resultan prolijos, todo lo contrario. Desde la caída de los usuarios de un autobús urbano por el frenazo brusco del conductor, hasta la serie de oscilaciones reiteradas que sufre el acompañante que viaja en una motocicleta con el casco de protección homologado. Lo verdaderamente transcendente es que el resultado de cada uno de ellos revela el síndrome del latigazo cervical y que el mecanismo de producción[20] se encuentra ligado al hecho o accidente de circulación. Todo lo demás: dinámica, cinemática, movimiento pre-postcolisivo, biocinética o biocinemática servirá para investigar los aspectos técnicos, la secuencia o concatenación de movimientos, el desarrollo o dinámica de la colisión pero no van a poder influir en la valoración efectiva del traumatismo cervical, es decir no dan respuesta a cuestiones como: ¿cuál es la cantidad de dolor que me ha provocado el tipo de colisión de que se trate? Algo intangible hasta ahora. La inseguridad clínica radica en la dificultad para objetivar este tipo de lesión. En palabras de VICENTE

---

(20)   El mecanismo de producción ha sido exhaustivamente analizado en laboratorios con cadáveres, *dummies* en incluso sujetos vivos. La respuesta del cuerpo ante este tipo de colisiones queda registrada mediante la filmación de los movimientos a través de videocámaras de alta velocidad, acelerómetros, cinerradiografía y electromiografía, entre otros. Op. Cit. IRIGOYEN ALBA, J. y RAPÚN ARA, A.

Baños[21] «el escaso rendimiento de las pruebas complementarias de imagen obliga a que el diagnóstico y el seguimiento del SLC sean cínicos, usando la anamnesis y la exploración física del enfermo».

No por ello debemos de desechar la investigación del accidente, ya que en ocasiones se erige como una prueba pericial de notable valor. Traigo a colación la sentencia del Tribunal Supremo 35/2019 de 17 de enero de 2019. El juzgador llega a concluir, basándose en la prueba pericial, que el demandante no era el conductor del vehículo siniestrado. Nada destacable hasta ahí si no fuese porque el demandante era el titular, asegurado y tomador del seguro. Resultando que el accidente se produjo por culpa del que conducía el vehículo. Por tanto, de no demostrarse a través de la investigación del accidente que la persona que conducía el vehículo era otra distinta al demándate, éste no hubiese sido indemnizado, ya que el SOA no cubre al conductor del vehículo. Ambos, conductor y usuario, no llevaban colocado el cinturón de seguridad, circunstancia que redujo considerablemente la indemnización.

Extracto fundamento jurídico primero:

«(…) Considera la Audiencia que, aunque inicialmente se dudó sobre quién era el conductor del vehículo en el momento del accidente, la investigación posterior de la Guardia Civil y los testimonios prestados en el juicio permiten declarar probado que eran dos las personas que viajaban en el Seat Córdoba y salieron despedidas del mismo cuando se produjo el accidente, así como que el demandante no era el conductor del vehículo sino que viajaba en el asiento delantero derecho. Considera la Audiencia que, por aplicación del sistema de valoración, la indemnización procedente sería de 1.103.218 euros, pero reduce esa cantidad a la de 441.278,20 euros al apreciar concurrencia culposa por parte de la víctima, ya que no hacía uso del cinturón de seguridad en el momento del accidente. No obstante aplica, a cargo de la aseguradora, el interés previsto en el artículo 20 de la Ley de Contrato de Seguro desde la fecha del accidente».

Siguiendo con la etiología de la lesión cervical, tampoco el «Baremo» de valoración de daños y perjuicios causados a las personas en accidentes de circulación ha establecido un criterio, pauta o regla objetiva para cuantificar de una vez por todas la indemnización por este tipo de lesión. En cambio, si prevé en el punto primero, apartado B), Capítulo II de la Tabla 2. A. 1 la

---

(21) Vicente Baños, A.: *Diagnóstico, tratamiento y pronóstico del síndrome del latigazo cervical.* Universidad Católica de Murcia (UCAM). Revista de Fisioterapia. Guadalupe 2009. Recuperado el 31 de mayo de 2019.*https://www.ucam.edu/revistafisio/numeros/volumen-8/numero-1-junio-2009/.* Y lo en el citado: Ortega Pérez, A.: *Revisión crítica sobre el síndrome del latigazo cervical (I): ¿de veras existe una lesión anatómica?/Revisión crítica sobre el síndrome del latigazo cervical (II): ¿cuánto tardará en curar?* Cuadernos de Medicina Forense núm. 34. Octubre, Málaga 2003. Pp. 1135-7606.

valoración de 1-5 puntos (código 03005) por las algias postraumáticas cronificadas y/o síndrome cervical asociado y/o agravación de la artrosis previa.

Aun así, seguimos pendiente de la apreciación subjetiva o relativa que realice el facultativo de que se trate (médico valorador del daño corporal o forense), que a buen seguro no estará exenta de ciertos prejuicios. Lo que suele acontecer, por desgracia para la víctima, es que la valoración resulte exigua. A mayor abundancia, siendo un tema que trataré más adelante, llama poderosamente la atención el disparate de emitir un informe forense que contradice otro de parte, de los servicios médicos de la aseguradora a la cual se reclama el resarcimiento del daño muy por debajo de la valoración que éste ha establecido. Pero lo verdaderamente vergonzoso es que el forense sin haber realizado el seguimiento de la víctima se conceda licencia para llevarlo a la práctica.

La clínica de las lesiones cervicales traumáticas aparece tras la pérdida transitoria de la congruencia articular. Ésta pude manifestarse de diferentes formas según sea la intensidad del impacto. Con carácter general, el paciente acude a urgencias presentando dolor cervical moderado sin localidad neurológica acompañante ni ninguna lesión a otro nivel. Una primera exploración acompañada de la correspondiente prueba de imagen (radiografía) suele ser suficiente para diagnosticar la cervicalgia postraumática. El esguince (20%) o luxación (50%) cervical tipo se localiza entre las vértebras C5-C6 y C6-C7. El resto corresponden lesiones óseas, cuyos mecanismos de fractura pueden originarse como consecuencia de lesiones por flexión, extensión, comprensión cizallamiento y rotación.

Centrándonos en la más común, la lesión vertebral cervical inferior, parece un hecho contrastado que la causa o factor desencadénate es la flexión (movimientos de hiperextensión-hiperflexión) y/o rotación del cuello. En este caso el tratamiento[22] requiere, previa valoración de otras lesiones neurológicas o de partes blandas (edema, hematoma, lesión ligamentosa, rotura del ligamento vertebral común anterior, el interespinoso, el vertebral común posterior y el amarillo son algunas de ellas), la administración de analgésicos como medicación sintomática hasta que ceda el dolor, relajantes musculares e incluso la inmovilización mediante collarín blando. Todo ello, sin perjuicio de un tratamiento rehabilitador de fisioterapia

---

(22) Martín Zurro, A. y Cano Pérez J. F.: *Atención primaria. Conceptos, organización y práctica clínica.* 5° edición. Elsevier, 2003. Pp. 1332-1333.

Algunos autores[23], ya en el año 1954 en un intento de clasificar los tipos de manifestaciones cínicos o síntomas del esguince cervical identificaron cinco tipos o clases: radiculitis cervical, contusiones cerebrales, hernias de disco cervicales manifestaciones psiconeuróticas y lesiones lumbares asociadas.

Si se tiene en cuenta las manifestaciones anatómicas en correspondencia a la ubicación topográfica[24] de la lesión las consecuencias del latigazo cervical se han clasificado en:

— **Síndrome cervical**. Se manifiesta a través algias en el cuello con fractura muscular paravertebral, limitación de los movimientos del cuello en su caso cefalea occipital y otros síntomas según las circunstancias.

— **Síndrome servicio-braquial**. Síntomas de irradiación dolorosa (braquialgia), alteraciones de la sensibilidad, fuerza segmentaria que se propaga a los hombros o brazos.

— **Síndrome cérvico-medular**. La lesión tiene trascendencia medular, manifestándose de forma temporal lesiones leves) o parmente (grandes lesionados: tetraparesia o tetraplejia).

— **Síndrome cérvico-cefálico**. Manifestaciones cervicales unidas a sintomatología del tipo central: dificultad para la concentración, alteraciones de la memoria, manifestaciones vegetativas, auditivas, de la visión, del equilibrio, entre otras.

Sin embargo, los últimos estudios clínicos centran la atención en detectar la presencia de dolor[25] o algias crónicas en la región cervical (*Annual Global Congress de Toronto 2019*). Pensemos que al menos el 20% de los pacientes que sufren esguinces cervicales revelan dolor crónico, mientras que el 80% restante se curan sin secuelas.

---

(23)   Gay JR, Abbott KH. *Common whiplash injuries of the neck*. AMA. 1953. Pp. 1698-1704. Citado por Robaina Padrón F. J. «Esguince cervical. Características generales y aspectos médico legales». *Rev Soc Esp Dolor*. 1998. Pp. 214-223.

(24)   Larrosa Amante, M. A.: «Las colisiones por alcance. Especial referencia a la pericial biomecánica y su valoración judicial». *Revista de Responsabilidad Civil, Circulación y Seguro*. Año 51. Núm. 5, mayo, 2015. Pp. 6-29.

(25)   Los estudios de investigación desarrollados por un equipo multidisciplinar del Hospital Nacional de Parapléjicos de Toledo ha revelado un nuevo hallazgo en el campo de las pruebas de imagen en el diagnóstico de la lesión cervical. Mediante esta técnica se podrá visualizar la presencia de dolor en pacientes con esguince cervical crónico tras un accidente de tráfico. https://www.grupoaseguranza.com/noticias-de-seguros/identificado-primera-vez-dolor-asociado-esguince-cervical.

1.2. Pruebas diagnósticas

El primer escollo o dificultad en el diagnóstico del traumatismo menor de la columna cervical radica en la intangibilidad de la lesión. En la mayor parte de los casos, ni las pruebas de imagen como pueden ser las radiografías convencionales o tomografías axiales computables (TAC) e incluso resonancias magnéticas (RM) no demuestran ser tan eficaces en el diagnóstico de este tipo traumatismo leve, o dicho de otra forma, no son pruebas adecuadas para detectar estas lesiones pero si complementan la anamnesis y exploración física.

Se estima que más del 98% de las radiografías realizadas en servicios de urgencias son negativas. Sin embargo, por lo que se refiere a la RM lo cierto es que resulta adecuada para pacientes con sintomatología persistente. En estos supuestos es aconsejable seguir la regla canadiense de la columna cervical, *Canadian C-Spine Rule*[26]. Como es sabido la clasificación más utilizada o extendida sigue siendo la establecida por Quebec. Los diferentes grados (G0, GI, GII, GIII y GIV) reúnen los cuadros sintomatológicos en base a dolor y a las características objetivas de la lesión (fractura, luxación, signos neurológicos o musculo-esqueléticos). En cambio, no está exenta de crítica. Algunos expertos apostillan que la tipología es demasiado general e inexacta, dado revela ciertos síntomas como el dolor de cuello sin detallar si existe o no irradiación a otras partes del cuerpo, rigidez o incluso sin especificar grupo de compromiso neurológico.

Los estudios radiológicos simples pueden detectar rectificaciones de la lordosis cervical así como fracturas o luxaciones. Se trata de la prueba más fácil que muestra este tipo de lesiones e incluso otras del tipo: espondilolistesis y dislocaciones.

La literatura médica coincide en señalar la importancia de tener en cuenta un diagnóstico diferencial con respecto a otras patologías como la radiculopatía cervical, polimialgia reumática, lesión cerebral traumática, hernia de disco cervical, infección u osteliomelitis, enfermedad reumatológica inflamatoria, simulación, trastorno de dolor psicógeno, dolor referido de estructura cardiotorácica, tumor o neoplasia maligna de la columna cervical, anomalía vascular de las estructuras cervicales.

---

(26) López Buedo, A. I., Ortega Rubio, E., Perales Pardo, R., Amores Valenciano, Pi.: *Validación de la Regla Canadiense de la Columna Cervical para el uso de radiografías*. Revista Clínica de Medicina de Familia 2006. Disponible en:<http://www.redalyc.org/articulo.oa?id=169617622007>

De otra parte, la resonancia magnética está indicada para casos en los que se sospecha hernias discales o en escenarios de incongruencia cervical acusada. Algunos autores concluyen que la RM en la fase aguda del SLC tenía demasiados falsos positivos, lo que dificultaba la correlación de sus hallazgos con las manifestaciones clínicas iniciales. La RM estaría indicada más adelante, en los pacientes con manifestaciones persistentes, con el fin de diagnosticar una hernia discal que debería ser intervenida quirúrgicamente.

Con carácter general se vienen realizando diferentes pruebas de imagen complementarias [27]. El común denominador de cada una de ellas es la escasa aportación médica en la determinación de los traumatismos menores de la columna cervical.

	Características de la lesión
Exploraciones radiológicas	Luxaciones, desplazamientos, fisuras y fracturas vertebrales entre otras lesiones. No aportan información en traumatismos cervicales menores, dado que la existencia de una rectificación de la lordosis fisiológica no sea de origen postraumático, sino más bien de la actividad física y/o laboral de la víctima.
Ecografía	Muestra el estado de los tejidos blandos. Raramente utilizada para los traumatismos menores de la columna vertebral.
Tomografía Axial Computable (TAC)	Prueba utilizada para patologías óseas.
Resonancia Magnética (RM)	Utilizada para obtener información de tejidos blandos y óseos de la columna vertebral. Muy utilizada para descartar lesiones de mayor entidad o gravedad.
Electromiografía	Prueba de imagen utilizada para diagnosticar afectaciones a terminaciones nerviosas que puedan producir irradiación a miembros superiores e inferiores.
Termografía	Prueba compleja de escasa implantación.

---

(27)   Gallardo San Salvador, N.: «El informe médico concluyente». *Revista de la Asociación Española de Abogados Especializados en Responsabilidad Civil* número 57. Primer trimestre, 2016, Madrid. Pp. 49-56.

	Características de la lesión
Espectroscopia en resonancia magnética de 3T	Se trata de una prueba en poco extendida, en fase experimental. Se trata de aplicar estímulos dolorosos mediante calor en la mano. Con este método se puede comprobar si después de la aplicación del estímulo doloroso los mecanismos normales para inhibir el dolor muestran algún tipo de alteración.

Está bastante extendido, incluso en los protocolos de asistencia médica, un conjunto de pruebas diagnósticas para los casos de síndrome del latigazo cervical. El facultativo que atiende al paciente ha de fijarse en comportamientos indicativos de dolor, gestos, fricción de la zona o su protección. Deberá prestar atención a los movimientos del cuello que puedan causar dolor de cabeza.

En el mismo sentido no debe obviarse la información referente los antecedentes o historia clínica [28] del paciente que puedan revelar lesiones preexistentes, así como toda la información relativa al mecanismo de producción de la lesión. El parte de urgencias se convierte en un documento imprescindible para iniciar el seguimiento y posterior estabilización lesional. Desde ese momento, dentro de las 72 horas posteriores al accidente según el artículo 135 de TRLRCSCVM, queda fijado el criterio cronológico, ya que si la primera asistencia no se produce dentro de ese plazo tendremos dificultades para acreditar o probar el nexo de causalidad. Ahora bien, no podemos afirmar que el criterio cronológico se erija como una prueba *iuris et de iure* sino más bien *iuris tamtum*. A pesar de que la jurisprudencia no sea abundante en este sentido, sí que es cierto que en algunas ocasiones los síntomas del síndrome del latigazo cervical aparecen o se presentan en horas posteriores a las que pauta el precepto anteriormente citado.

De otra parte, considerado como un aspecto controvertido o espurio del «Baremo». La obligación legal de ceñirse a los criterios ulteriores deja al

---

(28)   Artículo 3 de la Ley 41/2002, de 14 noviembre, básica reguladora de la autonomía del paciente y de derechos y obligaciones en materia de información y documentación clínica establece el significado de la historia clínica como el conjunto de documentos que contienen los datos, valoraciones informaciones de cualquier índole sobre la situación y la evolución clínica de un paciente a lo largo del proceso asistencial.

margen otros aspectos o criterios médicos que de igual modo podrían contribuir a diagnosticar el esguince cervical.

Por tanto la complejidad de un diagnóstico específico para cada paciente radica en la ausencia de pruebas de imagen tangibles con la fisiopatología del cuello provocada por mecanismos de baja intensidad con ocasión del accidente de tráfico a escasa velocidad. Digamos que la intangibilidad del dolor, unido a la difícil objetivación de la lesión mediante pruebas de imagen contundentes deja paso a la somatización y, a la ahora exigua, compensación económica. Nada más lejos de la realidad legislativa que ampara este tipo de lesión. El apartado primero del artículo 135 del TRLRCSCVM así lo prevé.

> 1. Los traumatismos cervicales menores que se diagnostican con base en la manifestación del lesionado sobre la existencia de dolor y que no son susceptibles de verificación mediante pruebas médicas complementarias, se indemnizan como lesiones temporales, siempre que la naturaleza del hecho lesivo pueda producir el daño de acuerdo con los criterios de causalidad genérica.

1.3. Factor desencadénate: accidente de circulación

El mecanismo lesional o factor desencadénate origen del traumatismo menor de la columna cervical se encuentra circunscrito al accidente de tráfico. No quiere ello decir que únicamente sea el siniestro vial el causante de este tipo de lesión. Como sabemos existe un buen número de mecanismos lesionales que no participan del hecho o accidente de tráfico tales como caídas de cabeza, zambullidas, movimientos bruscos del cuello, girarse, agacharse, cargar demasiado peso, la práctica de un gran número de actividades deportivas, las sacudidas de las atracciones de feria, entre otras muchas. Llama la atención que la víctima que sufre esta lesión no somatiza el daño de igual forma que cuando el factor desencadénate o causa deviene del accidente de tráfico. Mientras que en el primer caso el tiempo de incapacidad temporal tiende a reducirse, en el segundo más bien sucede lo contrario. La víctima a sabiendas de la nada desdeñable indemnización intenta prolongar el tratamiento para obtener una mayor suma de dinero. Existe, por tanto, una especie de *vis atractiva* de identificar el SLC con el accidente de tráfico.

Hablar de accidente de tráfico o hecho de la circulación como factor desencadénate de la lesión cervical no deja de ser una verdad a medias. Lo cierto es que con carácter generalista si se puede afirmar que la causa tiene su origen en el accidente o siniestro vial. No obstante, un análisis más pormenorizado pone de relieve que el traumatismo menor de la columna vertebral es provocado por el conjunto de fuerzas que concurren en el choque.

Choque, colisión o impacto son términos o acepciones que vienen siendo utilizadas indistintamente por los profesionales en la materia. Los informes técnicos o diligencias de parecer que contienen los atestados o informes técnicos abogan por distinguir el choque de la colisión. El criterio diferenciador es el hecho de que una de las unidades de tráfico que participan en el accidente esté o no en situación de reposo, es decir que uno de los vehículos de que se trate se encuentre estacionado o parado. En el mismo sentido para aquellos accidentes que se produzcan por choque contra un elemento fijo de urbanización (vallas, semáforos, guardarraíles, árboles, bancos, farolas, etc.).

La Real Academia Española define ambos conceptos de forma similar. A buen seguro no exista ningún matiz diferenciador entre ambos, si bien la literatura científica se muestra más proclive o emplea el término colisión[29]. Quizás el termino choque contenga a los términos colisión e impacto. Tanto en un caso como en otro la definición, viene dada por el encuentro violento entre dos o más cuerpos de los cuales al menos uno está en movimiento. En mecánica se denomina choque a la interacción breve de cuerpos que determinan la variación brusca de las velocidades de ambos En cambio, el alcance o significación del vocablo impacto presenta un perfil semántico que encaja mejor en el campo de la balística, como proyectil que choca contra otro cuerpo.

Sin ser un aspecto demasiado apreciable, aunque si de cierta relevancia resulta más apropiado el uso o utilización del término choque para describir la dinámica del accidente de tráfico. Ahora bien lo verdaderamente trascendente para identificar el mecanismo lesional que se origina como consecuencia de la interacción de las fuerzas que acontecen en el choque es la velocidad y la dirección. Estos componentes participan directamente en la cinemática del ocupante del vehículo. La Técnica ha establecido diversos tipos de choque como veremos en el siguiente apartado, pero con carácter general se establece tres tipos: choque frontal, posterior y lateral. No debemos olvidar, ahínque desde de otra perspectiva, el vuelco, En este tipo de

---

(29)   Choque es impacto que sufre un vehículo contra elementos fijos de la vía. Tales como árboles, farolas, muros de protección, vallas, señales o cualquier otro elemento que forma parte de la infraestructura de la vía, o bien contra objetos que no forman parte de dicha infraestructura y que se encuentran en ella por diversos motivos, como neumáticos, vigas troncos o rocas, desprendimientos de la carga de un vehículo, de terrenos colindantes o colocados intencionadamente. También se considera choque al encuentro violento ente un vehículo en movimiento y otro estacionado o abandonado. *Manual de Reconstrucción de Accidentes de Tráfico*, Centro de Experimentación y Seguridad Vial Mapfre. Ed. CES-VIMAP, S.A. Ávila 2009. P. 76.

accidente también se producen lesiones importantes en cuello por traumatismos de la cabeza contra las paredes o el techo del vehículo como consecuencia de las vueltas de campana o tonel.

La cuestión no es baladí, ya que la indagación o investigación de correspondencia entre el factor desencadenante y las lesiones que sufre la víctima
o bien cercena el derecho al resarcimiento, o bien contribuye a mermar la
indemnización.

1.3.1. Dinámica y tipología de la colisión

Aunque la lesión cervical sobreviene de un movimiento brusco y secuen-
ciado del cuello por hiperflexión-hiperextensión, lo cierto es que la dinámica
o cinemática de la colisión por alcance o choque posterior se ha convertido
en el mecanismo lesional del SLC.

El fenómeno de la accidentología[30] ha impulsado de manera decisiva a
la investigación de las causas de los siniestros viales. La reconstrucción y los
informes biomecánicos son algunos de sus objetivos más inmediatos. El estudio de los movimientos y fuerzas que interactúan en un accidente de tráfico
resultan cruciales para conocer con exactitud la biocinemática de la colisión.
De forma meridiana JOUVENCEL[31], haciéndose eco de otros autores, considera
que el cuerpo humano está constituido por tres eslabones: pelvis, tórax y
cabeza. De tal forma que estas estructuras óseas en conexión con las vísceras,
órganos y fluidos orgánicos son las que van a soportar los movimientos biomecánicos derivados de las fuerzas que confluyen en un accidente de circulación.

Uno de los primeros datos a tener en cuenta para realizar el informe técnico de cualquier accidente de tráfico es el tipo de colisión. Este hecho va a
ser decisivo para la investigación, ya que el tipo de colisión determinará los
movimientos pre y postcolisivos de las unidades de tráfico encartadas en el
accidente.

---

(30) Estudio epidemiológico de los accidentes de circulación que combina diferentes áreas de
      investigación en relación al factor humano, la vía y el vehículo.
(31) JOUVENCEL, M. R.: *Biocinemática del accidente de tráfico*. Díaz de Santos S.A. Madird, 2000.
      P. 16.

Dependiendo del modo en que colisionan[32] los vehículos podemos distinguir los siguientes tipos de colisiones:

— Colisión frontal contra obstáculo fijo indeformable (centrales o perpendiculares, excéntricas, angulares u oblicuas). Choque contra muro o pared.

— Colisión frontal contra obstáculo móvil deformable que se desplaza en sentido contrario (centrales o perpendiculares, excéntricas, angulares u oblicuas). Las masas de las unidades de tráfico que participan en el accidente pueden ser similares o diametralmente opuestas. Colisión camión —turismo, motocicleta— turismo o incluso autobús-turismo. Este tipo de colisión supone un grave riesgo para los ocupantes tanto es así que el índice o tasa de mortalidad de este tipo de colisión es la más elevada en vías interurbanas. Más del 20% de las muertes por accidente de tráfico se producen en este tipo de colisión.

— Colisión por embestida contra obstáculo móvil deformable (perpendicular y oblicua).

— Colisión refleja contra obstáculo en movimiento deformable en el mismo sentido. Los dos vehículos implicados en el accidente colisionan varias veces sucesivas entre sí.

— Colisión por alcance (central, excéntrica o angular). Tiene lugar cuando la parte delantera de un vehículo colisiona contra la trasera de otro.

— Colisión por raspado. Se produce por el roce de los laterales de ambos vehículos. El raspado es positivo si el roce se produce cuando los vehículos circulan en sentido contrario. De otra parte, si el roce se produce en la misma dirección y sentido éste será negativo.

— Otras: salidas de vía, vuelco (*roll-over*) en tonel, campana o volteo, salto, etc.

Cualquiera de las colisiones que se relacionan puede provocar traumatismos leves de la columna vertebral. Cualquiera de ellas podría ocasionar

---

(32)   Para ampliar información y en profundidad: *Manual de Reconstrucción de Accidentes de Tráfico*. Op. Cit. García Gil, J.: *El nuevo derecho de la circulación de vehículos a motor. Nuevo procedimiento sancionador. Accidentes y responsabilidades. Indemnizaciones. Seguro.* Ed. DAPP. Pamplona, 2009. Baker, J.S. & Frickr., L.B.: *Manual de investigación de accidentes de tráfico.* Ed. Sictra Ibérica. Gijón, 2002. Álvarez Mántaras, D., Luque Rodríguez, P., González-Carbajal García, J. M.: *La investigación de accidentes de tráfico: la toma de datos.* Ed. Thomson-Paraninfo. Madrid, 2005. Alba López, J. J., Iglesia Pulla, A., Monclús González, J.: *Accidentes de tráfico. Manual básico de investigación y reconstrucción.* Ed. Pons. Madrid 2006. Luque Rodríguez, P., Álvarez Mántaras, D.: *Investigación de accidentes de tráfico: manual de reconstrucción.* Ed. Netbiblo. Oleiros, A Coruña 2007.

lesiones graves o la muerte. El factor determinante sería la velocidad a la que se produce el impacto. Pero no solo la velocidad, sino también el grado de deformación de los vehículos que disipa la energía cinética e incluso los dispositivos de seguridad pasiva tendrán que tenerse presentes a la hora de examinar los movimientos que experimentan el conductor y usuarios del vehículo.

Cada colisión es susceptible de producir un tipo de lesión característica. Así, podríamos afirmar que la colisión por alcance es al SLC como el traumatismo craneoencefálico lo es al atropello de peatón. El resultado lesional en cada uno de los casos varía en función del mecanismo lesional que se despliega en el tipo de colisión.

Por lo tanto, debemos distinguir entre mecanismo de lesión, tipo de colisión y resultado lesional. Lo cierto es que existe cierto grado de correspondencia entre cada uno de ellos. A un tipo de colisión determinada se sirve de uno o varios mecanismos lesionales al que le sigue un cuadro lesional más o menos previsible.

Tipo de colisión	Mecanismo lesional	Cuadro lesional
Colisión frontal	Compresión Tracción Flexión	Fracturas graves de columna vertebral-cervical cadera, extremidades inferiores y superiores. Politraumatismo en cabeza, tórax y abdomen.
Colisión lateral	Compresión Tracción Flexión	Fracturas costales en el hemitórax, pelvis, traumatismos craneoencefálicos, rotura de órganos (hepática)
Colisión por alcance	Extensión Flexión Tracción Compresión	Lesiones en músculos, ligamentos, discos, capsulas articulares, platillos vertebrales, nervios del sistema simpático cervical, nervios craneales e incluso en el esófago, tráquea y articulación termoporomandibular
Vuelcos	Torsión	Lesiones medulares, fracturas vertebrales, traumatismos craneoencefálicos

Tipo de colisión	Mecanismo lesional	Cuadro lesional
	Compresión Tracción	severos. Si hay proyección exterior de los usuarios del vehículo las se agravan considerablemente

De ahí, que el principal elemento probático para demostrar si hay o no nexo de causalidad médica entre la colusión y las lesiones sea el informe o estudio biomecánico del accidente que veremos a continuación.

1.4. Estudio biomecánico de las lesiones en región cervical

La investigación de los accidente de tráfico trajo consigo la aparición de nuevas técnicas para determinar las causas y consecuencias. Fue a partir de la década de 1960 cuando la comunidad científica comienza a centrar sus estudios de investigación en el examen de los mecanismos de protección de los usuarios u ocupantes de los vehículos. A través de la conjugación de parámetros lesionales y tipos de accidentes de circulación. El avance tecnológico no solo se produce en los diseños y prestaciones de los vehículos, sino que los fabricantes centran sus esfuerzos en desarrollar nuevos sistema de protección o seguridad.

Los antecedentes históricos de esta ciencia hunden sus raíces en etapas mucho más pretéritas. Por citar algunas reminiscencias traigo a colación los exhaustivos estudios, para la época, sobre la estructura funcional de los animales en los trabajos que desarrolla en el siglo IV a. c. sobre las partes, los movimientos y la progresión de los animales. Ya en el siglo XV Leonardo da Vinci muestra su ingenio a través del estudio anatómico de las articulaciones del cuerpo humano. Desde esta etapa incipiente del estado de la ciencia hasta nuestros días, con la contribución de científicos como GALILEO GALILEI, ISAAC NEWTON, ROBER HOOKE e incluso el que fue considerado como el padre de la biomecánica GIOVANNI BORELLI ha sido posible alcanzar un grado de conocimiento avanzado en la biomecánica de las lesiones. La literatura científica subraya la importante labor del ingeniero y piloto de aviación HUNG DE HAVEN. Tras sufrir un grave accidente de avión en 1917 del que resultó herido de gravedad llega a la conclusión de que sobrevivió gracias a la estructura de la cabina y los arneses que lo sujetaban. No obstante, a pesar de salvar la vida sufre lesiones importantes en la zona abdominal por los dispositivos de retención.

A partir de este momento HAVEN se centra en la investigación de los accidentes de aviación, llegando incluso a ser nombrado en 1942 director del programa *Crash Injury Research* en la Universidad de Cornell de Estados Unidos. Desde este período hasta el momento actual se han producido importantes descubrimientos en el campo científico de la Biomecánica[33].

Injury Biomechanics, Biomecánica del impacto o biomecánica de las lesiones son términos utilizados por la comunidad científica para identificar los movimientos o efectos que sufre el material biológico al aplicar un momento o fuerza determinada. Aquella área del conocimiento que analiza los efectos de las fuerzas aplicadas (solicitaciones mecánicas) sobre el material biológico centrándose en los tejidos dañados. Se trata de una ciencia empírica relativamente joven que se sirve de la Biodinámica (tolerancias de lesión) y la Biocinemática (cambios de velocidad), retroalimentándose de otras ciencias como la física, la matemática, la psicología y la ingeniería.

Para mayor abundamiento traigo a colación la definición que contempla el fundamento de derecho cuarto de la SAP de Burgos, de 22 de julio de 2010:

> «(…) la Biomecánica de Lesiones trata de explicar los mecanismos de producción de las lesiones corporales en el ser humano mediante la aplicación de los conocimientos de diversas ciencias (Física, Ingeniería, Medicina, Psicología, etc.) que determinando los factores humanos y físicos que han podido intervenir en la producción del accidente, la dirección principal de la fuerza, la intensidad de las fuerzas que se han liberado en una determinada colisión, la resistencia de los diversos tejidos del cuerpo humano y la protección determinada por dispositivos de seguridad pasiva (cinturones de seguridad, bolsas de aire y asientos de seguridad infantil en automovilistas, cascos en motoristas o ciclistas, etc.) orientan a la aparición de un tipo u otro de lesiones».

La principal diferencia con la Biomecánica *lato sensu* radica en la escasa duración de la carga o fuerza a la que se somete el material biológico que a pesar de ser imperceptible atraviesa tres fases bien diferenciadas:

a) vehículo contra objeto,

b) impacto del ocupante contra el interior del vehículo,

c) órganos internos del ocupante contra la cara interior de las estructuras óseas del cuerpo.

---

(33) ARREGI, C. D., LUZÓN NARRO, J., LÓPEZ VALDÉS. F. J., DEL POZO DE DIOS, E., SEGUÍ GÓMEZ, M.: *Fundamentos de Biomecánica en las Lesiones por Accidente de Tráfico.* Editorial tráfico Vial, S.A. (Etrasa), 4ª Edición Madrid 2012. Pp. 35-97.

No solo la duración de la colisión, sino la liberación de energía en el desarrollo del accidente, la velocidad, e incluso la capacidad de deformación de los materiales son factores determinantes para la gravedad de las lesiones.

Los objetivos que marcan la investigación de la biomecánica del impacto en el terreno de la siniestralidad tratan de determinar, en primer lugar, cuál ha sido en mecanismo del daño o mecanismo lesional a través del cálculo de la variación de velocidad o Delta V (biocinemática). En segunda instancia, establecer cuál será el comportamiento del material biológico sometido a una determinada fuerza o momento. En tercer lugar, prever cual va a ser el umbral, límite o punto de inflexión a partir del cual quiebra la resistencia del material biológico (biodinámica).

El riesgo de lesión cervical[34] o umbral a partir del cual puede aparecer la lesión en las colisiones a baja velocidad en valores ΔV 9 y 20 Km/h. ¾ partes se producen en un ΔV menor de 15 Km/h y el 7% con un ΔV superior a 25 Km/h. en el mismo sentido se ha establecido que el umbral para la aparición de síntomas es de 4-8 km/h.

Todos ellos focalizan o priorizan un fin común que no es otro que la optimización de la seguridad de los vehículos. En tanto en cuanto tratan de desarrollar materiales y estructuras más seguras para los usuarios de los vehículos. En definitiva contribuyen a minimizar las lesiones que se producen los ocupantes de un vehículo contra su estructura interna.

La biomecánica de la lesión cervical[35] se encarga de analizar el mecanismo de trasferencia de energía al cuello que puede presentarse, por lo general, como consecuencia de un impacto trasero o colisión por alcance. Colisiones cuya dinámica accidental revela poca intensidad, ya que la velocidad pre- y post-colisión suelen estar por debajo de los parámetros que podríamos considerar como normales para el tipo de vía donde suelen acaecer, generalmente 50 km/h.

En este tipo de colisión juegan un papel trascendental los sistemas de seguridad pasiva de los vehículos. Tanto el cinturón de seguridad bolsa, cojín o almohadilla de aire (*airbag*) como los apoyacabezas y materiales utilizados en los revestimientos interiores de salpicadero y puertas han contribuido a

---

(34) REPRESAS VÁZQUEZ, C., MUÑOZ BARÚS, J. I., LUNA MALDONADO, A.: *Importancia de la biomecánica del impacto en la valoración pericial del síndrome del latigazo cervical.* Revista Española de Medicina Legal. A Coruña, 2015. P. 74.

(35) Anexo núm. 8: informe tipo de la biomecánica del accidente.

lenificar o paliar las lesiones cervicales. Todos ellos han de ser tenidos en cuenta a la hora de realizar el estudio biomecánico.

Por último, cabe apostillar que la Biomecánica del impacto no es la panacea de los accidentes, por cuanto es una ciencia empírica que puede llegar a demostrar el comportamiento de móviles y materiales, pero no el nexo de causalidad entre el impacto y la lesión. Una cuestión que no está exenta de incertidumbre y de escasa eficacia probatoria.

SAP León de 23 de junio de 2014:

> «(...) Pero cuando el impacto es de menor intensidad estos informes pueden tener relevancia, pero sólo para poner de manifiesto el comportamiento de móviles (velocidad y reconstrucción del accidente, en general) y materiales (deformación de materiales, transferencia de la intensidad del impacto al desplazamiento de personas y objetos...). Sin embargo, más allá de tales conclusiones, cualquier intento de establecer conclusiones sobre la existencia o inexistencia de una lesión resulta, cuando menos, incierto y escaso de eficacia probatoria».

1.4.1. Breve referencia a los efectos del reposacabezas, cinturón de seguridad y bolsa de aire

En lo que atañe del reposacabezas hay que decir que se trata de un componente sobradamente consolidado. Una simple medida, pero de gran eficacia. A mediados de los años 50 VOLVO (*Whips*) y SAAB (*Sahr*)[36] incorporaron a sus vehículos el reposacabezas como un sistema de seguridad pasiva, cuya función principal era limitar el desplazamiento de la cabeza hacia atrás en relación al tronco cuando el ocupante era sometido a un impacto trasero.

En 1978 la Comunidad Económica Europea a través de la Directiva EEC 78/932 introduce los criterios de comportamiento de los reposacabezas homogeneizando sus dimensiones y componentes. Posteriormente, en los años 90 vuelve a regular ciertos aspectos con el fin de mejorar la seguridad de los ocupantes.

La geometría, diseño, materiales utilizados, tipo de reposacabezas (ajustable o extraíble o fijo), rigidez de los respaldos. Distancia de la cabeza a la parte frontal del reposacabezas son algunos de los parámetros utilizados para valorar la eficacia de este elemento.

---

(36)   DE MIGUEL MIRANDA J. L. y CISNEROS LÓPEZ O.: *Descripción del Reposacabezas y evidencias científicas de su efectividad*. Fundación Instituto Tecnológico para la Seguridad del Automóvil (FITSA). Madrid 2005- Pp. 10-94.

De otra parte, en lo referente al cinturón de seguridad resulta palmario que su objetivo principal es reducir de forma drástica la transmisión de energía a los ocupantes de un vehículo. De ahí, su efectividad para prevenir muertes y lesiones de gravedad en cualquier tipo de colisión[37]. Su función principal es mantener al ocupante en su posición dentro del vehículo y evitar la eyección fuera del habitáculo.

El cinturón de seguridad se incorpora al sector automovilístico[38] a finales de la década de los años cincuenta del pasado siglo. Este elemento de seguridad pasiva del que existen varios tipos (cinturones de 2, 3, 4 y 5 puntos) está formado por la cinta, que es de banda de fibra sintética (poliamida) de 50 mm de anchura y longitud variable. El retractor o mecanismo retráctil, que es el componente que alberga el mayor número de funciones: arrollador y bloqueo de cinta, pretensor pirotécnico y limitador de carga. El reenvío, que es el componente que va fijado a la carrocería del vehículo e incorporado a un sistema de regulación de altura que permite ajustar la cinta sobre el pecho del ocupante según su talla y altura. El tercer punto de anclaje que es la fijación del extremo de la cinta a la carrocería, este mecanismo fija de forma repentina al ocupante al asiento en el momento de la colisión y, por último, la hebilla que sirve para abrochar el cinturón Este dispositivo se sirve de varios métodos técnicos para su activación y buen funcionamiento. El sistema de bloqueo de cinta que impide la salida de la cinta del arrollador. El sistema de pretensión pirotécnico que tensa la cinta. El sistema limitador de carga, que permite la reducción de las fuerzas aplicadas al pecho y pelvis

---

(37) Elvik, R.: *El manual de medidas de seguridad vial.* Traducción de Jesús Mondus, 2.ª ed. Fundación Mapfre, Madrid 2003. Tabla 1. Efecto de la utilización del cinturón de seguridad sobre la probabilidad de lesión en caso de accidente. Documento internet: *http://www.dgt.es/es/sistemas-seguridad-vehiculos/avisador-de-usode-cinturones-de-seguridad/efectividad-del-cinturon-de-seguridad.shtml.*

(38) La ley contempla desde hace años la obligatoriedad de usar este dispositivo de seguridad. En 1974 ya existía algún tipo regulación legal sobre este dispositivo, a través de una modificación del código de 1934. Sin embargo, fue en 1990 cuando el artículo 47 del Texto Articulado de la Ley sobre Tráfico, Circulación de Vehículos a Motor y Seguridad Vial —Real Decreto legislativo 339/1990, de 2 de marzo— estableció la obligación para conductores y ocupantes de los vehículos de utilizar el cinturón de seguridad. Con posterioridad a esta fecha, la Directiva 91/67/CEE, de 16 de diciembre de 1991, relativa a la utilización del cinturón de seguridad obligó a los Estados miembros a poner en vigor las disposiciones reglamentarias y administrativas necesarias para dar cumplimiento a lo dispuesto en tal norma. En España entro a formar parte de nuestro ordenamiento mediante el artículo 117 del Reglamento General de Circulación —Real Decreto Legislativo 13/1992, de 17 de enero—. En el momento actual hemos asistido a una nueva regulación sobre los sistemas de seguridad pasiva —Sistemas de retención infantil [SRI]—, mediante RD 667/2015, de 17 de julio, por el que se modifica el Reglamento General de Circulación, aprobado por el RD 1428/2003, de 21 de noviembre, en lo que se refiere a cinturones de seguridad y sistemas de retención infantil homologados (BOE 18 julio). En vigor desde el 1 de octubre de 2015.

del ocupante en el caso de que estas superen unos valores determinados. Esto se consigue a través del modulador de presión.

La mayor parte de los estudios e investigaciones concluyen que el cinturón de seguridad reduce desde un 50 a un 90% la posibilidad de fallecer en un accidente de tráfico. Sin embargo, pese a esta garantía de efectividad[39](puede reducir hasta un 80 o 90% la posibilidad de fallecer en un accidente de tráfico) también le acompañan otros efectos no tan seguros. Existen determinados tipos de lesiones contra las que no protege, esencialmente: golpes por detrás debidos a ocupantes o cargas sin sujetar (los usuarios del vehículo que no utilicen el cinturón de seguridad comprometen la protección de los ocupantes de las plazas delanteras causando lesiones por contusiones o aplastamientos), lesiones en el cuello por latigazo cervical (el cinturón de seguridad de tres o cuatro puntos aumenta la flexión de la columna cervical como consecuencia de quedar el cuerpo sujeto al asiento y la cabeza libre)[40], incendio del vehículo al quedar atrapado después del accidente, invasiones o intrusiones de elementos rígidos del exterior al interior del vehículo, así como deformaciones acusadas del chasís. En este caso las distancias entre el ocupante y los elementos que le rodean en el interior del habitáculo (volante, parabrisas, puertas, salpicadero y techo) son especialmente determinantes en el resultado lesivo.

Los efectos positivos de llevar abrochado correctamente el cinturón de seguridad están por encima de las consecuencias o efectos negativos de no llevarlo. Ha sido una constante reiterada hasta la saciedad por la mayor parte de los estudios e investigaciones científicas. Incluso la estadística revela datos abrumadores sobre la eficacia del cinturón de seguridad. Así, en un choque contra elemento fijo a una velocidad de ensayo (30 Km/h)la deceleración multiplica por 10 el peso corporal del conductor. La caja torácica impacta contra el volante. El mentón y el cuello chocan contra la parte superior del volante, llegando a fracturar el parabrisas. El resultado: lesiones graves en cuello, tórax, cabeza y extremidades inferiores.

---

(39)   *Efectividad del cinturón de seguridad. DGT.* Documento internet. *http://www.dgt.es/es/ sistemas-seguridad-vehiculos/avisador-de-uso-de-cinturones-de-seguridad/efectividad-del-cinturon-de-seguridad.shtml*

(40)   Yogananoan, Narayan. Puntea Frank A.: *Frontiers in whiplash truma. Clinical & Biomechanical.* Ed. los Press. USA 2000. Pp. 17-24. Rast, Peter H. Steams, Robert E.: *Low Speed Accidents: Investigation. Documentation and Case Preparation.* Lawers & Judges Publishing Company. Incorporated 2000. De Paúl Velasco, J. M.: *La asunción del riesgo por la víctima como factor de reducción indemnizatoria en el ámbito de la responsabilidad civil automovilística, con especial referencia a la omisión de medidas preceptivas de seguridad pasiva.* I Congreso Nacional sobre Responsabilidad y Seguro. I. C de abogados de Islas Baleares, Palma, 22 y 23, septiembre de 2005.

Finalmente, la bosa, cojín o almohadilla de aire, más conocida como *airbag* es una bolsa de aire que se hincha rápidamente en caso de accidente, llenando el espacio existente entre el ocupante del vehículo y el volante o salpicadero, en los airbags frontales, y entre el ocupante y la puerta, en los airbags laterales[41]. Este dispositivo ofrece en combinación con el cinturón de seguridad ofrece al ocupante una protección efectiva, ya que retiene al usuario aplicando una carga distribuida por el cuerpo.

Los primeros ensayos del *airbag* se realizan en la industria aeroespacial, en la década de los años 50. Sin embargo, es en la década de los años 70 cuando se incorpora tímidamente al sector automovilístico, siendo a partir de los años 90 cuando los fabricantes de vehículos lo instalan en todos sus modelos.

El dispositivo está formado por la bolsa o cojín hinchable de volumen variable según el tipo (50 a 100 litros), cuya función principal es proteger a los ocupantes del contacto directo contra el volante, tablero, paredes de puertas u otras estructuras internas. La bolsa, que contiene varios orificios de salida del gas, se hincha en 30 milisegundos por el generador de gas Este componente pirotécnico genera el flujo de gas necesario. Todo ello es controlado por un módulo electrónico actúa según el algoritmo programado.

Los distintos tipos de *airbag* han sido diseñados para minimizar las lesiones que pueden aparecer después del impacto. El *airbag* frontal se encarga de proteger la cabeza, cuello y tórax. El lateral o de cortina trata de minimizar el riesgo de lesión en pelvis, tórax y abdomen. Por su parte, el *airbag* de rodilla está diseñado para salvaguardar las extremidades inferiores (rodillas) y la zona pélvica.

Los efectos del este sistema de seguridad pasiva garantizan una disminución ostensible de las lesiones. Para su correcto funcionamiento se deben de respetar algunas pautas. En cualquier caso, evitar malas posturas como ir pegado al volante, la distancia que debe existir entre el volante y el cuerpo no puede ser inferior a 25 centímetros. De lo contrario, de no adoptar una postura correcta, el *airbag* puede provocar lesiones por quemaduras en manos y brazos.

---

(41)   *Manual de Reconstrucción de Accidentes de Tráfico...*, op. cit. p 117.

1.5. Contenido del informe pericial

A través del informe biomecánico del impacto se obtiene un información detallada de los parámetros que intervienen en el accidente. Su elaboración exige un grado notable de conocimientos técnicos o científicos, dada la especificidad de la materia. Para una correcta interpretación del informe o estudio de la biomecánica de la colisión resulta imprescindible examinar la mecánica del accidente, la unidad de tráfico que interviene en el accidente (vehículos) así como los ocupantes del vehículo.

A) Escenario del accidente

— Tipo de vía, señalización, densidad del tráfico y condiciones meteorológicas.

B) Mecánica del accidente

— Tipo de colisión:

• Frontal (central o perpendicular, excéntrica, angular u oblicua)

• Embestida contra obstáculo móvil deformable (perpendicular y oblicua)

• Alcance (central, excéntrica o angular)

• Raspado (positivo o negativo)

• Choque (central, excéntrica o angular)

• Salidas de vía (vuelco volteo y salto)

La zona de la colisión resulta determinante para conocer la dinámica o movimientos postcolisivos de los ocupantes.

— Estudio de la velocidad precolisiva y postcolisiva. El informe biomecánico de la colisión no debe subestimar estos datos, si bien es cierto, referidos a la ΔV o Delta-V y a los ocupantes de los vehículos. La cuestión no es baladí si tenemos en cuenta que la omisión de ellos, en ocasiones, puede dar al traste con las conclusiones de la investigación (SAP de Murcia, núm. 193/13, de 2 de julio de 2013).

En consecuencia, cumpliendo con la premisa anterior estaremos en disposición de abordar el siguiente estadio de la investigación; aquel que nos va a permitir determinar si existe o no nexo de causalidad entre el accidente y las lesiones sufridas. Resulta imprescindible examinar cada uno de los criterios de imputación médico-legales como así lo ha protocolizado la comunidad científica[42].

C) Unidades de tráfico (vehículos)

— Estado y la masa de los vehículos implicados. La deformación de las unidades de tráfico encartadas en el accidente aportará suficiente información acerca de la intensidad del impacto y su directa relación con la probabilidad de riesgo de lesión cervical.

De otra parte, resulta de gran importancia conocer la masa total, que debe de incluir el peso de cada uno de los ocupantes, de los objetos transportados en el maletero o interior del vehículo e incluso la cantidad de combustible. Estos datos servirán para establecer la relación de masas entre ambos vehículos, siendo un hecho objetivo que cuanto mayor sea la diferencia de masas entre el vehículo que golpea y el golpeado, mayor será el riesgo de que los ocupantes del vehículo más ligero sufran lesiones cervicales.

— Velocidad pre-post-colisiva y trayectoria.
— Inspección ocular del interior del vehículo. Huellas y vestigios del interior del vehículo. Hallazgos y toma de muestras (restos biológicos como: fluidos corporales, cabello, piel.
— Entidad de los daños. La escasa cuantía o inexistencia de los daños materiales, al menos en apariencia, no resulta suficiente para romper el nexo de causalidad entre la colisión y las lesiones, ya que cuanto menor sea el grado de deformación de los vehículos mayor será el potencial lesivo que se trasfiere al ocupante.

---

(42)   Protocolo médico-legal integrado en la valoración de lesiones. La exploración biomecánica debe acometer, al menos, los siguientes aspectos: 1. Anamnesis y valoración documentos. 2. Exploración del paciente. 3. Consideraciones médico-legales. 3.1. Establecimiento de lesiones y secuelas. 3.1.1. Tiempo de curación. 3.1.2. Días. 3.2. Estado anterior. 3.3. Criterios médico-legales de causalidad. La «conditio sine qua non» el *but for causation*. 3.3.1. Cronológico. 3.3.2. De compatibilidad biomecánica (intensidad suficiente y mecanismo de producción de lesión adecuando). 3.3.3. De exclusión. 3.4. Simulación. 3.5. Secuelas. 4. Conclusiones médico-legales.

— Elementos de seguridad activa. Conjunto de componentes que contribuyen a proporcionar una mayor eficacia y estabilidad al vehículo en marcha y en la medida de lo posible evitar un accidente[43].

- Sistema de alumbrado
- Estado de los neumáticos
- Sistema de frenos
- Suspensión y amortiguación
- Sistema de control de estabilidad
- Sistema de dirección

— Elementos de seguridad pasiva del vehículo (I).

- Chasis y carrocería (estructura de deformación programada). La estructura de deformación programada absorbe la energía del impacto tal y como se haya programado, reduciendo los riesgos del habitáculo.

- Paragolpes
- Absolvedores de espuma (polipropileno expansible)
- Traviesas y absorbedores de impacto
- Larguero

— Elementos de seguridad pasiva del vehículo (II): asiento, reposaca-bezas, cinturón de seguridad y *airbag*. Las investigaciones[44]en este campo de la ciencia han puesto de manifiesto el elevado número de conductores que llevan mal ajustado su reposacabezas. Las lesiones que se producen en el cuello como consecuencia de las colisiones por alcance requieren un estudio pormenorizado de los tipos de asientos y reposacabezas de los vehículos, teniendo en cuenta el comportamiento y la protección contra las lesiones.

---

(43)   De acuerdo con la información publicada por la DGT en las principales cifras de sinies-tralidad vial. España 2018 resulta palpable el notable envejecimiento del parque automo-vilístico. Llama la atención la antigüedad media de 10,9 años de los turismos. El riesgo de fallecer o resultar herido se multiplica por dos al comprobar los accidentes ocurridos con vehículos de 10 a 15 años de antigüedad, en relación con vehículos de menos de 5 años. De ahí la importancia de llevar un mantenimiento adecuado de todos los elementos de seguridad del vehículo: neumáticos, suspensión, frenos, luces, dispositivos de señalización (óptica y acústica).

(44)   DE MIGUEL MIRANDA, J. L. y CISNEROS LÓPEZ, O.: *Descripción del reposacabezas y evidencias técnicas de su efectividad*. Centro Zaragoza. Instituto de investigación sobre reparación de vehículos, S. A. Fundación Instituto Tecnológico para la Seguridad del Automóvil (FITSA). Alcobendas, Madrid 2005. Págs. 48-52.

Ya hemos visto como el uso del cinturón de seguridad favorece el mecanismo lesional del latigazo cervical.

D) Ocupantes

— Cinemática del lesionado

• Posición en el vehículo y postura pre-impacto. Resulta de suma importancia conocer la posición y postura corporal que adopta el usuario del vehículo en el momento previo al impacto. A través de estos datos se puede llegar a determinar la cinemática del cuerpo así como las reacciones motorices, gestos defensivos, eyecciones, contusiones entre los ocupantes entre otras cuestiones.

• Grado de previsibilidad. El grado de imprevisibilidad del impacto eleva el potencial lesivo. Los ocupantes que perciben la inminente colisión suelen sufrir lesiones más leves que los ocupantes fuera de este rango de previsibilidad del accidente.

El grado de relajación o percepción del impacto de los ocupantes puede ofrecer mayor o menor resistencia al impacto y, por lo tanto, elevar o disminuir el riesgo de sufrir una lesión.

• Etiología de la lesión. Revela si el hecho dañoso puede ser causa de las lesiones en atención a la realidad y naturaleza del traumatismo. El grado de tolerancia al impacto varía en función del sexo, la edad, si existen o no enfermedades previas o cambios degenerativos.

• Grado de proporcionalidad. Mediante el cual se establece la relación entre la mecánica del accidente y la biomecánica lesional. Si existe o no compatibilidad biomecánica y ente el mecanismo de producción de la colisión y las lesiones.

— Nexo de causalidad o correspondencia entre el impacto y la lesión. Mediante el cual se puede establecer una concordancia plena y directa entre las lesiones y el accidente. En definitiva que la lesión sea atribuible al impacto.

Los informes técnicos sobre reconstrucción de colisiones por alcance analizar la biomecánica del impacto haciendo constar el método o sistema utilizado para obtener los parámetros de las solicitaciones sobre los ocupantes del turismo.

Los expertos en la materia desarrollan sus investigaciones con aplicaciones informáticas como la *Biomechanical Analysis of Law Speed collisions* (BALS)[45]. El objetivo de esta herramienta informática es determinar el riesgo de síntomas asociados al latigazo cervical de los ocupantes de un vehículo que han sufrido una colisión por alcance. El programa tiene en cuenta diferentes bases de datos públicas de *Crash Tests*, así como los últimos estudios científicos aceptados que relacionan la violencia de la colisión con el riesgo de síntomas asociados al latigazo cervical en los ocupantes del vehículo que recibe un impacto de este tipo.

El riesgo de lesiones cervicales por traumatismos menores de la columna se analiza a través *de Neck Injury Criterion* (NIC) que mide la carga en el cuello antes de que se produzca el contacto con el reposacabezas[46].

1.5.1. *Valor probatorio*

Desde un punto de vista jurídico, la biomecánica del impacto está cobrando gran importancia como prueba pericial cualificada, siendo una de las más persuasivas para el juzgador y nada desdeñable para las aseguradoras al tratar de desmontar el nexo de causalidad a través del criterio biomecánico. Prueba de ello es la reciente sentencia número 59/2020 de la Audiencia provincial de Valladolid, de 20 de febrero de 2020. En este caso el juzgador atribuye especial relevancia a los resultados de los informes periciales biomecánicos, desvirtuando por completo la reclamación de la demandante.

---

(45)   Aplicación informática creada por el instituto de investigación sobre Reparación de Vehículos, s. A (Centro Zaragoza) a partir de un algoritmo de cálculo desarrollado por el grupo de investigación de Nuevas Tecnologías en Vehículos y Seguridad Vial perteneciente al instituto de Investigación de Ingeniería en Aragón de la Universidad de Zaragoza. Otros métodos de cálculo que se están aplicando y resultan interesantes para conocer la severidad de una colisión y las consecuencias de la misma (SAP de Valladolid 59/2020, de 20 de febrero de 2020):
1. *MAtematical DYnamic MOdel* (MADYMO). Se trata de un software que reconstruye el comportamiento dinámico de sistemas físicos centrándose en el análisis de colisiones de vehículos y analizando las lesiones sufridas por los ocupantes.
2. *PC-Crash/ V-Crash. Programas informáticos de simulación de accidentes de tráfico.*
3. *Comparativo de ensayos de vehículos referido al estudio de una colisión por comparativa a través de ensayos de centros como AZT, Centro Zaragoza, AGU.*

(46)   *Society of Automotive Engineers (SAE)* en *J885 SAE Standart Report «Human Tolerance to impact as related to motor vehicle design».* https://www.sae.org/standards/content/j885_200312/. *OC Whiplash Initiative Natural Course of injury and pathophysiology.*

En cualquier caso, hay que tener presente que el informe solo puede ser tomado en consideración como prueba pericial a los efectos de su calificación jurídica y valoración judicial. Dicho de otra forma, los informes de investigación biomecánica por traumatismos cervicales leves carecen de vocación médico-legal.

El estudio de la biomecánica del accidente constituye una declaración de conocimiento del perito con el objetivo de trasmitir al juez una serie de conocimientos técnicos, científicos, y prácticos para su correcta apreciación (art. 335 de la LECiv. y 456 de la LECrim.). Lo que no es óbice para que el juzgador considere a esta prueba pericial como no vinculante, al ser valorada conforme a lo establecido en el artículo 741 de la LECrim. Se puede no saber hacer una cosa y, sin embargo, poder criticarla. Además este criterio se apoya en el supuesto de que existan informes contradictorios. Como es sabido las partes pueden aportar al proceso, lo que exigirá la desvinculación del Juez de resultado de tal prueba (arts. 265 y 336 LECiv.).

Art. 335 LECiv. 1. Cuando sean necesarios conocimientos científicos, artísticos, técnicos o prácticos para valorar hechos o circunstancias relevantes en el asunto o adquirir certeza sobre ellos, las partes podrán aportar al proceso el dictamen de peritos que posean los conocimientos correspondientes (…).

Art. 456 LECrim. 1. El Juez acordará el informe pericial cuando, para conocer o apreciar algún hecho o circunstancia importante en el sumario, fuesen necesarios o convenientes conocimientos científicos o artísticos.

Art. 741 LECrim. El Tribunal, apreciando según su conciencia las pruebas practicadas en el juicio, las razones expuestas por la acusación y la defensa y lo manifestado por los mismos procesados, dictará sentencia dentro del término fijado en esta Ley.

Art. 265 LECIv. (…) 5. Los informes, elaborados por profesionales de la investigación privada legalmente habilitados, sobre hechos relevantes en que aquéllas apoyen sus pretensiones. Sobre estos hechos, si no fueren reconocidos como ciertos, se practicará prueba testifical.

Art. 336 LECiv. (…) 5. A instancia de parte, el juzgado o tribunal podrá acordar que se permita al demandado examinar por medio de abogado o perito las cosas y los lugares cuyo estado y circunstancias sean relevantes para su defensa o para la preparación de los informes periciales que pretenda presentar. Asimismo, cuando se trate de reclamaciones por daños personales, podrá instar al actor para que permita su examen por un facultativo, a fin de preparar un informe pericial.

La desvinculación del juzgador sobre la prueba no exime a éste de valorar la pericia según la sana crítica basada en los postulados de la lógica, la razón y en las máximas de experiencia. Hay que tener presente, como así lo prevé nuestro Tribunal Supremo (sentencias de 11 de mayo de 1981 y de 28 de noviembre de 1992), la opción del juzgador en aquellos casos de concurrencia de informes periciales contradictorios. En Alto Tribunal viene a decir que «la prevalencia de uno sobre otro encuentra su fundamento no en la condición o categoría de sus autores, sino en su mayor fundamentación y razón de ciencia sin obviar otros criterios como el del alejamiento al interés de las partes». Cita recogida por la sentencia número 520/2011 de la Audiencia provincial de Murcia, de 27 de octubre.

En la práctica es preciso ponderar ciertos aspectos de las periciales para poder atribuir un valor probatorio convincente, entre algunos de ellos[47]:

— El grado de cualificación de quien lo emite y suscribe. La especialización técnica en la reconstrucción de accidentes. La titulación del perito experto en esta materia influye de forma notoria en el resultado de la pericia. Siendo así las cosas, como así son la mayor cualificación del perito será un factor determinante.

— El método observado. La fuerza probatoria de los dictámenes radica no en la categoría o número de sus autores, sino en su mayor o menor fundamentación y razón de ciencia, debiendo de tener, por tanto como prevalentes en principio aquellas afirmaciones o conclusiones que vengan dotadas de una superior explicación racional, sin olvidar otros criterios auxiliares como el alejamiento al interés de las partes.

— Las condiciones de observación o reconocimiento del perito.

— La proximidad en el tiempo y el carácter detallado del dictamen. El carácter genérico del informe biomecánico no alcanza o no es suficiente para desvirtuar las conclusiones de adverso. Entre ellas, las posiciones de los ocupantes en el momento previo al impacto. Así lo prevé la sentencia de la Audiencia provincial de Madrid, de 3 de marzo de 2017:

«El informe biomecánico presentado en esta instancia por la recurrente no desvirtúa las conclusiones anteriores, En primer lugar, por su carácter genérico, y ello por cuanto que en la página 8, al folio 200, al establecer los elementos que contribuyen a la seguridad pasiva, no concreta, ni podría establecer, las condiciones en que los ocupantes del vehículo siniestrado estaba en el momento del choque. Y como consecuencia los efectos de éste. (…9 en este caso concreto,

---

(47) Seoane Spiegeiberrg, J. L.: «La prueba pericial e n los procedimientos de tráfico». *Revista de la Asociación Española de Abogados Especializados en Responsabilidad Civil y Seguro* número 19. Tercer trimestre, 2006. Pp. 68-74.

no establece n de forma aproximada, los efectos que sobre las víctimas tuyo la colisión (…)».

— El criterio de mayoría coincidente conforme al cual el dictamen de varios técnicos es racional que prevalezca sobre el contradictorio de uno de ellos.

Reiterada jurisprudencia en sentencias del Tribunal Supremo de 20/01/1993, 14/10/1994, 25/01/1995, 27/02/1995, vienen a considerar a este tipo de pericias como manifestaciones de verdad susceptibles de contradicción y, en cualquier caso, sometidas a las reglas de la sana crítica.

Recapitulando, interesa la sentencia de nuestro Tribunal Supremo número 471/2018, de 19 de marzo, a colación de la valoración de los informe periciales. La resolución cita aquellos artículos de la Ley de Enjuiciamiento Civ. (arts. 632 y 348) que establecen la sana crítica como regla fundamental para la valoración judicial. A continuación detalla las reglas que sostienen el ejercicio valorativo de jueces y tribunales.

Extracto de la STS núm. 471/2018 (y las en ella citadas):

«(…) En nuestro sistema procesal, como es sabido, viene siendo tradicional sujetar la valoración de prueba pericial a las reglas de la sana crítica. El artículo 632 de la LEC anterior establecía que los jueces y tribunales valorasen la prueba pericial según las reglas de la sana crítica, sin estar obligados a someterse al dictamen de peritos, y la nueva LEC, en su artículo 348 de un modo incluso más escueto, se limita a prescribir que el tribunal valorará los dictámenes periciales según las reglas de la sana crítica, no cambiando, por tanto, los criterios de valoración respecto a la LEC anterior. Aplicando estas reglas, el tribunal, al valorar la prueba por medio de dictamen de peritos, deberá ponderar, entre otras cosas, las siguientes cuestiones: 1.º. Los razonamientos que contengan los dictámenes y los que se hayan vertido en el acto del juicio o vista en el interrogatorio de los peritos, pudiendo no aceptar el resultado de un dictamen o aceptarlo, o incluso aceptar el resultado de un dictamen por estar mejor fundamentado que otro: STS 10 de febrero de 1.994 2.º. Deberá también tener en cuenta el tribunal las conclusiones conformes y mayoritarias que resulten tanto de los dictámenes emitidos por peritos designados por las partes como de los dictámenes emitidos por peritos designados por el tribunal, motivando su decisión cuando no esté de acuerdo con las conclusiones mayoritarias de los dictámenes: STS 4 de diciembre de 1.989. 3.º. Otro factor a ponderar por el tribunal deberá ser el examen de las operaciones periciales que se hayan llevado a cabo por los peritos que hayan intervenido en el proceso, los medios o instrumentos empleados y los datos en los que se sustenten sus dictámenes: STS 28 de enero de 1.995. 4.º También deberá ponderar el tribunal, al valorar los dictámenes, la competencia profesional de los peritos que los hayan emitido así como todas las circunstancias que hagan presumir su objetividad, lo que le puede llevar en el sistema de la nueva

LEC a que dé más crédito a los dictámenes de los peritos designados por el tribunal que a los aportados por las partes: STS 31 de marzo de 1.997».

Sobre el ejercicio valorativo que debe de llevar a cabo el tribunal ante una prueba pericial resulta interesante añadir la exposición detallada que refiere el fundamento jurídico número dos de la sentencia de la Audiencia provincial de Madrid, núm. 119/2018, de 11 de abril:

La valoración del dictamen pericial establece:

«El tribunal valorará los dictámenes periciales según las reglas de la sana crítica». Sobre la revisión de la prueba pericial, nuestro sistema parte de la regla iudex peritus peritorum, es decir, el valor probatorio de las respuestas de los peritos se fija libremente por el tribunal (SSTS 1ª Pleno 246/2016, 13.4; también 320/2012, 18.5; 635/2012, 2.11 y 363/2016, 1.6). El Tribunal Supremo tiene declarado: «En nuestro sistema procesal, como es sabido, viene siendo tradicional sujetar la valoración de prueba pericial a las reglas de la sana crítica. El artículo 632 de la LEC anterior establecía que los jueces y tribunales valorasen la prueba pericial según las reglas de la sana crítica, sin estar obligados a someterse al dictamen de peritos, y la nueva LEC, en su artículo 348 de un modo incluso más escueto, se limita a prescribir que el Tribunal valorará los dictámenes periciales según las reglas de la sana crítica, no cambiando, por tanto, los criterios de valoración respecto a la LEC anterior. Aplicando estas reglas, el Tribunal, al valorar la prueba por medio de dictamen de peritos, deberá ponderar, entre otras cosas, las siguientes cuestiones» (SSTS 1ª 702/2015, 15.12; 320/2016, 17.5; 514/2016, 21.7; 593/2016, 5.10; 649/2016, 3.11 y juris. ib. cit.):

«1° Los razonamientos que contengan los dictámenes y los que se hayan vertido en el acto del juicio o vista en el interrogatorio de los peritos, pudiendo no aceptar el resultado de un dictamen o aceptarlo, o incluso aceptar el resultado de un dictamen por estar mejor fundamentado que otro». En la consistencia de las conclusiones, la fuerza probatoria de los dictámenes radica en su mayor o menor fundamentación y razón de ciencia, debiendo tenerse, por tanto, como prevalentes, en principio, aquellas afirmaciones o conclusiones que vengan dotadas de una superior explicación racional.

«2° Deberá también tener en cuenta el tribunal las conclusiones conformes y mayoritarias que resulten tanto de los dictámenes emitidos por peritos designados por las partes como de los dictámenes emitidos por peritos designados por el Tribunal, motivando su decisión cuando no esté de acuerdo con las conclusiones mayoritarias de los dictámenes». Conforme a este criterio, el dictamen conteste de varios técnicos —el del perito de designación judicial y el del forense— es razonable que pueda prevalecer sobre el contradictorio de uno de ellos.

«3° Otro factor a ponderar por el Tribunal deberá ser el examen de las operaciones periciales que se hayan llevado a cabo por los peritos que hayan intervenido en el proceso, los medios o instrumentos empleados y los datos en los que se sustenten sus dictámenes». En el rigor del método y veracidad de las premisas influyen las condiciones de observación o reconocimiento del perito, por ejemplo, la proximidad de su examen al momento de los hechos.

«4° También deberá ponderar el tribunal, al valorar los dictámenes, la competencia profesional de los peritos que los hayan emitido así como todas las circunstancias que hagan presumir su objetividad, lo que le puede llevar en el sistema de la nueva LECiv. a que dé más crédito a los dictámenes de los peritos designados por el tribunal que a los aportados por las partes». De aquí que la designación judicial del perito así como la valoración del médico forense se considera como una garantía de imparcialidad objetiva porque no le afectan eventuales conflictos de interés financiero (cobro de honorarios) y la parte no puede controlar el resultado mediante el encargo de dictámenes sucesivos, aparte de la probada experiencia y cualificación de estos facultativos en la valoración del daño corporal. «La jurisprudencia entiende que en la valoración de la prueba por medio de dictamen de peritos se vulneran las reglas de la sana crítica:

1° Cuando no consta en la sentencia valoración alguna en torno al resultado del dictamen pericial.

2° Cuando se prescinde del contenido del dictamen, omitiendo datos, alterándolo, deduciendo del mismo conclusiones distintas, valorándolo incoherentemente, etc.

3° Cuando, sin haberse producido en el proceso dictámenes contradictorios, el tribunal en base a los mismos, llega a conclusiones distintas de las de los dictámenes.

4° Cuando los razonamientos del tribunal en torno a los dictámenes atenten contra la lógica y la racionalidad; o sean arbitrarios, incoherentes y contradictorios o lleven al absurdo. (…)».

De otra parte, cabe poner de manifiesto la no existencia de una mayor o menor relevancia entre las pruebas. En este caso, se ha de señalar, como establece la sentencia del Tribunal Supremo de 26 de junio de 2013 que *la ley no concede ninguna preferencia a la prueba documental sobre cualquier otra, antes bien, todas ellas quedan sometidas al cedazo de la crítica y de la valoración razonada en conciencia de conformidad con el art. 741 de la LECrim. Tratándose de dos informes de la misma naturaleza, se exige que todos sean coincidentes o que siendo uno sólo el Tribunal sentenciador, de forma inmotivada o arbitraria se hay separado de las conclusiones o de aquellos no estando fundada su decisión en otros medios de prueba o haya alterado de forma relevante su sentido originario o llegando a conclusiones divergentes con las de los citados informes sin explicación alguna SSTS 158/2000 y 1860/2002 de 11 de noviembre.*

No obstante, en algunas ocasiones, como acontece en la sentencia de la Audiencia provincial de Barcelona de 18 de enero de 2018, la declaración testifical, en cuanto a lo que el testigo dice y como lo dice resulta trascendental para el tribunal enjuiciador.

Extracto fundamento jurídico segundo (FJ2):

«Así lo viene sosteniendo de forma reiterada y constante la Jurisprudencia del TS, respecto a los testigos, en las STSS n.º 1097/2011, de 25-10-2011 y n.º 383/2010, de 5-5-2010 —con precedentes en las de 24 de septiembre, 16 de octubre, 30 de noviembre de 2009, y 26 de enero de 2010—, al establecer que: «El único límite a esa función revisora lo constituye la inmediación en la percepción de la actividad probatoria, es decir, la percepción sensorial de la prueba practicada en el juicio oral. Lo que el testigo dice y que es oído por el tribunal, y cómo lo dice, esto es, las circunstancias que rodean a la expresión de unos hechos. Esa limitación es común a todos los órganos de revisión de la prueba, salvo que se reitere ante ellos la prueba de carácter personal, y a ella se refieren los arts. 741 y 717 de la Ley de Enjuiciamiento Criminal. El primero cuando exige que la actividad probatoria a valorar sea la practicada «en el juicio». El segundo cuando exige una valoración racional de la prueba testifical. Ambos artículos delimitan claramente el ámbito de la valoración de la prueba diferenciando lo que es percepción sensorial, que sólo puede efectuar el órgano jurisdiccional presente en el juicio, de la valoración racional, que puede ser realizada tanto por el tribunal enjuiciador como el que desarrolla funciones de control».

Ahora bien, no deja de ser notoria en el momento actual la devaluación valorativa a la que están siendo sometidos los informes, calificados por algunos como inocuos o no decisivos para el juzgador. Prueba que ni la demonizo, ni santifico, pero lo cierto es que resulta cuando menos cuestionable, ya que al parecer no existe un consenso científico del valor real de los estudios biomecánicos. Cierto sector científico[48] pone en tela de juicio las conclusiones alcanzadas tras el estudio biomecánico. Aducen que la mayor parte de los criterios de lesión están dirigidos a las pruebas de ensayo, siendo muy complicado, por no decir imposible su aplicación práctica.

Extracto del FJ 2 de la SAP de Asturias, sección número 7, de 14 de junio de 2016 y en la en ella citadas.

«En cuanto a la valoración de los informes periciales biomecánicos o de reconstrucción del accidente esta Sala viene declarando de forma reiterada (así en Sentencias de 9 y 15 de enero y 23 de marzo de 2015 y de 22 y 28 de marzo de 2016 por citar la más recientes) que, por sí solos, no son suficientes para desvirtuar la relación de causalidad, si se acredita la existencia de lesiones por los correspondientes infor-

---

(48)   *Importancia de la biomecánica del impacto…. op. cit.* P. 26.

mes médicos así se hace referencia en dichas resoluciones que el hecho de la levedad de la colisión o la escasa entidad de los daños materiales en modo alguno puede considerarse como determinante para romper el nexo causal en base a un informe de reconstrucción del accidente que especula retrospectivamente sobre la velocidad del impacto que conllevaría el que no debiera producir ningún tipo de lesión, si dichas afirmaciones no son avaladas por informe médico alguno, que pudiera atribuir otra etiología diferente a las lesiones existentes, que resultan acreditadas por informes de asistencia de la sanidad pública».

En sintonía con la anterior, la de la Audiencia provincial de Valladolid número 320/2016, de 21 de noviembre:

«(…) no hay relación de causalidad entre la cervicalgia de los ocupantes del vehículo y el siniestro de baja intensidad, el análisis de la prueba obrante en autos no permite tener por acreditado que el resultado lesivo reclamado en demanda tenga por causa el siniestro antes comentado. En efecto, el examen del reportaje fotográfico del turismo en el que viajaban como ocupantes las demandantes revela que el impacto que éste presentaba en la puerta delantera derecha es de poca entidad, una mera abolladura de la chapa por parte de un objeto similar a una bola de remolque que no llega a fracturarla, ubicado en el inicio de la puerta junto a la aleta y que se prolonga en una especie de raspón o ralladura de poca profundidad y discontinua hacia atrás. La escasa entidad del impacto y el hecho de producirse no frontalmente ni por detrás, sino lateralmente y por delante de la posición que todas ellas ocupaban en el vehículo, no parece ab initio que haya proporcionado unas lesiones de cervicalgia que supongan respectivamente periodos de incapacidad de 90, 90 y 80 días» (…)».

Abundando algo más, sentencia de la Audiencia provincial núm. 10/2020 de Lugo, de 14 de enero de 2020.

«(…) La prueba pericial del informe biomecánico no es, por sí sola, suficiente para descartar el nexo de causalidad requerido, y debiendo ser valorada junto con el resto que se hayan practicado. En la mayoría de los casos, dicha prueba, no es suficiente para excluir la relación causalidad entre el siniestro y las lesiones, siempre que éstas estén debidamente acreditadas mediante la correspondiente documentación médica. Además, muchas de las Sentencias a que nos hemos referido inciden también en otras carencias de que suelen adolecer los informes biomecánicos, ya que normalmente no tienen en consideración (…)».

Llegados a este punto, no debemos de caer en el error de la indiferencia. Es cierto que se trata de una prueba pericial que no goza de una prerrogativa especial, ni que tan si quiera puede ser valorada desatendiendo el régimen general de la sana critica. Lo cual significa que el juzgador ha de estar convencido intelectualmente por las argumentaciones del perito, para asumir su dictamen, pero, en definitiva, es un medio de prueba más, sujeto al principio de libre valoración en relación con el criterio de la valoración conjunta de la prueba.

Artículo 218.2 de la LECiv.:

«2. Las sentencias se motivarán expresando los razonamientos fácticos y jurídicos que conducen a la apreciación y valoración de las pruebas, así como a la aplicación e interpretación del derecho. La motivación deberá incidir en los distintos elementos fácticos y jurídicos del pleito, considerados individualmente y en conjunto, ajustándose siempre a las reglas de la lógica y de la razón».

Así lo califica la sentencia de la Audiencia provincial de Pontevedra número 318/2019, de 4 de junio de 2019 y la en ella citadas

«(…) De ahí que sobre esta cuestión citemos la STS de 17 de octubre de 2012, la cual señala **la indeterminación de los informes biomecánicas sobre accidente de tráfico a baja velocidad,** «no sólo por la distinta consideración que merece la absorción del impacto a escasas velocidades en vehículos de una cierta antigüedad frente a los más modernos, sino por las propias características físicas de los ocupantes del vehículo afectado, lo que determinar un enorme relativismo que impide conclusiones cerradas», así como la SAP Asturias de 23 marzo 2015 que dice así **«en cuanto a la valoración de los informes periciales biomecánicas o de reconstrucción del accidente esta Sala viene declarando de forma reiterada (Sentencias de 26 de abril y 25 de septiembre de 2013, 10 de noviembre, 4 y 19 de diciembre de 2014 y 9 y 15 de enero de 2015 por citar algunas de las recientes) que, por sí solos, no son suficientes para desvirtuar la relación de causalidad, si se acredita la existencia de lesiones por los correspondientes informes médicos...».** Asimismo compartimos la tesis de aquella misma resolución citada supra de que **«No podemos admitir, a partir de criterios técnicos ajenos a la medicina, que exista un «umbral para posibles lesiones», porque es notorio que en el plano de la salud no existen lesiones sino lesionados,** y que la respuesta del cuerpo humano a un impacto es variable y, en cierto modo, impredecible, sometida a un sinfín de circunstancias aleatorias que dan lugar a diferentes resultados; hasta un estornudo sorpresivo y forzado puede dar lugar a una contractura que puede generar algias cervicales. **Cualquier estudio teórico sobre lo que se da en denominar «estudios de biomecánica» responden a estudios estadísticos cuyas bases de estudio —por cierto— tampoco conocemos, lo que no nos permite determinar la fiabilidad de las consecuencias extraídas y su adecuada valoración.** La respuesta del cuerpo humano ante desplazamientos bruscos solo puede ser medida en cada caso concreto. No responde igual una persona prevenida, que ya está alerta para afrontar el impacto, que a otra desprevenida. No es lo mismo la respuesta de una persona en posición centrada y bien asentada que la de otra en posición de escorzo y algo girada. Y no es lo mismo la respuesta de una persona que la de otra ante impactos de igual intensidad. Podríamos seguir indicando variables, pero lo que es difícil admitir —por no decir que es inadmisible— es considerar que la baja intensidad de un impacto excluye necesariamente posibles algias postraumáticas, salvo una intensidad completamente insignificante porque, como ya hemos dicho, una contractura muscular por un movimiento brusco o por un empujón sorpresivo —por ejemplo— puede generar algias cervicales, sin olvidar que la predisposición a ellas varía incluso para una misma persona con pequeñas alteraciones de las circunstancias».

Las últimas resoluciones de las audiencias provinciales, a pesar de reconocer la contundencia de la prueba biomecánica, no vacilan en fijar la existencia de la relación de causalidad a través de otro tipo de prueba documental apretada al procedimiento, como es la pericial médica.

Sentencia de la Audiencia provincial de Barcelona número 84/2018, de 16 de febrero.

«(…) Considera esta Sala que el informe de biomecánica no es prueba que demuestre que con un pequeño golpe no sea posible que se causen lesiones ya que el elemento subjetivo cuenta, no teniendo todo el mundo la misma respuesta ante un mismo impacto, dependiendo también de su salud, posición en el vehículo, etc... y cualquier estudio teórico sobre lo que se da en denominar «estudios de biomecánica «pudieran responder a estudios estadísticos, pero la respuesta del cuerpo humano a desplazamientos bruscos no puede ser medida salvo en cada caso concreto; no responde igual una persona prevenida por el impacto, que ya está alerta para afrontarlo, que otra desprevenida, y no es lo mismo la respuesta de una persona en posición centrada y bien sentada que la de otra en posición de escorzo y algo girada, y no es lo mismo la que pueda ofrecer un conductor cuando el freno está activado (el impacto incide en mayor medida sobre el objeto fijo) que cuando no lo está.

(…) Consiguientemente dada la prueba médica aportada por las actoras y el dato inicial tanto de la asistencia por el SEM de la Sra. Bernarda en el momento del accidente como la asistencia a urgencias de la Sra. Gabriela no queda desvirtuado ese nexo causal entre el siniestro y las lesiones sin que para entender la inexistencia de dicha relación sea bastante el informe de biomecánica ya que en el mismo no se tiene en cuenta un factor esencial cual es el cuerpo humano que responde de manera diferente a como lo pueda hacer cualquier máquina o instrumento que se utilice en la reproducción del siniestro, ni la pericial del Dr. Abilio no solo por carecer de la especialidad de traumatología y no haber visitado a las actoras sino por basarse especialmente para su conclusión en la pericial biomecánica».

Abundado algo más, sentencia de la Audiencia provincial de Barcelona, número, 150/2019, de 17 de junio y la de la Audiencia provincial de Pontevedra, núm. 881/2019, de 14 de febrero de 2020, así como la en ella citadas (SAP de León cd 23 de junio de 2014).

— AP de Barcelona 150/2019:

«(…) A pesar de la contundencia del informe biomecánico aportado por la ejecutada, así como de las manifestaciones de su autor en el acto de juicio, partiendo de la prudencia que a la hora de valorar dichos informes se ha de mostrar, según reiteradas resoluciones de Audiencias Provinciales, en tanto no dejan de ser meros informes teóricos, esta Sala considera que sí existe acreditada relación de causalidad al menos con las lesiones que se fijaron por la juez de instancia como derivadas del accidente.

Así, de la documental aportada al procedimiento consta que ambos lesionados fueron asistidos en el servicio de urgencias del Hospital de Igualada el mismo día del accidente, siendo diagnosticados ambos de latigazo cervical, y prescribiéndose también a los dos lesionados sesiones de rehabilitación, que llevaron a efecto. Asimismo el médico forense consignó la existencia de tales lesiones, otorgando a la Sra. Clemencia un período de sanidad de 45 días, 5 de los cuales serían impeditivos y al Sr. Borja 30 días, los 5 primeros de carácter impeditivo. E incluso el Dr. Heraclio, que manifestó la inexistencia de lesiones en los ejecutantes debido a la levedad de la colisión, reconoció no obstante que en su exploración de los lesionados observó la existencia de contractura cervical, compartiendo la posibilidad alegada por el Dr. Jerónimo de que existan lesiones aunque la colisión sea de baja intensidad por la escasa velocidad de los vehículos. Del mismo modo, la existencia de estas lesiones, de carácter evidentemente leve, también fue confirmada por el Dr. Jerónimo que explicó de forma minuciosa la posibilidad de que una colisión de escasa intensidad cause lesiones como las que son objeto de autos, así como la diversa evolución de las mismas en función de la naturaleza del lesionado. Por tanto, de dichas circunstancias debe concluir en la existencia de relación de causalidad entre el accidente objeto de autos y las lesiones por las que reclama la ejecutante, por lo que el recurso formulado por la ejecutada con base en el artículo 559,1.3 de la Ley Procesal debe ser desestimado».

— AP León:

«(…) No podemos admitir, a partir de criterios técnicos ajenos a la medicina, que existe un umbral para posibles lesiones, porque es notorio que en el plano de la salud no existen lesiones, sino lesionados, y que la respuesta del cuerpo humano a un impacto es variable y, en cierto modo, imprevisible, sometida a un sinfín de circunstancias aleatorias que dan lugar a diferentes resultados, hasta un estornudo sorpresivo y forzado puede dar lugar a una contractura que puede generar algias cervicales. Cualquier estudio técnico sobre lo que se da en denominar estudios de biomecánica responden a estudios estadísticos cuyas bases de estudio —por cierto— tampoco conoceremos, lo que nos permite determinar la fiabilidad de las consecuencias extraídas y su adecuada valoración. La respuesta del cuerpo humano ante desplazamientos bruscos solo puede ser medida en cada caso concreto. No responde igual una persona prevenida, que ya está alerta para afrontar el impacto, que a otra desprevenida. No es lo mismo la repuesta de una persona en posición centrada y bien asentada con la de otra en posición de escorzo algo girada, y no es lo mismo la respuesta de una persona que le dé otra ante impactos de igual intensidad (…)».

Nuestro Tribunal Supremo también ha tenido ocasión de pronunciarse al respecto en sentencia de 17 de octubre de 2012:

«(…) Hay que partir de la indeterminación de los informes biomecánicos sobre accidentes de tráfico a baja velocidad, no solo por la distinta consideración que merece la absorción dl impacto a escasas velocidades en vehículos de una cierta antigüedad (frente a los más modernos), sino por las propias características físicas de los ocupantes del vehículo afectado, lo que determina un enorme relativismo que impide conclusiones cerradas».

Reiterada jurisprudencia de nuestro Alto Tribunal, respecto a la valoración de los informes biomecánicos o de reconstrucción del accidente significa que, por sí solos, no resultan suficientes para desvirtuar el nexo de causalidad si se acreditan lesiones por los informes médicos. STS: 06/05/2016, 15/01/2015 y 27/11/2015, entre otras.

Finalmente, podemos concluir que al margen de la reputación que ha cobrado el informe biomecánico existen un sinfín de procedimientos judiciales que prescinden de esta pericia. Para estos supuestos se hace necesario examinar con detalle todas y cada una de las circunstancias que rodean al nexo de causalidad.

CAPÍTULO II

EL RIESGO DERIVADO DE LA CIRCULACIÓN DE VEHÍCULOS A MOTOR COMO TÍTULO GENÉRICO DE IMPUTACIÓN

1.   ANTECEDENTES JURÍDICOS

El peligro o el riesgo que sufren las personas en la actualidad, derivado de la propia movilización de los peligros[1] junto con el principio *favor victimae o pro damnato,* que protege a las víctimas de los accidentes de circulación, se han convertido en dos de los elementos más influyentes en los sistemas de responsabilidad civil. Ambos razonamientos tendenciales, contribuyen a modular las decimonónicas estructuras del *nominen laedere*[2].

El tratamiento de la culpa como elemento esencial para la atribución de la responsabilidad ha sufrido un cambio trascendental[3] provocado, en gran parte, por lo que supuso el fenómeno de la Revolución Industrial entre la segunda mitad del siglo XVIII y principios del XIX. Época en la que se produce el mayor número de trasformaciones socioeconómicas, tecnológicas y culturales de la Historia de la Humanidad. En esta floreciente etapa de desarrollo y bienestar subyace una más que evidente industrialización reflejada en el incremento de talleres y fábricas y en el uso de nuevas máquinas para el transporte de personas y cosas. En contrapartida, la utilización de estos medios lleva consigo un gran volumen de daños colaterales, dado que las personas se encuentran rodeadas por numerosas fuentes de peligro[4] susceptibles de provocar accidentes. Con ello, asistimos al surgimiento de la

---

(1)   Debe tenerse en cuenta el constante riesgo que sufren las sociedades desarrolladas, basadas en el conocimiento y la información, con el uso habitual, masivo y simultaneo de los automóviles. Urich Beck.: *Retorno a la Teoría de la Sociedad del Riesgo.* Boletín Asociación de Geógrafos Españoles, 2000, número 30. Pág. 9 a 20.

(2)   Bajo esta idea del daño está presente la mano divina que pone a prueba el temple de quien lo sufre con la resignación como respuesta. Díez-Picazo: *La Responsabilidad Civil hoy.* Bilbao 1979. Publica Universidad Deusto. Pp. 9 y ss.

(3)   López Peña, F.: *La culpabilidad en la responsabilidad civil extracontractual.* Ed. Comares. Granada 2002, P. 42.

(4)   Los primeros sectores en reclamar un trato especial para los daños ocasionados por la operatividad del maquinismo fue el de los ferrocarriles (*Ley Prusiana del Transporte Ferroviario de 30 de noviembre de 1838, Ley alemana de ferrocarriles de 7 de junio de 1871*) y

teoría del riesgo, provocada como consecuencia del fenómeno del maquinismo[5].

El siguiente paso, en respuesta a la nueva atmósfera enrarecida por el aumento exponencial de nuevas tecnologías, lo dio la doctrina con la elaboración teórica de la socialización del daño. Esta corriente parte de la idea de que el fin fundamental de la responsabilidad civil es el proteger a las víctimas del accidente. Así, el beneficio individual y social que reporta la utilización de medios peligrosos para la salud y los bienes exige que sea la sociedad la que provea un sistema mediante el cual se garantice una efectiva reparación del daño al distribuirlo entre todos sus miembros. *Aquel que percibe los emolumentos producidos por el empleo de una máquina susceptible de dañar a los terceros debe ser consciente de que ha de reparar los daños que tal máquina cause*[6].

Con la introducción de la teoría del riesgo surge un nuevo mecanismo de modificación del sistema establecido en el artículo 1902 del CC. Se aplican así los criterios *cuius commodum eius incommodum, o ubi emolumentum, ibi onus*, todo ello para facilitar a la víctima la reclamación y trasladar la carga de la prueba al demandado, presumiblemente autor del daño, y en consonancia con la denominada teoría de la culpa social[7], en el sentido de que quien explota en su beneficio un bien, cualquiera que sea su naturaleza, viene obligado a emplear todos los medios a su alcance para prevenir daños a terceros, exigiéndolo así la convivencia social, de acuerdo con la Moral y el Derecho.

---

el de los trabajadores *(Loi sur les accidents de travail, 9 de abril de 1898)*. La clase asalariada sufrió la amenaza constante de las nuevas tecnologías, ya que se enfrentaba a unos sistemas de producción que necesitaban un alto grado de mecanización. Durante las primeras décadas del siglo XX, subyacen grandes aportaciones doctrinales que contribuyen a dar más seguridad al sistema. A mediados del siglo XX aparecen juristas de hondo calado, a la cabeza Stefano Rodotá con su obra; «*Il problema della responsabilitá civile*». De Cupis como ferviente defensor de la responsabilidad por culpa en sentido clásico. Los hermanos Mazeud con su trabajo sobre la distinción de «*culpa in abstracto y culpa in contraendo*» en el «*Traité de la responsabilité civile delictuelle et contractuelle*».

(5) Reglero Campos, L.F.: *Accidentes de Circulación: Responsabilidad Civil y Seguro*. Aranzadi, 4ª ed., 2018, P. 171.

(6) Cita de Labbé tomada de López Peña, F.: *La Culpabilidad en la Responsabilidad Civil Extracontractual*. Comares, Granada 2002. P 42.

(7) Romero Coloma, A. M.: «Accidentes de tráfico: Los supuestos de culpa exclusiva de la víctima, caso fortuito u fuerza mayor». *Revista de responsabilidad civil, circulación y seguro*. 1998 Madrid. Pp. 528-530.

El riesgo es un principio que existe y ha existido siempre y que se afirma mediante la causalidad dialéctica [8] como criterio de imputación de la responsabilidad civil. Este principio aparece inexpresado en el Código civil, pero sin embargo se encuentra regulado en alguno de sus preceptos y, en concreto, en el artículo 1905 que, bajo la pauta del riesgo, regula la responsabilidad civil del poseedor de animales por los daños que estos causen. En palabras de MEDINA CRESPO, se es responsable porque se es causante y se es causante cuando hay causa propia y no la hay cuando hay causa ajena. En consecuencia, existe causa ajena cuando el origen del daño es extraño al creador del riesgo, por resultarle imprevisible o, siendo previsible, inevitable.

Por lo que se refiere a la responsabilidad automovilística se puede entender que se ha pasado de una concepción individualista, en la que resultaba amparado el agente dañoso, a una concepción igualmente individualista en que resulta protegido a ultranza el sujeto paciente, pero a costa del agente.

La pista de la positivización del riesgo la encontramos, por tanto, en el artículo 1905 de nuestro Código Civil, pasando a continuación con algunas imprecisiones terminológicas al artículo 39 de la Ley de 24 diciembre de 1962, que se traspuso al artículo 1 del Texto Refundido de 1968, para convertirse después, con referencia ya sólo a la responsabilidad civil por daños personales, al artículo 1.2 del Texto Refundido, tal como quedó compuesto por el legislador en 1986, para posteriormente saltar a integrar el parágrafo segundo del artículo 1.1 del Texto Refundido, en redacción dada por la disposición adicional octava de la Ley de OSSP de 8 de noviembre de 1995.

Finalmente, tras la aprobación del RD 8/2004, de 29 de octubre, por el que se aprueba el Texto Refundido de la LRCSCVM surge la reformulación de la responsabilidad, mediante la Ley 21/2007, de 11 de julio contribuyendo, aún más si cabe, a reforzar los derechos de las víctimas de los accidentes. Régimen legislativo positivizado según redacción dada por la Ley 35/2015, de 22 de septiembre, de reforma del sistema para la valoración de los daños y perjuicios causados a las personas en accidentes de circulación.

Denominador común de todas estas disposiciones es el enunciado del artículo primero, donde se asienta todo el sistema. Por tanto, el conductor de vehículos a motor es responsable, en virtud del riesgo creado por la conducción de estos, de los daños causados a las personas o en los bienes con motivo

---

(8)   Según MEDINA CRESPO el principio de causalidad dialéctica consiste en la estimación de que el título de imputación está constituido por la causa propia aportada por el conductor en la medida en que no resulte desmentida por una causa ajena. *Revista Noticias de la Unión Europea,* número 139-140. 1996, P. 85 y ss.

de la circulación. A continuación, se especifica el régimen de responsabilidad que le corresponde a cada uno de los daños irrogados, bien sean estos personales o materiales.

Para los primeros establece una responsabilidad objetiva y para los segundos una responsabilidad por culpa, siguiendo con ello la consideración genérica del artículo 1902 del Código civil.

2. RESPONSABILIDAD OBJETIVA FRENTE A LOS DAÑOS CORPORALES

Se denomina objetivo al sistema que consiste en atribuir a una persona la obligación de indemnizar a otra con independencia de que haya o no intervenido culpa o negligencia en la producción del daño. En palabras de Salvador Coderch[9], en la responsabilidad objetiva, quien cause daños responderá por ellos con independencia del nivel de precauciones que haya adoptado siempre que la ley así lo hubiera establecido.

Este tipo de responsabilidad, reconocida por la doctrina y jurisprudencia de múltiples formas (responsabilidad objetiva atenuada, responsabilidad cuasiobjetiva, responsabilidad con culpa pero con inversión de la carga de la prueba, sistema de culpa expandida, presumida e inventada y otros más), se ha servido del riesgo como título general de imputación. Para la jurisprudencia la técnica de la responsabilidad objetiva o por riesgo viene a significar que las consecuencias dañosas de ciertas actividades o conductas, aun lícitas y permitidas, deben recaer sobre el que ha creado un peligro para tercero, doctrina que, llevada a sus últimas consecuencias, conduce a la pura objetivación del daño y desemboca en la obligación de responder por el peligro puesto por sí mismo, pudiendo decirse que no es necesario basar la responsabilidad en la culpa del sujeto.

Nuestro Tribunal Supremo en sentencia de 30 de junio de 2000 establece que *para la imputación de la responsabilidad, cualquiera que sea el criterio que se utilice (subjetivo u objetivo), es requisito indispensable la determinación del nexo causal entre la conducta del agente y la producción del daño (S. 11 febrero 1998), el cual ha de basarse en una certeza probatoria que no puede quedar desvirtuada por una posible aplicación de la teoría del riesgo, la objetivación de la responsabilidad o la inversión de la carga de la prueba.*

---

(9) «Causalidad y responsabilidad». *Revista para el Análisis del Derecho*, número 2 y 3, 2002.

Las características[10] de esta clase de responsabilidad las podemos agrupar en tres:

1. Se atribuye la responsabilidad por razón de la actividad desarrollada, independientemente de que el responsable haya o no incurrido en culpa.

2. Los casos de responsabilidad objetiva han de estar determinados por una norma legal que así la imponga.

3. Las causas de exoneración del responsable son solamente la culpa exclusiva de la víctima y la fuerza mayor.

Sin embargo, el sistema no alcanza un grado absoluto de objetividad, ya que la LRCSCVM prevé varios supuestos de exoneración de la responsabilidad. La norma estima oportuno dejar fuera del ámbito de la responsabilidad a quienes prueben que los daños fueron debidos únicamente a la conducta o a la negligencia del perjudicado o a fuerza mayor extraña a la conducción o al funcionamiento del vehículo. A continuación, especifica, que no se considerarán casos de fuerza mayor los defectos del vehículo ni la rotura o fallo de alguna de sus piezas. La objetividad inicial, producto de la teoría del riesgo, se ve modulada por estas dos formas de exoneración sobre la responsabilidad. De ahí el marchamo que acompaña al criterio de objetividad: atenuada, moderada, cuasiobjetiva, etc. La jurisprudencia, al interpretar estas normas sobre responsabilidad civil automovilística entiende que se trata de una responsabilidad quasiobjetiva, en el sentido de que se habla de moderación del culpabilismo originario, pero no se había excluido la culpa. Sin embargo, no es ésta la solución que ofrece el artículo 1 de la LRCSCVM, puesto que después de afirmar que el conductor es responsable por el riesgo derivado de la conducción, admite unas causas de exoneración tasadas, cuya prueba corre a su cargo. Esto significa que nos encontramos ante un supuesto de responsabilidad claramente objetiva, cuando los daños con motivo de la circulación se hayan ocasionado a las personas. Según LLAMAS POMBO, la obligación de indemnizar o bien se justifica en la culpa, o bien se basa en el riesgo. No existe, por tanto, un «medio camino» entre ambas. Se trata de una obligación objetiva pura[11], sin paliativos. En el caso que nos ocupa (responsabilidad civil automovilística), respecto a los daños irrogados a las personas se debe responder siempre a no ser que se haya producido la ruptura del

---

(10)   Roca. E.: *Derecho de Daños. Textos y materiales*. Valencia 2007. Tirant Lo blanch, 5ª Edición. P. 302.

(11)   O´Callaghan Muñoz, Xavier: «La responsabilidad objetiva». Coord. por Juan Antonio Moreno Martínez. Ed. Dykinson, Madrid 2007. Págs. 799 y ss.

nexo causal: por acción de tercero (un tercero empuja al peatón cuando pasa el coche), por acción del propio perjudicado o por fuerza mayor, y ésta debe ser extraña a la conducción y al funcionamiento del vehículo.

La responsabilidad objetiva ha desplazado por completo a la culpa[12]. Hemos asistido a un cambio de protagonista dentro del teatro de operaciones de la responsabilidad civil: el «primer actor» ya no es (como en el artículo 1902 del Código Civil) «el que causa daño a otro», ni tampoco (como en el artículo 1101 del mismo texto legal) «los que incurran en dolo, negligencia o morosidad…», sino precisamente ese «otro» que es víctima de un daño extracontractual o contractual, de manera que importa poco por quien o porque motivo se va a afrontar la indemnización de ese daño, con tal de que dicha reparación se produzca.

En cambio, un estudio más detallado sobre el precepto objeto de análisis nos induce a reflexionar sobre si la ambivalencia de responsabilidades riesgo--personas y culpa-bienes o cosas está bien planteada desde el punto de vista técnico. En este sentido, el artículo 1 de la LRCSCVM hace referencia al riesgo creado con carácter general, otorgando este criterio de imputación tanto para los daños personales como materiales. Si bien, a renglón seguido deslinda los dos supuestos.

La objetivación de la responsabilidad sobre los daños personales atiende a las víctimas no conductoras como víctimas que no crean la situación del riesgo propio de la circulación. En ambos casos se responde de forma objetiva, con independencia de la situación del perjudicado en el accidente. En este sentido, aunque el efecto de la técnica objetivadora se concreta en amparar a la víctima, el acento que justifica su operatividad se halla en los riesgos que genera el conductor de un vehículo.

3. NEXO DE CAUSALIDAD ENTRE LA COLISIÓN Y LAS LESIONES

El nexo de causalidad de lesión se ha convertido en la piedra de toque de las compañías aseguradoras. La inexistencia o falta de nexo de causalidad entre las lesiones y la colisión provoca la pérdida del resarcimiento. No habrá indemnización si no se demuestra que la lesión que sufre la víctima es consecuencia del accidente de circulación, En definitiva, si la colisión es causa del resultado dañoso.

---

(12) LLAMAS POMBO, E.: «Prevención y reparación, las dos caras del Derecho de daños». Coord. por Juan Antonio MORENO MARTÍNEZ. Ed. Dykinson, Madrid 2007. Pp. 443-478. *Revista de responsabilidad civil y seguro*, núm. 29. Año 2009. Pp. 35-60.

De forma apriorística podríamos definir el nexo de causalidad entre la colisión y las lesiones como aquel elemento técnico/médico del que se sirve la ciencia jurídica para determinar si de un determinado impacto existe compatibilidad, congruencia y por tanto conexión entre los componentes que intervinieren en la colisión y el resultado lesivo.

La jurisprudencia (sentencia del Tribunal Supremo de 13 de enero de 1993), lo define como la relación o el enlace preciso y directo entre la acción u omisión (causa: fundamento, un origen de algo) y el daño o perjuicio resultante (efecto: lo que sigue por virtud de una causa). Por tanto, la causa y el efecto se unen a través de le nexo, entendido como unión, enlace o vínculo.

La aplicación del principio de la causalidad adecuada conlleva, según reiterada jurisprudencia consolidada, que *el resultado sea un consecuencia natural, adecuada y suficiente de la determinación de la voluntad, debiendo entenderse por consecuencia natural, aquella que propicia, entre el acto inicial y el resultado dañoso, una relación de necesidad conforme a los conocimientos normalmente aceptados, y debiéndose valorarse en cada caso concreto si el acto antecedente que se presenta como causa tiene virtualidad suficiente para que el mismo.*

El vínculo de causalidad al margen de la culpa o negligencia radica en una cadena causal física, es decir en cómo afecta al nexo de causalidad a los parámetros del mecanismo lesional provocado por la colisión. No tanto la causalidad jurídica que no ofrece dificultad, en tanto en cuanto la responsabilidad en las colisiones por alcance a baja velocidad se atribuye al conductor del vehículo que alcanza al que le precede, sino a la dinámica del accidente. Si la biomecánica del accidente es susceptible de provocar ese cuadro lesional. Si es posible determinar la causalidad médico legal y por tanto el reconocimiento de su etiología. Se trata de un concepto que maneja no solo aspectos jurídico-legales, sino también criterios médicos y técnicos. Todo ello mediante la participación de profesionales médicos especialistas en valoración del daño corporal ingenieros, forenses y abogados. Para Hernández Cueto[13] la valoración del daño corporal «VDC» es el conjunto de actuaciones médicas dirigidas a conocer exactamente las consecuencias que un suceso traumático determinado, generalmente accidental, ha tenido sobre la integridad psicofísica y la saludo de una persona dirigido a obtener una valoración final que permita al juzgador obtener las consecuencias exactas del mismo: penales, laborales, económicas, familiares, morales etc.

---

(13)   Villanueva Cañadas, E.: *Gisbert Calabuig. Medicina Legal y Toxicología.* Séptima edición. Editorial Elsevier España S. L. U. 2019. P. 1430.

Las aseguradoras están alegando de forma recurrente la falta de nexo de causalidad como principal estrategia para desvirtuar la reclamación por traumatismo cervical de la víctima. La oposición de la aseguradora a la reclamación en forma de respuesta motivada se configura alrededor de la falta de nexo de causalidad. Una maniobra orquestada por las aseguradoras para disuadir a la víctima de iniciar la acción judicial, ya que la apertura del procedimiento civil le va a suponer cierto desembolso económico que en ocasiones no puede o no está dispuesta a asumir.

Todo gira en torno a la prueba, si ésta es contundente no va a suscitar controversia alguna, dado que quedará suficientemente acreditada la relación de causalidad entre el accidente y las lesiones. Como sabemos la relación de causalidad está sujeta a distintos grupos de teorías[14], la más extendida es la que aboga por la causalidad adecuada. En este caso, se llega a determinar que conducta es la apropiada para producir el daño. De manera que el resultado dañoso debe ser reconducido a aquellos antecedentes necesarios para producirlo, según el curso natural de las cosas. Para determinar la adecuación de la causa es preciso utilizar el criterio de la importación objetiva, prescindiendo de la culpa. Luego entonces, podemos afirmar siguiendo a la doctrina mayoritaria[15] que existe una simbiosis jurídica entre la teoría de la causalidad adecuada y la imputación objetiva.

La esencia de la responsabilidad civil, el eslabón que une la acción u omisión del agente con el resultado dañoso no es otro que el nexo de causalidad. Sin no se produce esa unión entre ambos conceptos no se podrá hablar de responsabilidad.

Resulta comúnmente aceptado por todos los operadores jurídicos que para que pueda prosperar la acción de reclamación de daños y perjuicios han de concurrir tres requisitos básicos: una acción u omisión negligente o culposa imputable a la persona o entidad a quien se reclama, producción de

---

(14) — Teoría de la equivalencia de condiciones: conditio sine qua non, — Teoría individualizadora. — Teoría de la causa eficiente. — Teoría de la causa eficiente. — Teoría de la causa próxima o última. — Teoría de la causalidad o causación adecuada. *Vide* Díez-Picazo y Ponce de León, L.: *Sistema de Derecho Civil. Vol. II. El contrato en general. La reacción obligatoria. Contrato en especial*. Ed. Tecnos, 2001. P. 551. Santos Briz, J: *La responsabilidad civil. Derecho sustantivo y derecho procesal*. Ed. Montecorvo. S. A. Madrid 1986 P. 213. Lasarte, C.: *Principios de Derecho civil. Derecho de obligaciones*. Tomo II. 8ª edición. Editorial Marcial Pons, Madrid 2003. Pp. 246 y ss.

(15) Larrosa Amante, M. A.: «El nexo de causalidad en las colisiones por alcance a baja velocidad». *Revista de la Asociación Española de Abogados Especializados en Responsabilidad Civil y Seguro* número 47- 2013. Pp. 9-32 *Vide* también «Las colisiones por alcance. Especial referencia a la pericial biomecánica y su valoración judicial». *Revista de responsabilidad civil, circulación y seguro* número 5. 2015. Pp. 9-29.

un daño debidamente acreditado en su realidad y existencia (sin perjuicio de la delimitación del daño *quantum* en la ejecución, y, por supuesto, la relación de causalidad entre la acción u omisión culposa y el daño o perjuicio reclamado en consonancia con la teoría de la causación adecuada.

De tal forma que podremos acreditar de forma indubitada la acción u omisión culposa del sujeto agente y la realidad del perjuicio o hecho dañoso, ahora bien, si no queda suficientemente probado con absoluta certeza el nexo de causalidad lo que acontecerá será la ruptura del nexo, de la relación de causalidad. Y en algunos casos, como sucede en sentencia de la audiencia Provincial de Navarra, número 608/2018, de 12 de diciembre, aun existiendo relación de causalidad la indemnización resulta infructuosa. Aunque se estima que existe nexo causal entre la colisión por alcance y el esguince cervical del lesionado no procede indemnización por la patología previa por discopatía cervical y lumbar en la cuantía que pretende el recurrente

La STS de 30 de junio de 2000 y la en ellas citada estable de forma meridiana que la prueba de la relación de causalidad, para el caso que nos ocupa: pericial biomecánica o médica, no serán suficientes meras conjeturas, deducciones o probabilidades que no pueden quedar desvirtuado ni por la objetivación de la responsabilidad o la inversión de la carga de la prueba. La doctrina jurisprudencial en cuanto al principio de la causación adecuada sostiene, mediante sentencias citadas hasta el hastío, de 11 de marzo y 17 de noviembre de 1988, 27 de octubre de 1990 y 25 de febrero de 1992 (entre las últimas, las de 13 de julio de 2010 y 18 de mayo de 2012) que la prueba del nexo de causalidad corresponde a la parte reclamante, sin que sean admisibles las simples conjeturas o la mera existencia de datos fácticos que por una mera coincidencia induzcan a pensar en una posible interrelación de los acontecimientos que pueden concurrir en la producción de un resultado dañoso, aunque no siempre se requiere la absoluta certeza por ser suficiente un juicio de probabilidad cualificada.

Siguiendo el hilo conductor de los traumatismos cervicales leves traigo a colación algunas de las resoluciones de los tribunales que han puesto de manifiesto ciertos aspectos que contribuyen a interrumpir o romper el nexo de causalidad, entre algunas de ellas:

STS núm. 43/2012, de 14 de diciembre (cervicalgia residual de una patología previa al accidente). STS núm. 902/2011, de 14 de diciembre (cervicalgia derivada de un proceso degenerativo previo al accidente por descompensación). SAP núm. 118/2013, de Salamanca de 25/03/2013 (daños materiales inapreciables, no existe informe lesional del accidente). SAP núm. 30/2014 de Zamora, de 25/03/2014 (en el parte médico de primera asistencia refleja contusión craneal, después de 10 días precisa asistencia médica y alude contractura o dolencia en la espalada), SAP núm. 90/2012 de A Coruña, de 21 de junio (falta de acreditación de que el tratamiento al que se sometió la paciente, consistente básicamente en una contusión o esguince cervical, se prolongase más allá de los 71 días impeditivos, que señala el informe médico presentado por la aseguradora ejecutada). SAP núm. 122/2013 de Salamanca, de 23 de marzo de 2013 (la perjudicada sufre lesiones cervicales por accidente de circulación, reincorporada a la actividad laboral y transcurridos tres meses recae. Por ello, trata de relacionar las lesiones que padece con el accidente). SAP núm. 314/2008 de Salamanca, de 6 de noviembre (acreditación insuficiente del origen de las lesiones. El informe pericial revela la existencia de un frenazo a escasa velocidad. Las molestias no responden al esguince cervical, sino a un tirón muscular).

Sentencia de la Audiencia provincial de Madrid número 200/2018, de 29 de junio: *la colisión de leve intensidad, y la falta de informe médico concluyente va a impedir que puedan indemnizarse la cervicalgia, que la pericial considera de carácter mecánico y no traumático, que no guarda nexo causal con el siniestro.*

Sentencia de la Audiencia provincial de Murcia número 283/2019, de 4 de abril: *aunque la pericial demuestra la colisión por alcance y el esguince cervical de la lesionada en el siniestro, no se abonarán el resto de lesiones que reclama que obedecen a otros accidentes o patologías previas preexistentes.*

3.1. Criterios de causalidad genérica en los traumatismo cervicales menores

Los antecedentes de los criterios de causalidad hay que buscarlos en el campo de la Medicina Legal sobre la base de la Epidemiologia[16]Forense. Se trata de una disciplina que se encuentra al servicio de la justicia para el estudio de la distribución y los determinantes de estados o eventos relacionados con la salud y la aplicación de esos estudios al control de enfermedades y otros problemas de salud. El examen del nexo de causalidad en el campo de la Medicina Legal ha favorecido la aparición de una metodología jalonada por los criterios de causalidad. No han sido pocos los esfuerzos de la comu-

---

(16)   Definición dada por Organización Mundial de la Salud (OMS).

nidad científica por establecer un elenco de razonamientos o reflexiones que contribuyan a descifrar cuando un traumatismo se produce como consecuencia de un determinado mecanismo lesional. Ha sido necesario sumar esfuerzos para alcanzar una pericia de calidad en este ámbito de la medicina legal. Autores como MÜLLER y CORDONNIER, BRADFOR HILL, SUSSER, MCEAN MILLER, FRANCHINI, FIORI, BOROBIA, SIMONIIN e incluso el propio HERNÁNDEZ CUETO contribuyeron a implementar los criterios de causalidad: cronológico, topográfico, etiológico, cuantitativo, de continuidad sintomática o fenomenológica, de exclusión, de verosimilitud o diagnóstico etiológico, de integridad previa, concordancia de la localización, relación anatómica, de adecuación lesiva, epidemiológico o estadístico entre otros.

La relación anterior no pasa desapercibida por los Padres del Baremo[17] que vieron colmadas sus expectativas al incluir algunos de ellos para regular los traumatismos menores cervicales, ya que con la inclusión de los criterios de causalidad, según el Sector Asegurador, se podría frenar la proliferación de reclamaciones simuladas o fraudulentas. A través de ellos, las entidades aseguradoras y los jueces podrán determinar si es o no posible atribuir la lesión al mecanismo lesional derivado de las colisiones de baja intensidad.

La inclusión del artículo 135 en la Ley 35/2015, de 22 de septiembre, de reforma del sistema para la valoración de los daños y perjuicios causados a las personas en accidentes de circulación supuso un cambio transcendental en las indemnizaciones por traumatismo menor cervical «TMC» Esta regulación *sui géneris* obedece entre otras cuestiones a los intereses económicos de las aseguradoras para tamizar la avalancha de reclamaciones por el «SLC». Los "Padres del Baremo" consideraron necesario otorgar una regulación específica a todos aquellos traumatismos leves que se producen sobre la columna vertebral, con especial transcendencia los que afectan a la zona cervical. Una cuestión que no está exenta de cierta polémica, ya que con el pretexto de dar una mejor respuesta al volumen de reclamaciones por el SLC lo que se consigue es elevar notablemente los criterios de causalidad, en definitiva estrangular en lo posible las indemnizaciones por latigazo cervical.

---

(17)   Comisión de expertos que participaron en la elaboración del Baremo 2015. En la actualidad existe un movimiento continuista, a través de la Comisión de Seguimiento del Sistema de Valoración, cuya principal función consiste en la evaluación de la norma para establecer un conjunto de recomendaciones «de buenas prácticas». Todo ello bajo el prisma de una corriente política conocida como «regular mejor» (*better regulation*) o «legislación inteligente» (*smart regulation*) Así lo contempla la Guía de Buenas Prácticas para la Aplicación del Baremo de Autos creada por los Ministerios de Justicia y de Economía y Empresa, 27 de noviembre de 2018.

A través de la redacción del artículo 135 de la LRCSCVM se acota y, por lo tanto, cercena sustancialmente la indemnización por este tipo de traumatismos. Estos mecanismos antifraude, como así han sido tildados por el sector asegurador, se utilizan para determinar si existe o no nexo de causalidad entre el accidente y la lesión.

Artículo 135. Indemnización por traumatismos menores de la columna vertebral.

1. Los **traumatismos cervicales menores** que se diagnostican con base en la **manifestación del lesionado sobre la existencia de dolor**, y que **no son susceptibles de verificación mediante pruebas médicas complementarias**, se indemnizan como lesiones temporales, siempre que la naturaleza del hecho lesivo pueda producir el daño de acuerdo con los criterios de causalidad genérica siguientes:

a) De exclusión, que consiste en que no medie otra causa que justifique totalmente la patología.

b) Cronológico, que consiste en que la sintomatología aparezca en tiempo médicamente explicable. En particular, tiene especial relevancia a efectos de este criterio que se hayan manifestado los síntomas dentro de las setenta y dos horas posteriores al accidente o que el lesionado haya sido objeto de atención médica en este plazo.

c) Topográfico, que consiste en que haya una relación entre la zona corporal afectada por el accidente y la lesión sufrida, salvo que una explicación patogénica justifique lo contrario.

d) De intensidad, que consiste en la adecuación entre la lesión sufrida y el mecanismo de su producción, teniendo en cuenta la intensidad del accidente y las demás variables que afectan a la probabilidad de su existencia.

2. La secuela que derive de un traumatismo cervical menor se indemniza sólo si un informe médico concluyente acredita su existencia tras el período de lesión temporal.

3. Los criterios previstos en los apartados anteriores se aplicarán a los demás traumatismos menores de la columna vertebral referidos en el baremo médico de secuelas.

Una lectura pormenorizada de este precepto pone al descubierto las claves para acreditar las patologías, traumatismos cervicales menores. Al menos podemos identificar, entre otras, las siguientes:

I. Ha de tratarse de traumatismos menores de la columna vertebral, generalmente, derivados de colisiones a baja intensidad.

El «Baremo» huye de cualquier formulismo o tratamiento penal de la lesión, ni tan siquiera la considera como leve. La califica como trauma menor. Una acepción médico-legal más versátil que engloba a cualquier algia o dolor que refiera la víctima. Desde la contractura muscular hasta el esguince cervical. No distingue entre trauma menor o mayor cervical. De modo que el mecanismo lesional se deriva de una colisión de baja intensidad, ya que será ésta y no otra la que origine el daño. La mayor parte de las pericias biomecánicas aducen umbrales de velocidad a partir de los cuales con mayor o menor grado de probabilidad (sobre la base de datos estadísticos) pueden llegar a producirse lesiones en la región cervical. De tal manera que la velocidad del impacto juega un papel protagonista en la relación causal.

En cualquier caso daños de escasa entidad, en ausencia de grandes deformaciones. Daños inapreciables. Accidentes en las que es preciso realizar el despiece del sistema o mecanismo de defensa del vehículo (paragolpes) para observar si ha existido briznas de daño. Puede resultar reiterativo pero se me antoja bastante paradigmático el ejemplo de la caída de un cartón con huevos desde una altura de 50 centímetros. En apariencia no existen daños, sin embargo una vez que abramos el cartón alguno de los huevos estará dañado. Y ello es así dado el gran número de pericias que revelan que no siendo el accidente de entidad, sino leve, no pueden concluir por sí solas que el siniestro no haya producido alguna lesión. O mejor dicho, un golpe de poca importancia no significa a la fuerza la no producción de daños materiales. Esta circunstancia no es determinante de una ausencia de lesiones o daños corporales en los ocupantes del vehículo impactado por responsabilidad negada de su asegurado, puesto que lo relevante es la posible incidencia del impacto en las personas que lo sufrieron (extracto de la sentencia de la Audiencia Provincial de Madrid número 40/2019, de 25 de enero).

Por tanto, las colisiones o impactos que se encuentren fuera de estos parámetros (lesiones graves o muy graves) quedaran al margen del artículo 135 de la LRCSCVM. No así en el caso de que existan secuelas. En este supuesto la indemnización solo será posible si están acreditadas mediante informe médico concluyente tras el período de lesión temporal.

Por informe médico concluyente debemos entender aquel informe que haga constar una serie de conclusiones que revelen la relación de causalidad ente las lesiones y el accidente. En definitiva un informe de calidad, completo y que siga los criterios de valoración establecidos en el «Baremo».

En primer lugar, ha de realizarse por un profesional médico de reconocido prestigio con formación específica en la materia, que acredite los suficientes conocimientos prácticos y teóricos en la valoración del daño corporal.

En segundo lugar, por lo que respecta al contenido, es preciso que refleje, entre otros, la siguiente relación de apartados:

1. Objeto del informe.
2. Fuentes consultadas.
3. Mecanismo lesional.
4. Primer diagnóstico o anamnesis.
5. Tratamiento inicial.
6. Seguimiento o control de la evolución.
7. Estado final.
8. Estudio del nexo de causalidad.
9. Valoración del daño corporal ajustado a los parámetros de la L 35/2015.
10. Desglose de los criterios seguidos con puntuación de las secuelas.
11. Anexos con pruebas de imagen.

II. Sintomatología exclusivamente subjetiva.

El carácter leve de la lesión cervical lleva implícito la ausencia de lesiones significativas. Consecuencia de ello es la dificultad de diagnóstico a través de pruebas de imagen sin que podamos considerar que la clínica, tenga que ser inventada, teniendo muy presente que los médicos quedan supeditados a la mera manifestación subjetiva de los pacientes. Será suficiente la manifestación del lesionado sobre la existencia de dolor para iniciar el proceso de valoración del daño corporal estatuido en la L 35/2015. No existen, por tanto, señales evidentes de su producción, sino la mera referencia del perjudicado. Todo ello, servirá para llevar a cabo el seguimiento de la lesión y su posterior valoración.

Además del derecho a quejarse, a referir o manifestar dolor resulta preceptivo que la lesión no sea susceptible de verificación mediante pruebas médicas complementarias. Quiere ello decir que ha de tratarse de un cuadro lesional que *a priori* escapa a la mayor parte de pruebas médicas de imagen. De tal forma que un reconocimiento médico del paciente será suficiente para considerar que esa persona sufre un traumatismo leve de la columna cervical.

Por tanto, para la aplicación del artículo 135 de la L 35/2015, tratándose de lesiones del tipo es importante distinguir entre las cervicalgias[18] y/o contracturas musculares en zona cervical, siempre sobre la base de existencia

_____

(18)   La cervicalgia se caracteriza por dolor en la musculatura posterior y lateral del cuello, contracturas musculares, impotencia funcional parcial, dolores irradiados a miembros

de dolor manifestado por el lesionado, del esguince cervical, cuestión que está siendo advertida por el órgano judicial.

Sentencia número 115/2017, del Juzgado de 1ª Instancia de Móstoles, de 16 de mayo de 2017.

> «Fundamento jurídico 3.3
>
> [...] Considera el Juzgador que este precepto no es de aplicación al supuesto de autos pies el mismo se refiere a traumatismos cervicales menores que se diagnostican con base en la manifestación del lesionado sobre la existencia de dolor, y que no son susceptibles de verificación mediante pruebas médicas complementarias, mientras que en el presente supuesto nos encontramos ante un esguince cervical/síndrome del latigazo cervical diagnosticado el 9 de agosto de 2016 en el servicio de urgencia del Hospital Universitario 12 de octubre donde se observa que la musculatura paravertebral en región cervical está contracturada, recomendando la utilización de dolor por parte de D. xxxxxxxxxx, sino ante una contractura de la musculatura paravertebral que sí que puede ser objetivada incluso con la mera palpación. El perito Sr. Xxxxx así lo confirma cuando se le pregunta en el acto de la vista y así señala que hay dos datos objetivos, uno, la contractura muscular y dos, el diagnóstico y tratamiento específico de la lesión cervical. La propia perito presentada por la entidad demandada, reconoce que la contractura es objetivable [...]».

Sin embargo, no debemos caer en la tentación de pensar en lo fácil que resulta simular la lesión cervical para obtener una suculenta indemnización. De hecho la práctica demuestra que no resulta excesivamente complicado a pesar de tener que cumplir con los criterios de exclusión. Lo verdaderamente transcendente es casi cualquier molestia puede configurarse como sintomatología del SLC. Esta circunstancia, que podría considerarse como el chocolate del loro, contrasta con la valoración final de la lesión temporal, que en la mayor parte de los casos se sustancia con una paupérrima indemnización que no hace justicia con la transcendencia de la lesión ni las secuelas.

Por lo tanto, si partíamos de la subjetividad sobre la base de la manifestación de dolor de la víctima como premisa fundamental, terminamos con el descalabro de la valoración final del daño corporal, ya que se ha estandarizado la mala costumbre de infravalorar el SLC. Una práctica reiterada aus-

---

superiores, hormigueo, y en ocasiones sensaciones de vértigo, mareo o inestabilidad. Los síntomas más incapacitantes:
— Dolor referido en la nuca, occipucio o parte superior de los hombros irradiado o no la región dorsal o interescapular o a la región anterior del tórax. — Rigidez y dificultad para realizar los movimientos del cuello. Mareos. — Parestesia de MS. Debilidad muscular en las manos. — Visión borrosa y disfagia son síntomas raros. Fuster Martín, R.: *Criterios de Valoración de las Secuelas en los Accidentados*. Thomson Reuters Aranzadi. Primera edición, 2019. Pp. 542-543.

piciada por los especialistas médicos de valoración del daño corporal al servicio del Sector Asegurador. Pero es que no acaba aquí el sablazo jurídico, sino que sigue latente este ejercicio de austeridad incluso en los médicos forenses. Colectivo que apoya el informe médico de parte e incluso en algunas ocasiones se atreven a mermar aún más si cabe la indemnización.

III. El tratamiento será de lesiones temporales.

El resultado del diagnóstico del SLC desemboca, por regla general, en una lesión o patología temporal. Así lo establece el artículo 135 de la L 35/2015. Por tanto, habrá que estar a lo que establece el conglomerado tabular en los artículos 134 y concordantes.

El apartado primero de este precepto establece que *son lesiones temporales las que sufre el lesionado desde el momento del accidente hasta el final de su proceso curativo o hasta la estabilización de la lesión y su conversión en secuela.*

Para el cálculo de la indemnización será necesario consultar la tabla 3A, 3B y 3C.

INDEMNIZACIONES POR LESIONES TEMPORALES	
Tabla 3	
Tabla 3.A Perjuicio Personal Básico	
Indemnización por día	31,05 €
Tabla 3.B Perjuicio Personal Particular	
Por pérdida temporal de calidad de vida	
Indemnización por día (incluye la indemnización por perjuicio básico)	
Muy Grave	103,48 €
Grave	77,61 €
Moderado	53,81 €
Por cada intervención quirúrgica	De 413,93 € hasta 1.655,73 €
Tabla 3.C Perjuicio Patrimonial	
Gastos de asistencia sanitaria	su importe
Gastos diversos resarcibles	su importe
Lucro cesante	su importe

Con carácter excepcional el apartado segundo de artículo 135 de la L 35/2015 señala que *la secuela que derive de un traumatismo cervical menor se indemniza sólo si un informe médico concluyente acredita su existencia tras el período de lesión temporal.*

Por tanto, si un informe médico concluyente acredita o demuestra que del traumatismo cervical menor se derivan secuelas se podrán valorar conforme a los criterios establecidos en la Tabla 2. A. 1. Baremo médico. Clasificación y valoración de las secuelas.

Una cuestión que no pasa desapercibida para el común de los mortales, ya que el informe concluyente como hemos visto ha de ser específico. En definitiva un informe de parte que incorpore todos y cada uno de los aspectos que anunciaba en la primera de las claves que se relacionan.

El principal obstáculo que ha de salvar la víctima es precisamente éste, no vacilar en contratar los servicios de un especialista en valoración del daño corporal nada más que haya cumplido con el criterio cronológico de las 72 horas. Desde esa primera consulta médica hasta la estabilización de las lesiones temporales se hace necesario un seguimiento exhaustivo del SLC. De lo contrario el informe médico final no será un elemento de prueba suficiente para acreditar las posibles secuelas que se deriven de la lesión.

IV. Siempre que se cumplan los criterios de causalidad.

Y como colofón, además de lo anteriormente expuesto, el artículo 135 prevé que para que se cumpla la relación de causalidad entre el accidente y la lesión cervical que se cumplan los criterios de causalidad «*siempre que la naturaleza del hecho lesivo pueda producir el daño de acuerdo con los criterios de causalidad genérica*».

El precepto establece un grupo de cuatro criterios y prevé que todos y cada uno de ellos los que puedan producir. De ello se infiere que el incumplimiento de un solo criterio resultara infructuoso para que pueda hablarse de relación de causalidad entre la lesión y el siniestro.

Han de darse todos los criterios para poder establecer el nexo de causalidad, lo cual no quiere decir que estemos ante una prueba *iuris et de iure*, es decir o se dan todos, o no hay nada que hacer. Hurtado Yelo[19] concluye que los criterios del artículo 135 de la LRCSCVM no son *númerus clausus* en su aplicación, pudiendo acudirse a otros. Del mismo modo, no es necesario que concurran todos para probar la existencia de las lesiones. En este sentido, la jurisprudencia ha puesto de manifiesto el propósito de salvar el criterio

---

(19)   Hurtado Yelo, J. J.: *La determinación del alcance del art. 135 LRCSCVM. Traumatismos con síntomas exclusivamente subjetivos . (Análisis de la SAP, Sección 6°, La Coruña, núm. 200/2017, de 23 de octubre)*. La ley digital 1382/2019. P. 9.

cronológico de la asistencia médica tras las 72 horas posteriores al accidente en aquellos casos en los que la sintomatología aparece después.

(I) Extracto de la sentencia número 318/2019, de la Audiencia provincial de Pontevedra, de 4 de junio:

> «(…) Actualmente, el art. 135 TRLRCSCVM, lo sitúa en las 72 horas siguientes al siniestro; no obstante, creo que no se debe ser excesivamente riguroso en estos casos, pues dicho período puede sobrepasarse levemente, en casos excepcionales. En nuestro caso, no se cuestiona en autos (…)».

Lo realmente significativo es que si no se cumplen los criterios de causalidad no estaremos en el marco jurídico en el que opera el artículo 135. En ese caso, o bien se trata de lesiones que se encuentran por debajo del umbral de dolor subjetivo sobre la base de las manifestaciones de la víctima que sufre el SLC, o bien el cuadro lesional que refiere el paciente se incardina en otro tipo de patología. En algunas ocasiones lesiones que permanecen latentes tras el accidente y que no se manifiestan dentro de las 72 horas posteriores al accidente.

V. Significado de cada uno de los criterios.

a) *De exclusión, que consiste en que no medie otra causa que justifique totalmente la patología.*

Este criterio aparece en primer lugar. En buena lógica si existe otra causa, otro antecedente médico o patología previa no será necesario entrar a valorar otros criterios. Si no pasa este primer corte, difícilmente podremos seguir examinando los otros tres criterios.

La existencia de patología previa es una de las primeras oposiciones a la reclamación de la víctima ya sea en el procedimiento extrajudicial o judicial. El examen de las patologías o antecedentes clínicos previos al accidente puede desvirtuar o anular el nexo de causalidad. Toda vez que estas enfermedades pueden ser la causa del dolor o el agravamiento del mismo, como sucede con la fibromialgia (sentencia número 60/2017, de 2 de marzo, de la Audiencia provincial de Cádiz).

Extracto de la sentencia número 546/2014 de la Audiencia provincial de Pontevedra, de 29 de septiembre:

> «(…) Por último en relación con D. Moisés si consta que acudió el mismo día del accidente al servicio de urgencias del hospital de Fátima y el médico que le atención apreció la existencia de contractura de grado moderado a nivel de mus-

culatura paravertebral cérvico-dorso-lumbar, siendo diagnosticado de esguince cérvico-dorso-lumbar; sin embargo en el RM de columna cervical efectuada tras el accidente se hacer constar que no se han detectado colapsos, contusiones óseas o luxaciones paravertebrales y se observa la existencia de una protusión discal en el espacio C3-C4 y de una hernia discal en el espacio C4-C5 descartando patología aguda postraumática. Por lo tanto aun cuando dicho demandante si cumple el criterio temporal entre el accidente y la asistencia sanitaria, sin embargo no se considera acreditado que los problemas que aduce tengan su origen en la leve colisión, sino que por el contrario se tratan de patologías preexistentes».

Resulta de gran interés para despejar la incógnita del criterio de exclusión por patología previa reflejar en el informe médico la zona afectada, el tiempo transcurrido y si existen o no secuelas.

a) Zona afectada

Si el efecto de la colisión tuvo o no la misma zona de afección que refleja el historial clínico que presenta la víctima, dado que pueden ser patologías o enfermedades diametralmente opuestas. Puesto que nada tiene que ver una rotura del maléolo derecho con una contractura cervical.

b) Tiempo transcurrido

El tiempo transcurrido entre la patología previa y el accidente que origina la lesión, aun siendo la misma afectada, resulta revelador. Cuanto mayor sea el período de tiempo menor será la probabilidad de que, si se permite la expresión, la pseudopatología previa pueda agravar o ser la causa del dolor.

En ocasiones, una degeneración articular propia de la edad, sin llegar a alcanzar el grado de artrosis puede verse agravada por una colisión.

c) Secuelas

Resulta obvio que si el informe o historial clínico del perjudicado muestra o certifica el alta sin secuelas de una dolencia previa no podrá considerarse como un criterio excluyente.

(II) Extracto de la sentencia número 318/2019, de la Audiencia provincial de Pontevedra, de 4 de junio:

«(…) En el caso del Sr. D. Fausto consta tres accidentes en 2010, 2012 y 2013. El primero afectó a las cervicales dorsales y brazos, dado de alta sin secuelas. El segundo, afectó a la zona paracervical y trapecios, dado de alta con algia residual en el trapecio izquierdo. El tercero, por colisión posterior cuando iba de ocupante padeció cervicalgia postraumática, dado de alta con parestesias en las manos. En 2016, latigazo cervical y lumbalgia postraumática. Pues bien, descartado el criterio de la intensidad, y el cronológico, entendemos que tampoco puede apreciarse ahora el de las lesiones previas, en ninguno de los dos casos, en el del Sr. Horacio por el tiempo transcurrido y la zona afecta que aunque coincide con la actual, sin embargo, fue dado de alta sin secuelas; y en el caso del Sr. Fausto, puesto que aquellas otras lesiones afectaron en la columna vertebral a la zona cervical y en otro caso a la dorsal, ahora el latigazo cervical y lumbalgia postraumática (no coincidente), es verdad que son coincidentes pero también concurre que ha transcurrido años desde que tuvieron lugar y el art. 135 exige « que no medie otra causa que justifique totalmente la patología». En nuestro caso, los doctores no han sido categóricos al respecto, por lo que entendemos que la demanda habría de estimarse puesto que el tipo de colisión por impacto lateral es compatible con el resultado que además se acreditó médicamente, de la que fueron asistidos a partir del día del siniestro, compatibles con unos daños hasta cierto punto relevantes en los móviles (...)».

b) **Cronológico**, que consiste en que la sintomatología aparezca en tiempo médicamente explicable. En particular, tiene especial relevancia a efectos de este criterio que se hayan manifestado los síntomas dentro de las setenta y dos horas posteriores al accidente o que el lesionado haya sido objeto de atención médica en este plazo.

Se constituye como un criterio objetivo para determinar si un siniestro de baja intensidad puede generar lesiones leves cervicales. Con este fin se establece un período de tiempo determinado, de 72 horas. Es preciso que aparezca la sintomatología dentro de esta variable o parámetro cronológico de lo contrario estaríamos fuera de la cobertura legal del precepto 135 de la L 35/2015. De otra parte, con especial transcendencia, ya que la simple aparición de la sintomatología no parece suficiente, valida como prueba irrefutable a estos efectos que el lesionado haya sido objeto de atención médica en ese plazo. Será suficiente para cubrir este criterio de causalidad que la víctima acuda a un centro médico o urgencias hospitalarias y el diagnóstico refleje dichas lesiones (desde dolor cervical moderado o cervicalgia postraumática hasta el esguince cervical).

Extracto de la sentencia número 546/2014, de la Audiencia provincial de Pontevedra de 29 de septiembre:

«(...) Por último en relación con don Moisés sí consta que acudió el mismo día del accidente al servicio de urgencias del Hospital de Fátima y el médico que le atendió apreció la existencia de contractura de grado moderado a nivel de musculatura paravertebral cérvico-dorso-lumbar, siendo diagnosticado de esguince cérvico-dorsolumbar; sin embargo en la RM de columna cervical efectuada tras el accidente se hace constar que no se han detectado colapsos, contusiones óseas o luxaciones paravertebrales y se observa la existencia de una protusión discal en el espacio C3-C4 y de una hernia discal en el espacio C4-C5 descartando patología aguda postraumática. Por lo tanto aun cuando dicho demandante sí cumple el criterio temporal entre el accidente y la asistencia sanitaria, sin embargo no se considera acreditado que los problemas que padece tengan su origen en la leve colisión, sino que por el contrario se trata de patologías preexistentes. No se niega la existencia de las algias que manifiestan los demandantes, pero corresponde a los mismos acreditar de forma indubitada que las mismas tienen su origen en el accidente de circulación, ya que pueden tener origen diverso».

Extracto del fundamento jurídico tercero de la sentencia dictada por la Audiencia provincial de Barcelona, núm. 764/18, de 25 de octubre de 2018.

«(…) Sin embargo, a los efectos de dar cumplida respuesta a la parte recurrente en relación al concreto objeto del recurso, esto es, la aplicación del criterio cronológico de causalidad, pues la concurrencia de los demás no se discute en el recurso, en el que solamente se hace referencia a que los actores padecen artrosis propia de la edad (84 y 79 años), pero como bien destaca el Juez a quo, no se ha acreditado que dicha patología fuera sintomática. El accidente tuvo lugar, como hemos referido, el 6 de julio de 2015, y el Sr. Carlos Alberto acudió al CAP el 13 de julio y la Sra. Berta el 15 de julio, es decir, al séptimo y noveno día tras el siniestro, y desde el que son derivados al centro médico Ortex. Los informes de esta clínica reflejan que el actor tenía cervicalgia y lumbalgia, y la actora cervicalgia y omalgia. Ambos se sometieron a tratamiento médico y a rehabilitación funcional. La realidad de las lesiones y secuelas no se discuten por la parte demandada. Ciertamente el citado art. 135 introduce un plazo de 72 horas para la manifestación de los síntomas o la asistencia médica, sin embargo no puede acogerse una interpretación literal del mismo con efectos de puro automatismo en su aplicación por cuanto: primero, la norma se refiere al mismo como un plazo de "especial relevancia", no absoluto o abstracto, el cual habrá de valorarse siempre junto con las demás circunstancias concurrentes en el caso concreto y las demás pruebas del proceso; segundo, dicho plazo debe entenderse como orientativo, pues cada persona responde ante un traumatismo de forma distinta tanto en el tiempo como en la forma y consecuencias; y tercero, en el referido precepto se recogen también otros criterios de causalidad genérica exigibles para que proceda la indemnización de traumatismos menores de la columna vertebral, y que en este concurren todos ellos. Consecuencia de lo expuesto es que, compartiendo el criterio y argumentos del Juez de instancia, las lesiones y secuelas padecidas por los actores tienen relación cierta y directa con el accidente de autos, por lo que procede desestimar este motivo del recurso».

Extracto del fundamento jurídico tercero de la sentencia dictada por la Audiencia Provincial de Salamanca, núm. 44/19, de 20 de septiembre de 2019.

«(…) Se alega que existe error porque no se cumple el criterio cronológico ya que el accidente ocurre el día 26 de febrero de 2.016, y que en ese año febrero tiene 29 días, por lo que ocurrido el accidente a las 18 horas, acude al médico por primera vez el 1 de marzo a las 21´30 horas, es decir, a las 100 horas de ocurrido el accidente, en consecuencia no se cumplen las 72 horas a que hace referencia la letra b) del apartado 1 del artículo que hemos transcrito Sin embargo, esta Sala considera que no puede prosperar el motivo de apelación interpuesto ya que tenemos que señalar que la veracidad del accidente no es objeto de controversia, ni tampoco que el mismo tuvo lugar el 26 de febrero de 2016, sobre las 18:00 horas, acreditado mediante la prueba documental aportada al procedimiento. La intensidad del golpe, lo demuestran los daños, con los que resulto el vehículo propiedad del actor, criterio de intensidad. La forma en la que se produce el accidente determina la compatibilidad del tipo de lesión padecido por la actora —con el siniestro—, criterio topográfico. No se ha acreditado por otra parte la existencia de otra causa que justifique la patología que se le detecta a la actora, criterio de exclusión. La lesión le es diagnosticada tras acudir la actora el día 1 de marzo de 2016 a las 21:30 horas al Hospital Nuestra Señora de la Montaña de Cáceres a las 21:30 horas, donde ya se hace referencia a molestia cervical desde el momento del accidente. Por tanto aunque se sobrepasen unas horas, las 72 que marca el criterio cronológico, la valoración conjunta de los distintos criterios que han de ser tomados como referentes para determinar el nexo de causalidad entre la colisión y las lesión padecida por la actora, nos hacen compartir la valoración de la Magistrada de Instancia, máxime cuando en el informe médico presentado por la parte actora se señala que... En la Rx se apreció mínima rectificación cervical, y en RM mínima Discopatía C5-C6 (Doc. 4 y Doc. 5)».

También en la sentencia de la audiencia provincial de Albacete, núm. 322/18, de 27 de septiembre de 2018.

En síntesis, podemos concluir:

— Que la norma se refiere al período de tiempo como un plazo de especial relevancia, no absoluto o abstracto, ya que habrá que examinar caso por caso junto con las demás pruebas que concurran.

— Que dicho plazo debe entenderse como orientativo, pues cada persona responde ante un traumatismo de forma distinta tanto en el tiempo como en la forma y consecuencias.

— Que en el referido precepto se recogen también otros criterios de causalidad genérica exigibles para que proceda la indemnización de traumatismos menores de la columna vertebral, y que en este concurren todos ellos.

c) *Topográfico*, que consiste en que haya una relación entre la zona corporal afectada por el accidente y la lesión sufrida, salvo que una explicación patogénica justifique lo contrario.

La localización de la lesión y su relación con la zona corporal afectada no tendrá especial transcendencia en la atribución causal, Por ello, se puede considerar como un criterio no excluyente.

En base a la anterior afirmación se puede colegir que no ofrece apenas dificultad relacionar el mecanismo lesional por hiperflexión-hiperextensión del cuello con una colisión de baja intensidad, toda vez que la zona cervical es la más vulnerable a este tipo de accidentes de circulación.

El legislador vuelve a repetir lo que ya anunciara el criterio de exclusión. Establece que una patogénesis o como señala la ley de forma literal «patogenia» rompa o fracture el nexo de causalidad entre el accidente y la lesión sufrida porque la colisión es incompatible con las lesiones.

d) *De intensidad, que consiste en la adecuación entre la lesión sufrida y el mecanismo de su producción, teniendo en cuenta la intensidad del accidente y las demás variables que afectan a la probabilidad de su existencia.*

De los criterios que maneja el artículo 135 quizás éste sea el más controvertido. Podemos afirmar que es sin duda el criterio causal que más polémica está generando. Ya planteó algunos problemas en el proyecto de reforma del sistema de valoración del daño corporal. La redacción de ese documento contemplaba la necesidad u obligatoriedad del informe biomecánico. Una circunstancia que no convenció a los «Padres del Baremo». A pesar de ello, el artículo 135 deja abierta la puerta a este tipo de pericia.

La estimación del criterio de intensidad, que podemos considerar como concluyente a la hora de establecer el nexo de causalidad, resulta indispensable para probar que las lesiones se han producido como consecuencia del accidente.

Las claves: adecuación, intensidad del accidente y juicio de probabilidad de su existencia.

— Adecuación. Entendida como relación, correspondencia, proporcionalidad, correlación entre el impacto y las lesiones.
— Intensidad. Rango de intensidad del accidente. Análisis de los parámetros de velocidad, nivel de deformación de los vehículos, absorción del impacto, desplazamiento postcolisivo, así como el grado de tolerancia al choque (posición, edad, sexo envergadura, existencia de lesiones previas y estado de tensión ante el impacto de los ocupantes del vehículo, entre otras[20]).

---

(20)   Velasco Perdigones, J. C.: «Los criterios de causalidad genérica en las colisiones a baja velocidad y la pericial biomecánica a raíz de la Ley 35/2015, de 22 de septiembre de reforma del sistema para la valoración de los daños y perjuicios causados a las personas en accidente de circulación». *Revista La Ley* 3114/2016. Pp. 4-5.

— Juicio de probabilidad de su existencia. Análisis de las variables o factores que acontecen en el accidente. Hasta el punto de que no pueda cuestionarse su existencia. Como es sabido sobre una colisión por alcance se proyecta la incógnita de la simulación. De ahí ese juicio de probabilidad. En primer lugar, si existió o no el accidente, en segundo término si fue de suficiente intensidad como para producir lesiones y por último, si las lesiones guardan proporcionalidad con el impacto.

Este supuesto cualquier elemento probatorio será bien recibido para descartar reclamaciones fraudulentas y en definitiva la existencia o no del accidente.

4. LA CONDUCTA DILIGENTE DEL ASEGURADOR EN LA CUANTIFICACIÓN DEL DAÑO Y LA LIQUIDACIÓN DE LA INDEMNIZACIÓN

La literatura jurídica revela como conducta diligente la del buen padre de familia como modelo de conducta. La respuesta a esta cuestión hay que buscarla en el artículo 1.104 del CC. Este precepto establece que cuando la obligación no exprese la diligencia que ha de prestarse en su cumplimiento, se exigirá la que corresponda a un buen padre de familias[21].

Nuestro Código civil establece varios ejemplos que describen cual es la diligencia exigible a través de los artículos que se relacionan a continuación: art. 497 —usufructo—, art. 1094 —obligaciones con carácter general—, art. 1555.2° —arrendamiento—, art. 1719.2° —mandato—, art. 1788 —secuestro—, art. 1867 —prenda—, art. 1889 —de los cuasi contratos—.

El precepto que más se identifica con la conducta diligente exigida a la aseguradora es el artículo 1889 del Código civil:

> «El gestor oficioso debe desempeñar su encargo con toda la diligencia de un buen padre de familia, e indemnizar los perjuicios que por su culpa o negligencia se irroguen al dueño de los bienes o negocios que gestione».

---

(21) Término que procede del Derecho romano «*bonus paterfamilias*» (Digesto 18, I, 25,4) hombre medio diligente al que se le identifica con la diligencia media exigible en el ámbito contractual; persona con plena capacidad jurídica no sometida al poder de otra «*sui iuris*» en contraposición a «*alieni iuris*». Cita «*Diligentis paterfamilias*». MODERATUS COLUMELLA. L. I.: *De Re Rustica*. Libro V. (37). «Sed ut pensum arbustum commendabile fructu et decore est, sic ubi vetustae rerescit, pariter et invenustum est. Quod ne fiat, diligentis paterfamilias est, primam quamque arborem senio defectam tollere et in eius locum novellam restituere» en *Principios del derecho europeo de los contratos y códigos civiles español y francés. Análisis etimológico comparado*, de OLIVER L. E.

El Código de comercio también hace referencia a la diligencia debida cuando regula la Comisión mercantil. El artículo 248 prevé la obligación del comisionista en caso de rehusar el encargo a prestar la debida diligencia en la custodia y conservación de los efectos que el comitente le haya remitido.

Se trata de una obligación legal establecida mediante el artículo 7 de la LRCSCVM. Este precepto contempla una serie de mecanismos procedimentales para agilizar las reclamaciones de los perjudicados. Detrás de todos ellos late con fuerza el principio de diligencia del asegurador. A lo largo del proceso, ya sea este pseudojudicial[22], extrajudicial, nacional o supranacional deberá observar una conducta diligente en la cuantificación del daño y la liquidación de la indemnización. El incumplimiento de este deber, como prevé con el aparto 2, parágrafo tercero del artículo 7 constituirá infracción administrativa grave o leve en virtud del Texto Refundido de la Ley de Ordenación y Supervisión de los Seguros Privados, aprobado por el Real Decreto Legislativo 6/2004, de 29 de octubre.

El deber de diligencia *in abstracto* que exige el legislador a la aseguradora atañe a la tramitación de los perjudicados o víctimas de los accidentes. Atención, celeridad, examen médico, seguimiento del lesionado, tratamiento rehabilitador y resarcimiento íntegro son algunos de los aspectos que conforman la conducta diligente en el cumplimento de la obligación de satisfacer al perjudicado el importe de los daños sufridos en su persona y en sus bienes, así como los gastos y otros perjuicios a los que tenga derecho según establece la normativa aplicable.

Además de pautar esta conducta diligente en el tráfico jurídico de las reclamaciones derivadas de los siniestros viales, la prolija redacción del artículo 7 de la LRCSCVM contempla otra serie de obligaciones que recaen en la parte perjudicada.

Con carácter previo a la interposición de la demanda[23] esta parte deberá comunicar, por cualquier medio válido en derecho que deje constancia fidedigna de su realidad al asegurador, la existencia del siniestro, solicitando a su vez la indemnización correspondiente. No solo eso, sino que la reclamación debe de contener:

---

(22) Diligencias preliminares desarrollar me refiero a la aportación de póliza del seguro etc.

(23) *Artículo 7 de la LRCSCVM infine*. No se admitirán a trámite, de conformidad con el artículo 403 de la Ley de Enjuiciamiento Civil, las demandas en las que no se acompañen los documentos que acrediten la presentación de la reclamación al asegurador y la oferta o respuesta motivada, si se hubiera emitido por el asegurador.

— la identificación y los datos relevantes de quien o quienes reclamen,

— una declaración sobre las circunstancias del hecho,

— la identificación del vehículo y del conductor que hubiesen intervenido en la producción del mismo de ser conocidas,

— así como cuanta información médica asistencial o pericial o de cualquier otro tipo tengan en su poder que permita la cuantificación del daño.

Por tanto, se convierte en un requerimiento legal extrajudicial de forzoso cumplimiento, en cualquier caso previo a la presentación de la demanda que servirá como requisito indispensable para el ejercicio de la acción civil como así lo establece entre otras, la sentencia de la Audiencia provincial de Málaga, de 9 de octubre de 2017.

No se admitirán a trámite, de conformidad con el artículo 403 de la Ley de Enjuiciamiento Civil, las demandas en las que no se acompañen los documentos que acrediten la presentación de la reclamación al asegurador y la oferta o respuesta motivada, si se hubiera emitido por el asegurador.

La Guía de Buenas Prácticas Para la Aplicación del Baremo de Autos trata de conciliar esta conducta diligente con el deber que establece el artículo 37 de la LRCSCVM. Una herramienta con vocación interpretativa que no desvirtúa el sentido de los fallos de los tribunales, si bien es cierto cada vez es más frecuente contemplar alguna de sus conclusiones en las sentencias, como sucede en la sentencia de la Audiencia provincial de Vizcaya, de 19 de marzo de 2018.

Se establece una reciprocidad de obligaciones. De una parte el asegurador deberá observar una conducta diligente en la cuantificación del daño y la liquidación de la indemnización, de otra por lo que respecta al lesionado, éste deberá prestar, desde la producción del daño, la colaboración necesaria para que los servicios médicos designados por cuenta del eventual responsable lo reconozcan y sigan el curso evolutivo de sus lesiones.

La conducta diligente debe de estar latente en toda la tramitación, En la actualidad existen un elenco importante de recursos informáticos (aplicaciones. Programas, plataformas, bases de datos, etc.) que dan mayor agilidad al volumen de reclamaciones. La mayor parte de las compañías aseguradoras se sirven de, entre otras, las siguientes herramientas:

Desde el momento inmediatamente posterior al siniestro:

— Convenios CIDE/ASCIDE
— Declaración IDEA

Desde que la aseguradora tiene conocimiento del accidente:

— FIVA
— Daños Materiales (SDM)
— Daños Consorciables SCCS
— Daños Personales (SDP)
— Sistema de interlocución Extrajudicial (interEX)
— Historial de pólizas y Siniestros por tomador o contratante (SINCO)
— Base Técnica de Seguro del Automóvil (ESA)
— Gestión de Documentos Seguros (SGDS)
— TIREA (Tecnologías de la Información y Redes para las Entidades Aseguradoras)
— Sistema de Información de Daños Corporales / Autos: (SICORP)
— Valoración de Daños y Perjuicios causados a las personas en Accidentes de Circulación (Baremo)

Especial atención merece la gestión que realizan las compañías aseguradoras con los atestados o informes técnicos que elaboran las FF y CC de Seguridad encargados de la vigilancia del tráfico (Policías Autonómicas, Guardia Civil y Policías Locales). Éstas están asumiendo, con independencia de la atribución de responsabilidades, el coste de la solicitud del atestado a pesar de que la ley no establece una obligación legal. Distribuye la posibilidad entre las partes afectadas, perjudicados o entidades aseguradoras. En todo caso, cuando el atestado no haya sido remitido a la autoridad judicial, como sucede en el supuesto de que concurra un delito contra la Seguridad Vial del 379 y ss. del Código penal.

Por lo general, son las aseguradoras a requerimiento del asegurado las que se encargan de analizar la información que contienen estos informes o atestados. Veamos a continuación algunas cuestiones controvertidas[24].

— En cuanto a los sujetos pasivos: ¿perjudicados o aseguradoras?, ¿el responsable del accidente?

---

(24)   DE DIOS DE DIOS, M. A.: «El precio del atestado: la tasa por la expedición de informes derivados del accidente de tráfico». *Responsabilidad civil, seguro y trafico: cuaderno jurídico*, núm. 59. Pp. 13-27.

Frente a lo que pudiese parecer quien corre con el coste de la tasa no es siempre la aseguradora.

La compañía aseguradora en virtud de la cláusula que contempla la defensa jurídica viene asumiendo sin más la cuota que las Entidades locales fijan por la expedición de informes o atestados. Estas entidades que no son una ONG, sino entidades mercantiles con ánimo de lucro gestionan todas estas reclamaciones. Por ello, la importancia de obtener el informe o atestado policial a la mayor brevedad posible. Pero no solo el tiempo apremia, sino que la compañía aseguradora quiere conocer la verdadera trascendencia del siniestro, dado que el encartado cuando traslada la información al seguro, lo que se conoce vulgarmente como «dar parte», lo hace desde una perspectiva sesgada. No asumiendo la responsabilidad del hecho.

Ahora bien, no siempre es así. Existen casos en los que es el propio perjudicado el que se ve obligado a solicitar el informe. Supuestos de daños materiales en bienes privados o lesiones leves a peatones no cubiertas por un seguro. Como podemos apreciar, resulta notorio el agravio comparativo que existe entre el perjudicado o la víctima y el propio asegurado responsable del accidente.

En primer término, porque al perjuicio económico derivado del accidente se sumará la liquidación de la tasa; en segundo instancia, porque no resulta responsable del siniestro.

Digamos que la situación de partida no es la más justa. En este sentido, si existe un responsable del accidente, éste será el verdadero sujeto pasivo de la tasa. Del tal forma que su aseguradora debería liquidar la tasa por la prestación del servicio de expedición del informe. Huelga exigir el pago a la víctima o perjudicado no responsable del siniestro vial.

La solución no resulta descabellada. Si bien es cierto que el Derecho tributario no entiende de responsabilidad civil, no lo es menos que identificar al responsable del accidente viene determinado en el informe o atestado policial.

Asimismo, en aquellos supuestos dónde exista concurrencia de causas, a la sazón responsabilidad compartida, la tasa debería exigirse a ambos responsables.

— ¿Prestación de un servicio en benéfico de particulares o del colectivo de los ciudadanos?

Como hemos visto la prestación de este servicio se encuentra dentro del elenco de funciones que desempeñan las FF y CC de Seguridad. Podríamos afirmar que es una de las funciones con mayor repercusión social, por cuanto la asistencia a las víctimas de los accidentes de tráfico es una necesidad primordial. Incuestionable. Un hecho que se lleva a cabo de oficio. Solo hace falta la llamada de un alertante. Sin embargo, esta vocación universalista contrasta con la prestación de un servicio de expedición de informes por accidentes de tráfico eminentemente particular, solicitado a instancia de parte.

Éste ha sido el argumento más utilizado por las Entidades locales para imponer la tasa. El servicio no se presta de oficio, sino que se lleva a cabo por solicitud de entidades mercantiles o despachos de abogados, entre los más destacados.

Vayamos por partes. Es cierto que el servicio de asistencia a las personas encartadas en accidente de circulación (víctimas o perjudicados sean o no responsables) se lleva a cabo de oficio, tanto es así que constituye una obligación legal. También lo es la función de instruir atestados por accidentes de circulación. Ahora bien, no podemos decir lo mismo de la remisión de copias de esos atestados o informes a cada uno de los encartados.

La distinción entre una y otra faceta no ofrece dudas. La función de asistencia a los implicados en el accidente y posterior instrucción del atestado se lleva a cabo de oficio. No obstante, la expedición del mismo, en aquellos casos en que no sea preceptiva la remisión al Órgano Judicial, lleva implícita la solicitud del interesado y, por tanto, un beneficio particular.

Resulta un hecho contrastado que en el supuesto de incoación del atestado (de oficio o a instancia de parte) sea el Juzgado de Instrucción o el de Primera Instancia el órgano que reclame la realización del mismo.

Aquí está la clave: el beneficio particular. Una cuestión netamente extrajudicial, incardinada en el campo de la negociación y/o medicación, que poco o nada tiene que ver con la actuación policial.

— ¿La tasa responde a un fin económico o más bien trata de descongestionar el servicio?

El ejercicio de la competencia sobre el tráfico para aquellos cuerpos de policía que la tienen asignada demanda, entre otras cuestiones, un importante esfuerzo. La regulación, vigilancia y disciplina del tráfico, así como la instrucción de atestados por accidentes de circulación acapara un porcentaje elevado de recursos.

Todo ello tiene su repercusión en la prestación del servicio por una Administración Local que encuentra bastantes dificultades para redistribuir y gestionar sus presupuestos. Quizás sea esta circunstancia, la sostenibilidad del gasto local, la que ha provocado la imposición de tasas por las Corporaciones Locales. Entre tanto, sigue llamando la atención que otros Cuerpos Policiales con competencia en materia de tráfico, a la sazón Guardia Civil y Policías Autonómicas, no se hayan sumado a este movimiento impositivo.

Desde esta óptica, resulta cuando menos discutible el coste de oportunidad que lleva aparejada la gestión de informes solicitados por particulares. Toda vez que el tiempo de trabajo que lleva implícita esta función son horas que podrían dedicarse a otros fines netamente policiales, no administrativos. El volumen de peticiones no es nada desdeñable. En ciudades como Salamanca se superan las 2.000 solicitudes de informes (aseguradoras, entidades mercantiles dedicadas a la gestión de los informes, tramitadores de siniestros, despachos de abogados y particulares). De cada 100 accidentes de tráfico se solicitan al menos 50. La media de accidentes en el casco urbano de Salamanca se sitúa por encima de los 7 diarios.

La figura impositiva contribuye a reducir el coste que supone atender a esa avalancha de solicitudes. En cambio, la exigencia de tasa como requisito previo a la obtención del documento no tiene un efecto reductor a la hora de solicitar el informe.

Desde una perspectiva económica la curva de la demanda, dado un precio (cuota tributaria) y una cantidad (volumen solicitudes) sería más bien inelástica. Toda vez que variaciones moderadas en el precio no afectan de manera notable en la demanda de las peticiones.

El ejemplo anterior tendría sentido si la cuota tributaria se exigiese en todos los casos. Pero esto no es así. Se da la paradoja que la remisión a los órganos judiciales, instituciones y demás administraciones no se grava con la tasa. Por tanto, ante la necesidad de obtener un atestado únicamente habrá que solicitarlo a través del Juzgado. Así, se evitará el pago de la correspondiente tasa. Una medida que se encuentra amparada por la ley.

— ¿La tasa garantiza Informes de calidad?

La respuesta, en principio, resulta negativa. La tasa no garantiza un informe de calidad. Lo que determina la calidad, o mejor dicho la eficacia o contundencia de un informe técnico o atestado son otros aspectos, como: el grado de implicación y dedicación, el nivel de formación y conocimientos de los instructores y los recurso materiales que ostentan los integrantes de las Unidades de Policía Judicial.

El conjunto de estos factores son los que contribuyen a prestar un servicio de calidad. Una garantía que debe ser exigida por los destinatarios del documento.

Las aseguradoras, hasta cierto punto, no se muestran reticentes por la liquidación de la tasa, lo que realmente demandan es un atestado concluyente. Que reúna unos estándares mínimos de calidad, entre algunos de ellos:

— Circunstancias del tiempo y lugar.
— Identificación de los instructores.
— Identificación de las personas encantadas: conductores, ocupantes, lesionados, titulares de los vehículos.
— Identificación de las unidades de tráfico que intervienen en el accidente.
— Resultados de las pruebas de alcoholemia y drogas.
— Inspección de la vía.
— Croquis del accidente.
— Informe fotográfico.
— Causas y factores.
— Diligencia de parecer o juicio crítico del accidente.

La prestación de un servicio de calidad requiere, además de una buena implementación de datos y circunstancias cierta agilidad en la obtención del informe. El tiempo que trascurre desde el siniestro hasta la expedición del informe es fundamental. Cuanto más se reduzca la espera, mayor será la calidad del servicio. Con ello se evitará dilaciones indeseadas.

Retomando el hilo conductor de la conducta diligente del asegurador es precioso recordar el **plazo de tres meses** que ha de respetar la aseguradora desde que tiene conocimiento o mejor dicho desde la recepción de la reclamación del perjudicado. En este período de tiempo el asegurador está obligado a presentar una oferta motivada[25] de la indemnización si entendiera acreditada la responsabilidad y cuantificado el daño. Para este caso la LRCSCVM fija una serie de requisitos que se describen en el apartado 3 del artículo 7.

Art. 7.3 LRCSCVM:

«Para que sea válida a los efectos de esta Ley, la oferta motivada deberá cumplir los siguientes requisitos:

a) Contendrá una propuesta de indemnización por los daños en las personas y en los bienes que pudieran haberse derivado del siniestro. En caso de que concurran daños a las personas y en los bienes figurará de forma separada la valoración y la indemnización ofertada para unos y otros.

b) Los daños y perjuicios causados a las personas se calcularán según los criterios e importes que se recogen en el Título IV y el Anexo de esta Ley.

c) Contendrá, de forma desglosada y detallada, los documentos, informes o cualquier otra información de que se disponga para la valoración de los daños, incluyendo el informe médico definitivo, e identificará aquéllos en que se ha basado para cuantificar de forma precisa la indemnización ofertada, de manera que el perjudicado tenga los elementos de juicio necesarios para decidir su aceptación o rechazo.

d) Se hará constar que el pago del importe que se ofrece no se condiciona a la renuncia por el perjudicado del ejercicio de futuras acciones en el caso de que la indemnización percibida fuera inferior a la que en derecho pueda corresponderle.

e) Podrá consignarse para pago la cantidad ofrecida. La consignación podrá hacerse en dinero efectivo, mediante un aval solidario de duración indefinida y pagadero a primer requerimiento emitido por entidad de crédito o sociedad de garantía recíproca o por cualquier otro medio que, a juicio del órgano jurisdiccional correspondiente, garantice la inmediata disponibilidad, en su caso, de la cantidad consignada».

Trascurrido el plazo de tres meses sin que se haya presentado una oferta motivada de indemnización por una causa no justificada o que le fuera imputable al asegurador, se devengarán intereses de demora, de acuerdo con lo previsto en el artículo 9 de esta Ley. Estos mismos intereses de demora se devengarán en el caso de que, habiendo sido aceptada la oferta por el perjudicado, ésta no sea satisfecha en el plazo de cinco días, o no se consigne para pago la cantidad ofrecida.

---

(25)   Villar Calabuig, J.M.: *El siniestro en el seguro del automóvil y su tramitación. La reclamación extrajudicial y la oferta o respuesta motivada del asegurador.* Artículo Monográfico. Editorial Sepín jurídica. Noviembre 2015.

En caso contrario, o si la reclamación hubiera sido rechazada, dará una respuesta motivada que cumpla los requisitos del apartado 4 de este artículo.

Art. 7.4. LRCSCVM:

4. En el supuesto de que el asegurador no realice una oferta motivada de indemnización, deberá dar una respuesta motivada ajustada a los siguientes requisitos:

«a) Dará contestación suficiente a la reclamación formulada, con indicación del motivo que impide efectuar la oferta de indemnización, bien sea porque no esté determinada la responsabilidad, bien porque no se haya podido cuantificar el daño o bien porque existe alguna otra causa que justifique el rechazo de la reclamación, que deberá ser especificada.

Cuando dicho motivo sea la dilatación en el tiempo del proceso de curación del perjudicado y no fuera posible determinar el alcance total de las secuelas padecidas a causa del accidente o porque, por cualquier motivo, no se pudiera cuantificar plenamente el daño, la respuesta motivada deberá incluir:

1.º La referencia a los pagos a cuenta o pagos parciales anticipados a cuenta de la indemnización resultante final, atendiendo a la naturaleza y entidad de los daños.

2.º El compromiso del asegurador de presentar oferta motivada de indemnización tan pronto como se hayan cuantificado los daños y, hasta ese momento, de informar motivadamente de la situación del siniestro cada dos meses desde el envío de la respuesta.

b) Contendrá, de forma desglosada y detallada, los documentos, informes o cualquier otra información de que se disponga, incluyendo el informe médico definitivo, que acrediten las razones de la entidad aseguradora para no dar una oferta motivada.

c) Incluirá una mención a que no requiere aceptación o rechazo expreso por el perjudicado, ni afecta al ejercicio de cualesquiera acciones que puedan corresponderle para hacer valer sus derechos».

El incumplimiento de esta obligación constituirá infracción administrativa grave o leve.

La Ley 20/2015, de 14 de julio, de Ordenación, Supervisión y Solvencia de las Entidades Aseguradoras y Reaseguradoras contempla las infracciones relativas a la oferta o respuesta motivada en los artículos 196.10 y 195.23. El legislador califica la infracción en grave o leve en función de la conducta reincidente de la aseguradora en el cumplimiento del deber de presentar la oferta o respuesta motivada.

Artículo 196. Infracciones leves.

10. El incumplimiento del deber de presentar la oferta motivada o dar la respuesta motivada a que se refieren los artículos 7 y 22.3 del Texto Refundido de la Ley sobre Responsabilidad civil y seguro en la circulación de vehículos a motor, aprobado por el Real Decreto Legislativo 8/2004, de 29 de octubre, cuando no constituya infracción grave.

Artículo 195. Infracciones graves.

23. El incumplimiento del deber de presentar la oferta motivada o dar la respuesta motivada a que se refieren los artículos 7 y 22.3 del Texto Refundido de la Ley sobre Responsabilidad civil y seguro en la circulación de vehículos a motor, aprobado por el Real Decreto Legislativo 8/2004, de 29 de octubre, cuando tal conducta tenga carácter reincidente.

A este tipo de infracciones serán aplicadas las siguientes sanciones:

Artículo 199. Sanciones administrativas a las entidades por **infracciones graves.**

Por la comisión de infracciones graves se impondrá a la entidad infractora una o varias de las siguientes sanciones:

a) Suspensión de la autorización administrativa para operar en uno o varios ramos en los que esté autorizada la entidad aseguradora o para operar en una o varias de las actividades en las que esté autorizada la entidad reaseguradora, por un período de hasta cinco años.

b) Multa por importe máximo de 240.000 euros y superior a 60.000 euros.

Esta sanción podrá imponerse simultáneamente con las sanciones previstas en las letras a) y c).

c) Amonestación pública con publicación en el «Boletín Oficial del Estado».

Esta sanción podrá imponerse simultáneamente con las sanciones previstas en las letras a) y b).

Artículo 200. Sanciones administrativas a las entidades por **infracciones leves.**

Por la comisión de infracciones leves se impondrá a la entidad infractora una o varias de las siguientes sanciones:

a) Multa por importe máximo de 60.000 euros.

b) Amonestación privada.

En el mismo sentido, el asegurador deberá afianzar, según establece el apartado 7 del artículo 7 de la LRCSCVM, las responsabilidades civiles y abonar las pensiones que por la autoridad judicial fueren exigidas a los presuntos responsables asegurados, de acuerdo con lo establecido en los artículos 764 y 765 de la Ley de Enjuiciamiento Criminal.

Artículo 764. LECrim.

1. Asimismo, el Juez o Tribunal podrá adoptar medidas cautelares para el aseguramiento de las responsabilidades pecuniarias, incluidas las costas. Tales medidas se acordarán mediante auto y se formalizarán en pieza separada.

2. (…).

3. En los supuestos en que las responsabilidades civiles estén total o parcialmente cubiertas por un seguro obligatorio de responsabilidad civil, se requerirá a la entidad aseguradora o al Consorcio de Compensación de Seguros, en su caso, para que, hasta el límite del seguro obligatorio, afiance aquéllas. Si la fianza exigida fuera superior al expresado límite, el responsable directo o subsidiario vendrá obligado a prestar fianza o aval por la diferencia, procediéndose en otro caso al embargo de sus bienes.

La entidad responsable del seguro obligatorio no podrá, en tal concepto, ser parte del proceso, sin perjuicio de su derecho de defensa en relación con la obligación de afianzar, a cuyo efecto se le admitirá el escrito que presentare, resolviéndose sobre su pretensión en la pieza correspondiente.

4. Se podrá acordar la intervención inmediata del vehículo y la retención del permiso de circulación del mismo, por el tiempo indispensable, cuando fuere necesario practicar alguna investigación en aquél o para asegurar las responsabilidades pecuniarias, en tanto no conste acreditada la solvencia del investigado o encausado o del tercero responsable civil.

También podrá acordarse la intervención del permiso de conducción requiriendo al investigado o encausado para que se abstenga de conducir vehículos de motor, en tanto subsista la medida, con la prevención de lo dispuesto en el artículo 556 del Código Penal.

Las medidas anteriores, una vez adoptadas, llevarán consigo la retirada de los documentos respectivos y su comunicación a los organismos administrativos correspondientes.

Artículo 765. LECrim.

1. En los procesos relativos a hechos derivados del uso y circulación de vehículos de motor el Juez o Tribunal podrá señalar y ordenar el pago de la pensión provisional que, según las circunstancias, considere necesaria en cuantía y duración para atender a la víctima y a las personas que estuvieren a su cargo. El pago de la pensión se hará anticipadamente en las fechas que discrecionalmente señale el Juez o Tribunal, a cargo del asegurador, si existiere, y hasta el límite del seguro obligatorio, o bien con cargo a la fianza o al Consorcio de Compensación de Seguros, en los supuestos de responsabilidad civil del mismo, conforme a las disposiciones que le son propias.

Igual medida podrá acordarse cuando la responsabilidad civil derivada del hecho esté garantizada con cualquier seguro obligatorio. Todo lo relacionado con esta medida se actuará en pieza separada. La interposición de recursos no suspenderá la obligación de pago de la pensión.

2. En los procesos relativos a hechos derivados del uso y circulación de vehículos de motor el Juez o Tribunal podrá autorizar, previa audiencia del Fiscal, a los investigado o encausado que no estén en situación de prisión preventiva y que tuvieran su domicilio o residencia habitual en el extranjero, para ausentarse del territorio español. Para ello será indispensable que dejen suficientemente garantizadas las responsabilidades pecuniarias de todo orden derivadas del hecho punible, designen persona con domicilio fijo en España que reciba las notificaciones, citaciones y emplazamientos que hubiere que hacerles, con la prevención contenida en el artículo 775 en cuanto a la posibilidad de celebrar el juicio en su ausencia, y que presten caución no personal, cuando no esté ya acordada fianza de la misma clase, para garantizar la libertad provisional y su presentación en la fecha o plazo que se les señale. Igual atribución y con las mismas condiciones corresponderá al Juez o Tribunal que haya de conocer de la causa. Si el investigado o encausado no compareciese, se adjudicará al Estado el importe de la caución y se le declarará en rebeldía, observándose lo dispuesto en el artículo 843, salvo que se cumplan los requisitos legales para celebrar el juicio en su ausencia.

5. AGRAVACIÓN DEL DAÑO POR PARTE DE LA VÍCTIMA

5.1. Consideraciones generales

Culpa del perjudicado o de la víctima son términos[26] utilizados por el derecho para conceptualizar una acción u omisión negligente, derivada de un hecho propio que provoca la responsabilidad del dañado. Aquella omisión de la diligencia exigible en el tráfico, que hubiera permitido evitar el daño propio, y que puede consistir en contribuir a la causación del daño, o en descuidar su posible minoración[27].

Una de las primeras paradojas que presenta la culpa del dañado se cierne sobre la anfibología del término «víctima». De forma análoga a la reflexión

---

(26)   En derecho italiano *colpa del dannegiato* o *colpa verso se stesso* (PUGLIATTI. S.: *Responsabilitá Civile*. Doit. A. Giuffré Editore. Milano, 1968. P. 14). *Faute de la victime* en derecho francés (JOSSERAND, L.: *La responsabilité envers sois-même*. DH, 1934, núm. 28. Chronique, págs. 73-76). *Verschulden gegen sich selbst* en derecho alemán (ZITELMANN, E.: *Bügerliches Geseztbuch, Allgemeiner Teil, Leipzig 1900*. P. 166). En derecho portugués *Culpa da lesado*. Conocida por la doctrina angloamericana como *fault of the plaintiff, plaintiff's default, plaintiff's negligence* o *contributory negligence*.

(27)   LARENZ, K.: *Derecho de las obligaciones*. T, I, versión española y notas de J Santos Briz. Editorial Revista de Derecho Privado, Madrid 1958. P. 219-220. En el mismo sentido, VON TUHR, A.: *Tratado de las obligaciones*. Traducido y coordinado por W. Roces Suárez. Reus. Madrid 1934. P. 78.

culpa-conducta, la expresión víctima se mimetiza con la de perjudicado. Son conceptos sinónimos, aunque con cierto matiz diferenciador.

Desde una perspectiva indemnizatoria diremos que la víctima es la persona que padece directamente una lesión psicofísica o un daño en su patrimonio, en cambio perjudicado es aquel que, no siendo víctima del accidente, experimenta un daño moral o patrimonial como consecuencia de éste. Paradigma de lo que acabo de exponer, se revela en el accidente de tráfico que acaece como consecuencia de la salida de vía de un turismo con resultado de daños materiales y muerte del conductor. En este caso, perjudicado sería la persona que sufre las consecuencias indirectas de la muerte del conductor y víctima la persona fallecida. Pues bien, a pesar de estar meridianamente claro que en casos de muerte, víctima y perjudicado son sujetos diferentes, el legislador sigue cometiendo el mismo error[28].

Lo que podríamos calificar como culpa hacia sí mismo se presenta cuando la víctima contribuye a la causación de su propio daño. Según León González[29], si la víctima descuida negligentemente sus propios intereses se coloca en situación de responsabilidad individual o autorresponsabilidad, con lo que ya no podrá pretender que la carga del daño se desplace, en todo o en parte, sobre otro patrimonio. Gran parte de la doctrina italiana, entre otros, Carnelutti, Betti, Messineo y Pugliatti entiende que el criterio de imputación opera como causa determinante de *autorresponsabilitá* o *colpa sopra se estesso*[30]. Se habla de autorresponsabilidad total o parcial. En el primer caso estaríamos en presencia de la culpa exclusiva de la víctima, mientras que en el segundo supuesto, cuando ésta es parcial, asistimos a una culpa contributiva, concurrente o participativa de la propia víctima.

En atención al campo de actuación de la Ley sobre Responsabilidad Civil y Seguro en la Circulación de Vehículos a Motor, o mejor dicho, al específico

---

(28)   La nueva redacción del artículo 1.1 de la Ley sobre Responsabilidad Civil y Seguro en la Circulación de Vehículos a Motor mantiene el término perjudicado, refiriéndose a la culpa exclusiva como circunstancias exoneradora de responsabilidad para después, a partir del apartado segundo y en lo siguiente, citar el de víctima. Fraga Mandián, A.: *Guía práctica de valoración de daños personales: Nuevo Baremo.* Editorial jurídica Sepín S. L. 2015.

(29)   León González, J. M.: *La responsabilidad civil de Roma al Derecho moderno. Significado y función de la culpa en el actual Derecho de daños. (Especial consideración de la culpa de la víctima).* IV Congreso Internacional y VII Congreso Iberoamericano de Derecho Romano. Universidad de Burgos. 2001. También «La culpa del dañado en la responsabilidad extra-contractual». *Práctica Derecho de daños*, año IX, núm. 90, febrero, 2011. Págs. 6-22.

(30)   La teoría de la autorresponsabilidad ha sido considerada como un principio general del Derecho. En virtud de ésta se niega la indemnización a la víctima que ha participado en la causación de su propio daño. Messineo, F.: *Manuale di Diritto Civile e Comerciale,* t I, 9ª edición. Giuffre. Milano 1957.

ámbito de aplicación de la norma resulta cuando menos llamativo la categorización a la que se somete la culpa[31]. Exclusiva, concurrente o contributiva (contributory negligence)[32] son términos utilizados por el legislador para atribuir responsabilidad a quien ha participado en la producción de su propio daño.

Por culpa exclusiva[33] debemos entender aquella situación en la que el daño no tiene más que una sola causa: el comportamiento de la víctima o perjudicado. De manera que el reproche culpabilístico a la víctima «autorresponsable» ha lugar cuando el resultado dañoso se produzca como consecuencia de una culpa o negligencia única, plena, absoluta y absorbente de la víctima, sin que la más leve contribución negligente del autor material se inserte en la etiología del daño inferido.

En cambio, la culpa concurrente ya sea por contribución de la víctima a la producción del daño, o por concurrencia de conductas concausantes entre el sujeto agente y paciente ha propiciado la flexibilización del concepto culpa exclusiva.

Desde la óptica resarcitoria, la culpa de la víctima se ha traducido en cuotas o porcentajes atributivos de responsabilidad. Resulta comúnmente aceptado que cuanto mayor sea el grado o porcentaje de responsabilidad de la víctima, menor será el quantum de la indemnización.

Una de las primeras normas en establecer el reparto de la responsabilidad en proporción al comportamiento culpable o negligente fue el artículo 254 del Código civil alemán de 1900. Solución que adoptaron los redactores del artículo 78 del proyecto de Código franco-italiano[34] y que contempla el artículo 1.204 del Código civil austriaco, donde se pone de manifiesto lo siguiente: «Si al daño ha contribuido la culpa de la víctima, ésta soporta el

---

(31)   Esta clasificación de la culpa encaja con los niveles de diligencia exigibles, aquello que cabría prever por un hombre diligente La ley no impone un perfil de diligencia, ni siquiera una forma general o indeterminada de conducta. Como es sabido, aboga por una responsabilidad objetiva frente a los daños personales en razón de la materialidad del daño. No encontramos ningún precepto que establezca cual es la diligencia tipo susceptible de liberar de responsabilidad al conductor de un vehículo a motor frente al infortunio automovilístico.

(32)   Término acuñado por el derecho anglosajón (Tort Law, trust o equity). Puesto de manifiesto por LORD ELLENBOROUGH, en el caso Butterfield v. Forrester. Según el cual la culpa de la víctima no excluye necesariamente el derecho al resarcimiento sino que puede dar lugar a una reducción equitativa de su cuantía, proporcionada al grado de culpabilidad de las partes enfrentadas.

(33)   DE DIOS DE DIOS, M. A.: Culpa exclusiva de la víctima en los accidentes de circulación. Editorial La Ley. Las Rozas (Madrid), 2012. Pp. 101 a 168.

(34)   SAVATIER, R.: Traité de la Responsabilité Civile. Tome deuxiemé. París 1951. P. 531.

daño junto con el sujeto agente proporcionalmente, y si la proporción no puede establecerse, en partes iguales».

En nuestro derecho, la Ley 122/1962, de 24 de diciembre, sobre Uso y Circulación de Vehículos a Motor[35] utiliza, por primera vez, la culpa o negligencia del perjudicado como circunstancia exoneradora de responsabilidad en el artículo 39.

En consonancia con lo expuesto, es preciso resaltar el papel que desempeña el artículo 114 en la vertiente penal del derecho. Al igual que sucede con el artículo 1103 del Código civil[36] el artículo 114 del Código penal faculta a los jueces y tribunales para llevar a cabo el *ius moderandi* de la indemnización. De modo que, si la víctima hubiere contribuido con su conducta a la producción del daño o perjuicio sufrido, los Jueces o Tribunales podrán moderar el importe de su reparación o indemnización[37].

Ahora bien, a pesar del auxilio que el ordenamiento brinda a la víctima del daño[38] resulta insólito encontrar derecho positivo que apadrine el daño causado por la conducta o negligencia del propio perjudicado. Con todo, si se aprecian propósitos formales de reconocimiento en el artículo 1 de la Ley de Responsabilidad Civil y Seguro en la Circulación de Vehículos a Motor.

El legislador ha creado una excepción para el caso de víctimas no conductoras de vehículos a motor. La ley utiliza esta terminología para referirse

---

(35) Norma que es reconocida por la doctrina actual, en el ámbito de la responsabilidad civil automovilística, como el baluarte del camaleónico principio: *pro damnato, indubio pro damnato, favor victimae, pro operario, pro consumidor, indubio pro víctima, favor debilis, pro laeso, in dubio pro asegurado, in dubio contra proferentem,* Fiel reflejo de la reparación a ultranza de la víctima que predica la ley del 1962 ha sido la enmienda número 115, en sede parlamentaria, del Grupo Mixto (ERC-Rcat-CAtSi). La propuesta argüía la necesidad de incluir en el apartado 1 del artículo primero la expresión: «debiéndose buscar la reparación a ultranza de la víctima o perjudicados por la función social del seguro obligatorio de automóviles».

(36) En el mismo sentido el artículo 827 del Código de comercio en materia de abordaje de buques.

(37) Ambos preceptos encajan con uno de los principios más ilustres de la responsabilidad civil. Las víctimas serán indemnizadas por los daños que otros les causen y no por los que ellas se causen a sí mismas. Axioma o apotegma pomponiano, cuyo tenor literal *quod quis ex culpa sua damnum sentit, non intelligitur damnum sentire* (Digesto 50. 17. 203) fue contemplado en las Partidas (P.7.34.22-18), diciendo: *Que el daño que ome recibe por su culpa, que a si mismo deue culpar por ellos, la culpa del uno non debe empecer a otro que non aya parte.* Para profundizar sobre textos del *Corpus Iuris Civilis* que tratan el tema de la culpa de la víctima *vide* GORGI, G.: *Teoría de las Obligaciones en Derecho Moderno,* vol. 5º, 2ª edic. Madrid, 1980. Pp. 245 a 246.

(38) Ley 4/2015, de 27 de abril, del Estatuto de la víctima del delito, publicado en el BOE de 28 de abril de 2015, y entró a formar parte de nuestro ordenamiento a partir del 28 de octubre de 2015.

a ciclistas y peatones[39]. Víctimas que afrontan el hecho dañoso desde una posición de clara desventaja respecto del conductor del vehículo a motor.

El peatón se configura como el elemento más vulnerable y frágil de todos los que participan en el fenómeno circulatorio. No obstante, la excepción queda constreñida para aquellas víctimas no conductoras de vehículos a motor que, además, sean menores de catorce años o que sufran un menoscabo físico, intelectual, sensorial u orgánico que les prive de capacidad de culpa civil y para el caso en que acontezcan secuelas y lesiones temporales.

6. CONTRIBUCIÓN DE LA VÍCTIMA A LA PRODUCCIÓN DEL DAÑO

El artículo 1.2 de la LRCSCVM, según redacción dada por la Ley 35/2015, de 22 de septiembre, de reforma del sistema para la valoración de los daños y perjuicios causados a las personas en accidentes de circulación alude a dicha contribución para supuestos de muerte, secuelas y lesiones temporales. Única y justamente cuando la víctima capaz de culpa civil sólo contribuya a la producción del daño, quedando al margen el supuesto de culpa exclusiva. A continuación establece cuando existe contribución al daño. En este sentido, establece que la víctima contribuye a la producción de su propio daño si, por falta de uso o por uso inadecuado de cinturones, casco u otros elementos protectores, incumple la normativa de seguridad y provoca la agravación del daño. Dándose estas circunstancias se reducirán todas las indemnizaciones, incluidas las relativas a los gastos en que se haya incurrido hasta un máximo del 75%.

Resulta llamativa la interpretación legal de este precepto. Tanto es así que algunos leguleyos han pretendido demostrar la cuadratura del círculo, Prescindiendo del sentido común han tratado de excluir del mecanismo de la concausalidad contributiva, la mal llamada concurrencia de culpas, todo aquello que no sea la falta de uso o uso inadecuado del cinturón de seguridad o casco de protección homologado. Sostienen o interpretan que, tras la nueva redacción del artículo 1 del Texto Refundido de la LSRCSCVM aprobado por RDL 7/2004 de 29, según redacción dada por la Ley 35/2015, de 22 de septiembre, existen unos supuestos tasados de tal concurrencia por esta vía, a saber, la falta de uso de cinturones o cascos, o cuando se incumple el deber de mitigar el daño.

---

(39)   Junto a estos dos tipos de víctimas habría que considerar a los usuarios de los vehículos, personas transportadas que sufren lesiones como consecuencia del accidente.

La sentencia núm. 475/2019 de la Audiencia Provincial de Lugo, de 13 de noviembre de 2019 ha confirmado la inoperancia de este argumento tan peregrino.

Extracto fundamento jurídico tercero, *in fine:*

> «En efecto, la integración de la dicción legal "contribuir a la producción del daño", no puede quedar restringida a los supuestos en los que preceptivamente se han de subsumir, pero que no pueden calificarse como excluyentes.
>
> Así, no solo contribuye a la producción del daño quien no usa el cinturón, sino que también quien mediante su propia negligencia aporta una cuota en el resultado dañoso, que, de no existir, minoraría su entidad.
>
> En definitiva, el que no siendo causante principal del accidente, pero que coadyuva con cualquier tipo de infracción de la normativa de Seguridad Vial diferente al enunciado en el texto, puede estar contribuyendo al daño y en consecuencia subsumir el supuesto de concurrencia de culpa si bien con el nuevo límite porcentual legal».

Así las cosas, por lo que se refiere a la participación contributiva de la víctima, en términos de culpa concurrente, la norma mantiene el hálito de la anterior redacción [40]. Salvaguarda el instituto de la causalidad concurrente como factor determinante para moderar la responsabilidad.

Desde una perspectiva más específica, propiciada en parte por la casuística, el legislador ha querido incluir otra especie de participación relevante de la víctima en el daño. Lo que podríamos denominar la corresponsabilidad de la víctima en su propio daño. A diferencia de lo que sucede en la tradicional concurrencia de culpas, en la que a la actuación culpable del generador del riesgo se añade una conducta culpable o negligente de la víctima; la contribución de la víctima a la producción del daño presenta cierta similitud con la teoría de la asunción del riesgo [41.] Quiere decirse que en este caso, a la conducta del creador del peligro se superpone una actuación culpable de la víctima.

---

(40)   Artículo 1.1, parágrafo 4 del Real Decreto Legislativo 8/2004, de 29 de octubre, por el que se aprueba el texto refundido de la Ley sobre Responsabilidad Civil y Seguro en la Circulación de Vehículos a Motor. Publicado en BOE núm. 267 de 05 de noviembre de 2004 (vigente hasta el 1 de enero de 2016).

(41)   Díez Ballesteros, J. A.: «La asunción del riesgo por la víctima en la responsabilidad civil extracontractual. (Un estudio jurisprudencial)». *Actualidad civil*, núm. 4, 2000. Pp. 1343-1382. De Paúl Velasco, J. M.: *La asunción del riesgo por la víctima como factor de reducción indemnizatoria en el ámbito de la responsabilidad civil automovilística, con especial referencia a la omisión de medidas preceptivas de seguridad pasiva.* I congreso Nacional sobre Responsabilidad y Seguro. I. C de abogados de Islas Baleares, Palma, 22 y 23, septiembre de 2005.

En este arquetipo de contribución y agravación del daño, que se incluye para hechos singulares[42] —omisión o negligencia en el uso de elementos de seguridad pasiva—, la víctima manifiesta a través de su conducta la exposición a la eventualidad de un daño notorio y elevado. Una actuación culpable que no influye causalmente en la producción del hecho, pero si en la de los daños por ella sufridos.

La contribución de la víctima en supuestos de falta o uso inadecuado de cinturones, casco u otros elementos protectores no es baladí[43]. Y lo no es dada la cantidad de sentencias que abordan este tipo de situaciones.

6.1. Omisión en el uso de los elementos de seguridad pasiva: cinturón de seguridad y casco de protección homologado

En lo referente al cinturón de seguridad, resulta palmario que su objetivo principal es reducir de forma drástica la transmisión de energía a los ocupantes de un vehículo[44]. De ahí, su efectividad para prevenir muertes y lesiones de gravedad en cualquier tipo de colisión[45].

Desde el punto de vista jurídico, lo relevante es probar que el usuario o conductor del vehículo hacia un uso correcto del cinturón de seguridad. Sobre todo en colisiones de baja intensidad cuando las víctimas son usuarios

---

(42) Supuestos de hecho que pivotan sobre la obligación de utilizar correctamente los mecanismos de seguridad, cinturón de seguridad y casco de protección homologado. Dispositivos que tienden a evitar lesiones graves tanto para el conductor, como para los pasajeros. La no utilización del preceptivo elemento de seguridad pasiva cuando éste fuera obligatorio puede contribuir a mermar la indemnización del sujeto a quien afecte siempre que resulte probada la relación causal entre la falta de uso y el resultado dañoso, Hasta el momento de la entrada en vigor del nuevo Baremo, la jurisprudencia era heterogénea en este tipo de apreciaciones (casco de protección homologado y cinturón de seguridad). En ocasiones consideraba que la no utilización del cinturón de seguridad por parte de la víctima queda absorbida por la mayor eficacia causal y responsabilidad del conductor del otro vehículo implicado en el accidente; otras veces, abogaba por la asignación de un porcentaje de culpa por no hacer uso de los elementos de protección, ya que esta omisión incrementa considerablemente las lesiones sufridas por la víctima. Esta última consideración es la que incluye la redacción del artículo 1 de la LRCSCVM.

(43) CARMONA RUANO, M.: «Concurrencia de culpas: Casco protector y cinturón de seguridad». *Revista de Responsabilidad civil y seguro*. Ponencia presentada en las VI Jornadas de Responsabilidad Civil y Seguro (Almería 2008). Págs. 59 a 84.

(44) ARREGUI DALMASES, C., LUZÓN NARRO, J., LÓPEZ VALDÉS, F. J., DEL POZO DE DIOS, E., SEGUÍ GÓMEZ, M.: *Fundamentos de Biomecánica en las Lesiones por Accidente de Tráfico*. Editorial Tráfico Vial, S, A [Etrasa]. Móstoles, Madrid 2012. Págs. 293-314.

(45) ELVIK, R.: *El manual de medidas de seguridad vial*. Traducción de Jesús Mondus, 2ª ed. Fundación Mapfre, Madrid 2003. Tabla 1. Efecto de la utilización del cinturón de seguridad sobre la probabilidad de lesión en caso de accidente. Documento internet: *http://www.dgt.es/es/sistemas-seguridad-vehiculos/avisador-de-uso-de-cinturones-de-seguridad/efectividad-del-cinturon-de-seguridad.shtml*.

del vehículo. Se viene observando cierta perspicacia en el comportamiento de las víctimas transportadas. En mayor o menor medida cuando el conductor del vehículo responsable del accidente es el que transporta a la víctima, exista o no relación de parentesco o amistad.

En otras ocasiones es el conductor titular del vehículo el que trata de probar que no era el que conducía el vehículo en el momento del accidente, sino que lo hacía la persona que presuntamente viajaba de acompañante con él.

Considerando de la sentencia núm. 17/2020 de la Audiencia provincial de Madrid, Secc. 10, de 15 de enero de 2020. A través de las conclusiones coincidentes de los doctores que asisten a la lesionada se demuestra la no utilización del cinturón de seguridad en el momento previo a la colisión.

> «(…) La Sra. Asunción manifestó que hacía uso del cinturón de seguridad. Sin embargo, tal como concluyen los doctores Florián, Gonzalo y Higinio, de ser ello cierto, el cinturón hubiera retenido el cuerpo de D.ª Asunción, ante la desaceleración brusca por frenazo, y su cara no había alcanzado al salpicadero».

El órgano judicial otorga mayor valor probatorio los informes médicos que al informe biomecánico. Sigue Sentencia Audiencia provincial de Madrid, de 15 de enero de 2020.

> «Como expresa la SAP de Cáceres, Sección 1ª, núm. 134/2018 de 26 febrero, el alcance de las lesiones es una cuestión esencialmente médica respecto de la cual se otorga un mayor valor probatorio a los informes médicos de urgencias y de seguimiento de la paciente, que al informe biomecánico. Para la SAP de Lleida, Sección 2ª, de 26 de octubre de 2016 no es misión del perito médico valorar o interpretar el alcance de los dictámenes periciales de otra especialidad que no es la suya. Y para la SAP de Vizcaya, Sección 4ª, núm. 562/2017 de 8 septiembre, atender al dictamen de los facultativos y apartarse del dictamen biomecánico es razonable, porque son los primeros quienes tienen competencia profesional para opinar sobre la compatibilidad de lesiones físicas con un choque. También para la SAP de Alicante, Sección 9ª, núm. 321/2016 de 14 julio, difícilmente las conclusiones de un informe de biomecánica pueden considerarse suficientes para afirmar la ausencia de causalidad entre las lesiones y el siniestro, o para desvirtuar las conclusiones de un informe médico, puesto que los conocimientos técnicos de su emisor son ajenos al ámbito de la medicina y a la repercusión corporal que puede tener un accidente automovilístico, siendo el perito competente a tales efectos un médico especialista en traumatología o valoración del daño corporal».

Es relativamente frecuente que el juzgador aplique una concurrencia culposa que alcanza el 70% de atribución de responsabilidad hacia la víctima cuando ésta omite la medida de seguridad pasiva por no llevar correctamente abrochado el cinturón de seguridad. Ya sea conductor o usuario. En otras ocasiones, como sucede en la sentencia del Tribunal Supremo, núm. 35/2019, de 17 de enero de 2019 detrae directamente una cantidad determinada en consonancia con el coeficiente atributivo de responsabilidad, refrendando así el criterio que mantuvo la Audiencia

Fundamento de derecho primero, *in fine*:

> «(…) Considera la Audiencia que, por aplicación del sistema de valoración, la indemnización procedente sería de 1.103.218 euros, pero reduce esa cantidad a la de 441.278,20 euros al apreciar concurrencia culposa por parte de la víctima, ya que no hacía uso del cinturón de seguridad en el momento del accidente. No obstante aplica, a cargo de la aseguradora, el interés previsto en el artículo 20 de la Ley de Contrato de Seguro desde la fecha del accidente».

En 1974 ya existía algún tipo regulación legal sobre este dispositivo, a través de una modificación del código de 1934. Sin embargo, fue en 1990 cuando el artículo 47 del Texto Articulado de la Ley sobre Tráfico, Circulación de Vehículos a Motor y Seguridad Vial —Real Decreto legislativo 339/1990, de 2 de marzo— estableció la obligación para conductores y ocupantes de los vehículos de utilizar el cinturón de seguridad. Con posterioridad a esta fecha, la Directiva 91/67/CEE, de 16 de diciembre de 1991, relativa a la utilización del cinturón de seguridad obligó a los estados miembros a poner en vigor las disposiciones reglamentarias y administrativas necesarias para dar cumplimiento a lo dispuesto en tal norma.

En España entro a formar parte de nuestro ordenamiento a través del artículo 117 del Reglamento General de Circulación (RGCir.) —Real Decreto Legislativo 13/1992, de 17 de enero—. Posteriormente, se incorpora una nueva regulación sobre los sistemas de seguridad pasiva —Sistemas de retención infantil (SRI)—, mediante R.D. 667/2015, de 17 de julio, por el que se modifica el RGCir., aprobado por R.D. 1428/2003, de 21 de noviembre, en lo que se refiere a cinturones de seguridad y sistemas de retención infantil homologados, Circulación de Vehículos a Motor y Seguridad Vial. En la actualidad, la obligación de utilizar el cinturón de seguridad se establece en los artículos 13.4 y 47 de Real Decreto Legislativo 6/2015, de 30 de octubre, por el que se aprueba el Texto Refundido de la Ley sobre Tráfico. Considerada como una infracción grave del artículo 76 del mismo cuerpo legal, según su Anexo II, con la detracción de 3 puntos (no hacer uso del cinturón de seguridad, sistemas de retención infantil, casco y demás elementos de protección).

Sin embargo, pese a esta garantía de efectividad, lo indudable es que también le acompañan otros efectos no tan seguros. Existen determinados tipos de lesiones contra las que no protege, esencialmente: golpes por detrás debidos a ocupantes o cargas sin sujetar, lesiones en el cuello por latigazo cervical[46], invasiones o intrusiones de elementos rígidos del exterior al interior del vehículo, así como deformaciones acusadas del chasís. Sea como fuere, la ley contempla desde hace años la obligación de usar este dispositivo de seguridad pasiva.

El Tribunal Supremo tuvo ocasión de pronunciarse sobre esta circunstancia en las sentencias de 9 de diciembre de 1987 y 9 de marzo de 1990. Jurisprudencia más reciente avala estos razonamientos, entre otras, las siguientes: *SSAAPP: AP de Madrid de 09/07/2015, AP Albacete de 16/03/2010, AP Madrid de 30/06/2010, AP Madrid de 16/05/2008, AP Sevilla de 10/04/2007, AP Zamora de 18/01/2007, AP Lleida de 08/09/2007, AP Burgos de 26/05/2007, AP de Badajoz de 02/03/2006, AP Albacete de 17 de abril de 2000, AP Cádiz de 5 de abril de 2000, AP Navarra de 25 febrero de 1998.*

En otro orden de cosas, tampoco la jurisprudencia ha dado una respuesta unívoca[47]. En algunas ocasiones se ha cuestionado la eficacia causal de esta conducta negligente por comparación con la ausencia de lesión de otras personas que hubieran incurrido en el mismo descuido, en otros casos se exige una prueba técnica de la relevancia causal de aquella conducta en la producción del resultado, mientras que en otras ocasiones se ha considerado un hecho notorio revelado por la pericial que permite inferir que la falta de utilización del cinturón de seguridad acentúa por si sola la situación de riesgo en potencia que supone utilizar un vehículo, lo que ha de traducirse en la moderación de la suma indemnizatoria.

---

(46) JOUVENCEL M. R.: *Latigazo cervical y colisiones a baja velocidad. La ausencia de daños en el vehículo no supone inexistencia de lesiones en los ocupantes.* Ed. Díaz de Santos, S.A. Madrid, 2003. YOGANANOAN, NARAYAN. PNTAR, FRANK A.: *Frontiers in whiplash truma. Clinical & Biomechanical.* Ed. Ios Press. USA 2000. Pp. 17-24. RAST, PETER H. STEAMS, ROBERT E.: *Low Speed Accidents: Investigation. Documentation and Case Preparation.* Lawers & Judges Publishing Company. Incorporated 2000.

(47) JOUVENCEL M. R.: *Latigazo cervical y colisiones a baja velocidad. La ausencia de daños en el vehículo no supone inexistencia de lesiones en los ocupantes.* Ed. Díaz de Santos, S.A. Madrid, 2003. YOGANANOAN, NARAYAN. PNTAR, FRANK A.: *Frontiers in whiplash truma. Clinical & Biomechanical.* Ed. Ios Press. USA 2000. Pp. 17-24. RAST, PETER H. STEAMS, ROBERT E.: *Low Speed Accidents: Investigation. Documentation and Case Preparation.* Lawers & Judges Publishing Company. Incorporated 2000.

En sentencia de la Audiencia provincial de Zamora, número 409/2019, de 03/12/2019 se cuestiona el hecho de acudir a un encierro de reses bravas en vehículo a motor como espectadores, si es o no es hecho de la circulación[48]. Al parecer las partes coinciden en señalar que el hecho luctuoso acaece en terrenos inusualmente utilizados por un turismo. A esa circunstancia se añade que el demandante/usuario del vehículo no hacía uso del cinturón de seguridad. El tribunal estima parcialmente el recurso planteado por la aseguradora en base a la concurrencia de culpas:

Por una parte aduce que existe una asunción del riesgo por parte del ocupante/demandante por acudir a un evento o festejo popular taurino no exento de cierto riesgo o peligro por la circulación de otros vehículos y de las propias reses sueltas.

En segundo lugar, por no quedar acreditado que el lesionado llevara accionado el cinturón de seguridad, puesto que la parte demandante mantenga lo contrario El Tribunal revoca la sentencia de primera instancia rebajando en un 50% la cuantía de la indemnización.

Así lo prevé la sentencia 60/2000, de 9 de mayo, de la Audiencia Provincial de Navarra.

Extracto de sentencia:

«Es un hecho notorio, no precisando de prueba, que una de las principales funciones de los cinturones de seguridad es contrastar la energía que se genera tras una colisión, manteniendo a los pasajeros pegados a sus asientos, con lo que en gran medida, se dice acertadamente, se consiguen evitar los traumatismos craneoencefálicos, fruto de que tales pasajeros sean despedidos del vehículo o proyectados contra el interior del habitáculo.

[...] No se hubiera producido el fatal resultado ni las lesiones, o, en todo caso, éstas hubieran sido de menor entidad, de haber utilizado los sistemas de seguridad homologados, pues las leyes físicas enseñan que la colisión de dos cuerpos genera una considerable cantidad de energía, lo que provoca que los ocupantes del vehículo salgan despedidos o proyectados de sus asientos si no utilizan el cinturón de seguridad».

---

(48)   Interpretación de hecho de la circulación establecida por el Tribunal de Justicia de la Unión Europea. Sentencia de 4 de septiembre de 2014, Vnuk (C-162/13, EU:2014:2146). Sentencia de 20/12/2018 y en otras como las de la Sala Sexta de 15 de noviembre de 2018, que cita las sentencias de 28 de noviembre de 2017, Rodrigues de Andrade, C-514/16 EU: 2017:908, apartado 35, y de 20 de diciembre de 2017, Núñez Torreiro, C-334/16, EU: 2017:1007, apartado 30. Citadas en sentencia de la Audiencia provincial de Zamora núm. 409/2019, de 03/12/2019.

Los mismos razonamientos operan en la utilización de lo que la ley denomina, «otros elementos protectores», refiriéndose a sistemas de retención infantil (SRI)[49], con la notable salvedad de que los usuarios son pasajeros menores de edad. Para el caso que nos ocupa, víctimas inimputables, cuya falta de aptitud y capacidad psíquica de discernimiento es evidente. Ya veremos, en el apartado 5 de este artículo, la excepción que la norma otorga a este colectivo, situando la edad de catorce años como límite infranqueable de la autorresponsabilidad.

Por lo cual, tratándose de pasajeros o usuarios menores de edad y de estatura igual o inferior a 135 centímetros[50], resulta incontestable que la responsabilidad de que adopten los sistemas de retención infantil incumbe a los padres o tutores, y en todo caso, al conductor del vehículo[51] en que viajan, quien a falta de otros adultos, asume respecto de ellos el papel de proveedor de seguridad, en posición jurídica de garante.

Sentencia de la Audiencia Provincial de Albacete, sección segunda, núm. 214/2004, de 12 de julio de 2004.

Fundamento jurídico segundo:

«Sustenta la concurrencia de culpas que alega en que el fallecido, que salió despedido rompiendo incluso la luna delantera, no llevaba el cinturón de seguridad y que ello contribuyó en un 25% al desenlace final. Al respecto el Tribunal comparte la tesis de la sentencia, esto es, que ninguna concausa puede atribuírsele al fallecido por ser menor de edad y por tanto la responsabilidad de ello recae en el conductor del vehículo, vigilante de tal deber, que es además responsable del siniestro».

---

(49)   Sentencia de la Audiencia Provincial de Barcelona, núm. 294/2015, de 31 de marzo de 2015 Sentencia de la Audiencia Provincial de Ávila, núm. 108/2014, de 20 de junio de 2014. Sentencia de la Audiencia Provincial de Burgos, núm. 507/10, de 21 de diciembre de 2010. Sentencia de la Audiencia Provincial de Huelva. núm. 59/2013, de 29 de abril de 2013.

(50)   R.D. 667/2015, de 17 de julio, por el que se modifica el Reglamento General de Circulación, aprobado por el R.D. 1428/2003, de 21 de noviembre, en lo que se refiere a cinturones de seguridad y sistemas de retención infantil homologados («B.O.E.» 18 julio). *Vigencia: 1 octubre 2015.*

(51)   Artículo 69 de la Ley sobre Tráfico, Circulación de Vehículos a Motor y Seguridad Vial, aprobado por el R.D. Legislativo 339/1990, de 2 de marzo: Apartado 1, a) Asimismo, el conductor del vehículo será responsable por la no utilización de los sistemas de retención infantil, con la excepción prevista en el artículo 11.4 cuando se trate de conductores profesionales.
Hay que tener presente que las disposiciones administrativas no condicionan ni vinculan al juez más que como referencia, en todo caso válida, a la hora de ponderar la posible responsabilidad civil dimanante del delito y a graduar la posible concurrencia de conductas como desencadenante de un resultado dañoso (Sentencia de la Audiencia Provincial de Huelva, 59/2013, de 29/04/2013).

En cambio, no sucede lo mismo con el uso del caso de protección para conductores y pasajeros de motocicletas, ciclomotores y ciclistas (art. 118 del Reglamento General de Circulación). Resulta palmario que este tratamiento heterogéneo viene propiciado por la gravedad y fatalidad de las lesiones, en las que predominan los traumatismos cráneo-encefálicos severos.

La jurisprudencia mayoritaria[52] aboga por sumarse a la tesis de la contribución causal de la víctima por la omisión o mal uso del casco de protección homologado. Influencia causal que provoca la disminución proporcional de la indemnización a su favor. En todo caso, la omisión en la utilización del casco protector viene acompañada de otras causas que contribuyen al resultado dañoso[53].

Empero, la utilización inadecuada del caso de protección por el conductor o pasajeros de motocicletas, ciclomotores o bicicletas se configura como una causa mediata del accidente. Se trata de aquella causa que en sí misma no da lugar al accidente, pero conduce o coadyuva a su materialización.

Sirva de ejemplo, la sentencia de la AP de Albacete de 16/03/2010 donde se dirime la atribución de responsabilidad por el accidente de circulación causado como consecuencia de irrupción de un jabalí en la calzada con resultado de muerte del conductor de la motocicleta. El juzgador estima concurrencia de causas entre el dueño del coto de donde procedía el jabalí —acreditación del coto como hábitat adecuado para los jabalíes— y el conductor de la motocicleta por inadecuada utilización del casco, aminorando la cuantía indemnizatoria en un 20%.

Pero, ¿qué dice la norma? ¿Cuál ha sido la respuesta del ordenamiento?

Pues bien, el legislador ha recogido los lineamientos jurisprudenciales mayoritarios de nuestros tribunales. A partir de enero de 2016 no será necesario recurrir a otros fundamentos jurídicos, sino que será la ley la que esta-

(52)   Sentencias que secundan esta línea contributiva de la víctima por la no utilización o uso inadecuado del casco de protección homologado: Audiencia Provincial de Badajoz, núm. 94/2015, de 14 de abril de 2015. Audiencia Provincial de Gerona, núm. 48/2007, de 31 de enero de 2007. Audiencia Provincial de Sevilla, núm. 371/2004, de 1 de septiembre de 2004. Audiencia Provincial de Murcia, 52/2003, de 12 de abril de 2003. Audiencia Provincial de Málaga, núm. 109/2002, de 26 de marzo de 2002. Audiencia Provincial de Badajoz, núm. 85/2002, de 22 de abril de 2002. Audiencia Provincial de Tenerife, núm. 377/2000, de 6 de mayo de 2000, entre otras tantas.

(53)   CARMONA RUANO, M.: «Concurrencia de culpas: Casco protector y cinturón de seguridad». *Revista de Responsabilidad civil y seguro*. Ponencia presentada en las VI Jornadas de Responsabilidad Civil y Seguro (Almería 2008). Págs. 59 a 84.

blezca el tipo de contribución causal de la víctima. Ahora bien, a pesar de ser concluyente, no podemos entender que la falta de uso o uso inadecuado de estos dispositivos de lugar a una reducción drástica de la indemnización, Y no es así, dado el matiz consustancial al no uso que predica el apartado 2 del artículo 1 de la Ley sobre Responsabilidad Civil y Seguro en la Circulación de Vehículos a Motor.

Este precepto establece:

a) Falta de uso, o uso inadecuado de cinturones, casco u otros elementos protectores.
b) Incumple la normativa[54] —se entiende normativa de seguridad vial—. Esta obligación de utilizar los cinturones de seguridad para evitar el daño no es oponible cuando la propia legislación exime de su utilización.
c) Y provoca la agravación del daño.

Como se puede apreciar, resulta necesaria la presencia cumulativa de estas tres premisas. Los dos primeros a) y b) suelen ir de la mano, ya que la legislación sobre tráfico y seguridad vial prevé como infracción la no utilización de estos sistemas de seguridad pasiva. Luego entonces, salvo excepción[55], la no utilización de estos sistemas se admite como una contravención a la normativa.

En consecuencia, si no hay obligación de usarlo, no existirá contribución causal de la víctima.

Con las mismas, tampoco existirá reproche culpabilísimo alguno hacia la víctima si no hace uso del cinturón, casco o de otros elementos de protección, aun constituyendo infracción, y no se agrava el resultado. Es decir, si no se demuestra la relación de causalidad entre las lesiones y la omisión de uso del elemento de seguridad pasiva. De manera que, la no utilización del preceptivo elemento de seguridad pasiva puede contribuir a mermar la indemnización del sujeto a quien afecte siempre que sea probada la relación causal entre la falta de uso y el resultado dañoso, resultando imprescindible

---

(54)   Se entiende normativa de seguridad vial.
        Esta obligación de utilizar los cinturones de seguridad para evitar el daño no es oponible cuando la propia legislación exime de su utilización.
(55)   Existen supuestos en los que no es obligatorio el uso de los cinturones de seguridad obligatorio. A) Quedan exentos de tal obligación los conductores o usuarios de aquellos vehículos que han sido fabricados sin tener instalados los cinturones de seguridad (artículo 117 del R.D. 667/2015, de 17 de julio, por el que se modifica el Reglamento General de Circulación). B) Las excepciones que contempla el artículo 119 del Reglamento General de Circulación.

el informes pericial específico. No solo es el uso o el no uso, sino que, para que se dé la contribución de la víctima al resultado, además debe acontecer la agravación del daño.

La consecuencia de que se produzca dicha contribución causal de la víctima estiba en la reducción de la indemnización hasta un máximo del 75%[56], incluido los gastos que se hayan podido generar con ocasión de la muerte, secuelas y lesiones temporales.

Así, en casos de concurrencia de culpas la indemnización de la víctima nunca podrá ser superior al setenta y cinco por ciento del total. Según esta nueva modificación, la mera declaración judicial de que hubo concurrencia de culpas priva a la víctima del veinticinco por ciento de la indemnización total. Luego entonces, se está obligando a asumir a la víctima una responsabilidad objetiva del veinticinco por ciento, con independencia de que haya o no tenido esta participación contributiva en el accidente.

6.2. El deber de mitigar el daño

El parágrafo tercero, apartado 2, del artículo 1 prevé el deber de mitigar el daño por parte de la víctima.

Deber de conducta activa de la víctima

Las reglas de los dos párrafos anteriores se aplicarán también si la víctima incumple su deber de mitigar el daño. **La víctima incumple este deber si deja de llevar a cabo una conducta generalmente exigible que, sin comportar riesgo alguno para su salud o integridad física, habría evitado la agravación del daño producido y, en especial, si abandona de modo injustificado el proceso curativo.**

Los antecedentes históricos de esta figura jurídica, cuestión no del todo conciliable, se remontan al Digesto[57]: (50. 17. 203 y 19. 1. 21. 3) «*quod quis ex culpa sua damnum sentit, non intellegitur damnum sentiré*». No se entiende que padece daño el que por su culpa lo sufre. En uno de sus pasajes establece conocido caso del amo que adquiere grano para dar de comer a sus esclavos, sin embargo éste no le fue entregado. Es verdad que existe un

---

(56)   La consignación del 75% supone una novedad relativa. Dos de las tablas del sistema actual se remiten a los elementos correctores de indemnización de la regla séptima del apartado primero del Anexo.

(57)   Obra que abre una etapa del derecho que perdurará hasta nuestros días. Promulgada en Constantinopla, a quince de diciembre del año 530, siendo cónsules ilustres Lampadio y Orestes. <cod. Just. 1,17,1>. Denominado por el propio emperador, como así consta en

incumplimiento contractual que dará lugar al resarcimiento del daño producido, sin embargo no puede pretender que la indemnización cubra la muerte de aquellos como consecuencia de la falta de alimentos para comer. El *dominus* debería haber buscado otra alternativa que le permitiese mantener con vida a sus esclavos.

Desde entonces hasta ahora han sido numerosos los ordenamientos[58] que han aplicado este principio decimonónico del derecho de daños. La víctima debe en la medida de lo posible buscar minimizar el detrimento patrimonial para sí mismo, ya que su inactividad puede provocar una pérdida del resarcimiento. Lo cierto es que el deber de aminorar o minimizar el daño por parte la víctima o perjudicado ha cobrado mayor protagonismo en la responsabilidad contractual que en la extracontractual.

Nuestro Código civil a diferencia de otros códigos como sucede con el italiano (art. 1227. *Concorso del fatto colposo del creditore*) no contempla de forma expresa un precepto que establezca el deber de mitigar el daño. En cambio, si lo hace el artículo 17 de la Ley 50/1980, de 8 de octubre, de Contrato de Seguro.

> Art. 17 LCS. El asegurado o el tomador del seguro deberán emplear los medios a su alcance para aminorar las consecuencias del siniestro. El incumplimiento de este deber dará derecho al asegurador a reducir su prestación en la proporción oportuna, teniendo en cuenta la importancia de los daños derivados del mismo y el grado de culpa del asegurado.

Aunque el precepto regule la responsabilidad civil derivada de una relación contractual entre asegurador y asegurado o tomador presenta no pocas concomitancias con lo que prevé el artículo 1 de la LRCSCVM. Digamos que este precepto, inmiscuido en la vertiente de la responsabilidad extracontractual, desarrolla y da contenido a lo que se debe de entender como deber de

---

<Const. «Deo auctores»>; «...también que esa compilación Nuestra que, Dios, mediante, veas a hacer lleve el nombre de Digesto o Pandectas, y que ningún jurisperto se atreva en el futuro a añadirle comentarios, ni a echar a perder la ventaja de dicho volumen...». La compilación está formada por 50 libros divididos en siete partes: la primera «prota» consta de 4 libros, la segunda de 7, la tercera de 8, la cuarta de 8, la quinta de 9, la sexta de 8 y la séptima y última de 6. D'Ors A., Hernández-Tejero F., Fuenteseca P., García Garrido M. y Burillo J., *El Digesto de Justiniano*. Aranzadi, Pamplona 1968. Para profundizar sobre textos del *Corpus Iuris Civilis* que tratan el tema de la culpa de la víctima *vide* Gorgi, G.: *Teoría de las Obligaciones en Derecho Moderno*, vol. 5º, 2ª edic. Madrid, 1980. Págs. 245 a 246.

(58) Con diferencia sobre el resto, destaca el Derecho angloamericano *duty tu mitigate damage sufferedo duty to mitigate*. Con mayor detalle *vide* Pérez Vázquez, J. P.: «La carga de evitar o mitigar el daño derivado del incumplimiento del contrato». *InDret. Revista para el análisis del Derecho*. Barcelona, enero 2015. Pp. 6-8.

mitigar o aminorar el daño. Lo cita y especifica. De tal forma que alude a dos tipos de conductas que quedan al margen de lo que podemos entender como la diligencia debida. Aquella conducta exenta de culpa o negligencia.

— Con carácter genérico, si deja de llevar a una conducta general-mente exigible que, sin comportar riesgo alguno para su salud o integri-dad física, habría evitado la agravación del daño.

— En forma específica, si abandona de forma injustificada el proceso curativo.

En el primer supuesto la norma aboga por una conducta activa ante el eventual daño. Por tanto, si la víctima tras sufrir el daño del que no ha resul-tado culpable o si por el contrario si lo ha sido, es decir si ha participado en la producción del daño desde la óptica de la concausalidad puede ver com-prometida su indemnización si lleva a cabo una conducta omisiva en la recuperación, sanidad o estabilización lesional. Siempre y cuando la pasivi-dad u omisión ante el tratamiento médico no comprometa su integridad física o salud. Ello supone que no podrá ser obligada a intervenciones quirúrgicas o tratamientos que conlleven un elevado riesgo para la salud debido a fac-tores como la edad, estado previo del paciente e incluso las posibles secuelas que pudieran aparecer después. De forma paralela, tampoco tendrá relevan-cia causal no someterse a una intervención que no asegure a priori un resul-tado satisfactorio sobre la lesión.

El historial e informes médicos tendrán mucho que decir al respecto. En este caso habrá que consultar el historial clínico de la víctima, siendo de obligado cumplimiento lo que establece el artículo 13 y concordantes de la Ley 3/2001, de 28 de mayo, reguladora del consentimiento informado y de la historia clínica de los paciente.

La información médico forense sobre las características de la lesión y el tratamiento para alcanzar la sanidad o estabilidad lesional tendrá especial transcendencia a la hora de valorar la causalidad entre la conducta omisiva de la víctima y el grado o porcentaje de responsabilidad. Situación que con-duce a una nueva concausalidad de la víctima sobre la base de lo que podía-mos denominar autorresponsabilidad post siniestro. Algo que no ha lugar en el momento del accidente, sino que acontece en un momento posterior.

En este primer supuesto de agravación del daño podríamos contemplar aquellos casos en los que la víctima lleva a cabo actuaciones contrarias que complican la recuperación, no ya el abandono de un tratamiento como veremos en el segundo apartado. La práctica de deportes de riesgo tras el accidente, seguir con la actividad profesional estando convaleciente, falta de continuidad en las sesiones de rehabilitación e incluso ocultar la gravedad o alcance de las lesiones.

Por lo que respecta a la segunda conducta, el abandono del tratamiento o proceso curativo sin justificación alguna decir que es el paradigma habitual. Alguien que rehúsa continuar con el tratamiento prescrito por un facultativo y que conlleva fines terapéuticos. Entre los tratamientos más habituales del SLC podemos identificar los siguientes[59]: ortesis a través del collar cervical blando sin apoyo (la tendencia actual es no inmovilizar los grados I-II más de 72 horas), reposo (no se debe prescribir reposo en el grado I y no más de 4 días en los grados II-III), tratamiento farmacológico (antiinflamatorios y relajantes musculares), movilización (en combinación con otras medidas fisioterapéuticas), tracción (en combinación con otras medidas fisioterapéuticas), electroterapia (OC, US, TENS), ejercicios (prescripción de ejercicios en domicilio), recomendaciones posturales, tratamiento técnicas de osteopatía, fisioterapia (*Maidand, Mulligan, Kaltenborn, Mckenzie, etc.*).

En este caso será necesario, como en el anterior, probar que la causa de empeoramiento como perjuicio directo para la víctima deviene del incumplimiento inequívoco de las prescripciones médicas que se diagnostican tras una correcta exploración del lesionado. Eso sí, siempre y cuando el presunto abandono sea injustificado, ya que cabría una ruptura del nexo de causalidad.

En definitiva:

I. Negativa infundada a someterse al tratamiento, conducta omisiva o pasiva de la víctima. Podría existir responsabilidad de la víctima si ésta no inicia o dilata en el tiempo el tratamiento rehabilitador siempre y cuando exista una relación causal entre esa inactividad y la agravación de las secuelas.

II. Ha de distinguirse los simples tratamientos sin riesgo y no invasivos de aquellos otros de carácter quirúrgico que conllevan un riesgo evidente para justificar el abandono del tratamiento (derecho a decidir del paciente, artículo 2.3 de la Ley Orgánica 4/2002 de 14 de noviembre Básica Reguladora de la Autonomía del Paciente.

---

(59)   Fuster, Op. Cit., p. 553.

III. Relación de causalidad entre la omisión y la agravación del daño (abandono total e injustificado).

IV. Inversión de la carga de la prueba (asegurador).

En este sentido traigo a colación lo que establece el Dictamen 3/2006 del Fiscal de Sala Coordinador de Seguridad Vial sobre la Ley 35/2015, de 22 de septiembre, de reforma del Sistema para la Valoración de los Daños y Perjuicios causados a las Personas en Accidentes de Circulación y Protección de los Derechos de las Víctimas en el ámbito de la Siniestralidad Vial:

«Es precisa la relación causal entre omisión y resultado agravatorio, por lo que habrá que valorar *ad casum* las circunstancias concurrentes. Se tratará de acciones (realización de esfuerzos físicos) u omisiones (no seguimiento de tratamientos), pero en todo caso habrá de interferir en el normal desarrollo del proceso de curación, correspondiendo la carga de la prueba por las mismas razones al asegurador. El legislador incluye específicamente el abandono injustificado del proceso curativo que debe distinguirse nítidamente de los casos de incumplimiento del deber de colaboración con los servicios médicos designados por la entidad aseguradora del nuevo art 37.2. LRCSCVM, cuya única consecuencia jurídica es la exención de intereses moratorios. El abandono debe entenderse como dejación total del proceso curativo sin justificación o causa admisible y obliga a diferenciar la idea objetivada de proceso de curación de la libertad de decisión sobre tratamientos o facultativos que lo dirijan perteneciente a la personal opción de las víctimas en los términos del art 2.3 LO 4/2002 de 14 de noviembre Básica Reguladora de la Autonomía del Paciente».

De lo anteriormente expuesto cabe poner de manifiesto como ya advirtiera al comienzo de este apartado que la conducta de la víctima está sujeta a un doble examen de causalidad. En un momento *ex ante*, en lo que al siniestro se refiere y en segundo lugar, *a posteriori* tras el hecho luctuosos, durante la recuperación o sanidad de las lesiones. Según esta teoría se podría dar el caso, tratándose de una conducta contributiva a la producción del daño como así lo establece el precepto 1. 2 de la L 35/2015, en el cual la víctima además de soportar una reducción en la indemnización hasta un máximo del setenta y cinco por ciento pueda ver mermado ese porcentaje del 25 por ciento si se constata en la recuperación una agravación del daño por su conducta negligente. Así, de ese 25 por ciento que le correspondería como mínimo habría que deducir la cuota que le pudiera corresponder por no evitar la agravación del daño. Llegados a este punto, o bien la víctima no recibe ese mínimo del 25 por ciento por concurrencia de una doble responsabilidad en momentos distintos, a la ya cuantificada responsabilidad compartida en el accidente se le suma otra contribución causal al vulnerar la obligación de mitigar el daño (el resultado estaría por debajo de lo previsto por la ley); o bien dadas las circunstancias, una vez atribuida una corresponsabilidad del 25 por ciento, en modo alguno podrá afectar a la indemnización cualquier otra conducta negligente que suponga la agravación de las lesiones por cuenta de la propia víctima.

> [...] cuando la víctima capaz de culpa civil sólo contribuya a la producción del daño se reducirán todas las indemnizaciones, incluidas las relativas a los gastos en que se haya incurrido en los supuestos de muerte, secuelas y lesiones temporales, en atención a la culpa concurrente hasta un máximo del setenta y cinco por ciento.

Bajo mi punto de vista a pesar de estas reflexiones lo cierto es que el comportamiento de la víctima debe examinarse de manera global tanto la concausalidad del accidente, como en el deber de mitigar el daño no deben de suponer más de un 75% de cuota atributiva de responsabilidad, ya que si se refleja de otra forma estaríamos vulnerando ese margen que el legislador ha establecido como mínimo indemnizatorio, dándose concausalidad de conductas concurrentes y/o autorresponsabilidad.

CAPÍTULO III

CULPA LEVE, IMPRUDENCIA MENOS GRAVE Y ENTIDAD DE LA LESIÓN

1. CONSIDERACIONES GENERALES: INTENSIDAD DE LA INFRACCIÓN DEL DEBER DE CUIDADO. LA DILIGENCIA Y PRECAUCIÓN NECESARIAS

El criterio de intensidad del deber de cuidado o de diligencia exigible se ha convertido en el principal componente para depurar el tipo de responsabilidad, ya sea civil o penal, en la que incurre el conductor de un vehículo a motor ante las eventuales lesiones que pueda irrogar a la víctima de un accidente de circulación, en el caso que nos ocupa «SLC».

El escenario jurídico en el que se analiza el deber de cuidado tiene como principal premisa el hecho o accidente de tráfico del que se derivan lesiones constitutivas o no de delito, siempre y cuando el elemento subjetivo venga determinado por culpa leve (imprudencia leve o menos grave)[1], o culpa levísima. Por tanto, el deber de cuidado ha de tener su base inicial en el dato objetivo de la mayor o menor peligrosidad de la acción que se emprende o realiza, de tal manera que el binomio, cuidado-peligro constituye una relación directamente proporcional. A mayor riesgo potencial, mayor exigencia de precaución, en consecuencia, mayor prudencia[2].

Con carácter general la conducta diligente del conductor de un vehículo a motor ha sido recogida en el artículo 10 del Real Decreto Legislativo 6/2015, de 30 de octubre, por el que se aprueba el texto refundido de la Ley sobre Tráfico, Circulación de Vehículos a Motor y Seguridad Vial. Este precepto establece que se deberá conducir con la diligencia y precaución necesaria para evitar todo daño, propio o ajeno, cuidando de no poner en peligro, tanto al mismo conductor como a los demás ocupantes del vehículo y al resto

---

(1) Así denominada por la redacción del artículo 152.2 de Código penal, en virtud de la Ley Orgánica 1/2015, de 30 de marzo, modificada posteriormente por: Ley Orgánica 1/2019, de 1 de marzo en materia de imprudencia en la conducción de vehículos a motor o ciclomotor y sanción del abandono del accidente.

(2) Interesante sentencia de la Audiencia Provincial de la Rioja de 5 de junio de 2013. En síntesis, recoge los aspectos más relevantes que determina si los hechos son constitutivos de imprudencia punible o si, por el contrario, nos encontramos ante culpa civil.

de los usuarios de la vía. En el mismo sentido se pronuncia el artículo 3 del RGCir, aprobado por el RD 1428/2003, de 21 de noviembre.

En ambos artículos se advierte que la conducta diligente desplegada por el conductor del vehículo debe ser de tal magnitud que con ella se evite todo tipo de daño y peligro. Se trata de un deber absoluto[3] de cuidado exigible al que tiene el poder de dirección y control del vehículo. Sin embargo, nada o poco se dice acerca sobre cuál es la diligencia tipo susceptible de liberar de responsabilidad al conductor de un vehículo a motor.

Lo verdaderamente trascendente en estos casos residencia en la intensidad o entidad de la contravención a ese deber de cuidado, ya que resulta difícil efectuar una inequívoca graduación de conductas culposas que consienta delimitar desde la perspectiva de la seguridad jurídica, cuándo nos encontramos con una negligencia o falta de diligencia civil propia del art. 1 de la Ley sobre Responsabilidad Civil y Seguro en la Circulación de Vehículos a Motor en lo concerniente a la responsabilidad por riesgo; y en qué momento estamos ante una imprudencia penal, que a partir de la reforma del Código penal de 2019 se sustenta en una trasgresión del artículo 76 de la Ley de Tráfico, Circulación del Vehículos a Motor y Seguridad Vial acompañada de un resultado lesivo. Al contrario de lo que sucedía con anterioridad a esa ley, donde la norma de cuidado no tenía por qué ser legal o reglamentaria, sino que basta que sea impuesta por los usos sociales o científicos en todo caso de general conocimiento para el sentido común del ciudadano medio.

Llegados a este punto, hay que ser conscientes que en las colisiones por alcance a escasa velocidad, caldo de cultivo del «SLC» la idea preconcebida de obtener una respuesta penal para encauzar la reclamación se aleja bastante de convertirse en la solución.

Todo lo dicho hasta aquí, en lo atinente a la reubicación y a la preexistencia agravada o cualitativa de las lesiones, debe de ser tamizado por la enésima reforma del Código penal, introducida por la Ley Orgánica 1/2015, de 30 de marzo, por la que se modifica la Ley Orgánica de 10/1995, de 23 de noviembre, del Código Penal, así como con la Ley Orgánica 2/2019, de 1 de marzo en materia de imprudencia en la conducción de vehículos a motor o ciclomotor y sanción del abandono del accidente.

---

(3)   HEREDERO, J. L.: *La responsabilidad sin culpa.* Ediciones Nauta, S.A. Barcelona 1964. Págs. 137 a 146.

2. SISTEMA ESTATUIDO A RAÍZ DE LA REGULACIÓN DE LA IMPRUDENCIA CON OCASIÓN DE LA LEY 2/2019 EN MATERIA DE IMPRUDENCIA EN LA CONDUCCIÓN DE VEHÍCULOS A MOTOR

La reclamación de las lesiones derivadas del siniestro vial ha experimentado importante cambio, ya que solamente en el caso de que aparezcan lesiones del 147.1 del Código penal será plausible la reclamación por esta vía mediante el artículo 152.2 del mismo texto legal.

> Artículo 152.2 Cp. El que por imprudencia menos grave causare alguna de las lesiones a que se refieren los artículos 147.1, 149 y 150, será castigado con la pena de multa de tres meses a doce meses.

La remisión a los artículos *ut supra* citados hace alusión a lesiones especialmente graves y a las que no lo son tanto:

> Artículo 149. La pérdida o la inutilidad de un órgano o miembro principal, o de un sentido, la impotencia, la esterilidad, una grave deformidad, o una grave enfermedad somática o psíquica.

> Artículo 150. La pérdida o la inutilidad de un órgano o miembro no principal, o la deformidad o cualquier otra lesión que, por el tiempo de su curación o las secuelas padecidas sea de especial gravedad.

> Artículo 147.1 [4] El que, por cualquier medio o procedimiento, causare a otro una lesión que menoscabe su integridad corporal o su salud física o mental, será castigado, como reo del delito de lesiones con la pena de prisión de tres meses a tres años o multa de seis a doce meses, siempre que la lesión requiera objetivamente para su sanidad, además de una primera asistencia facultativa, tratamiento médico o quirúrgico. La simple vigilancia o seguimiento facultativo del curso de la lesión no se considerará tratamiento médico.

A la vista de este cambio legal toda conducta calificada como imprudencia menos grave que cause lesiones que como mínimo requieran, objetivamente para su sanidad, además de una primera asistencia facultativa, tratamiento médico [5] o quirúrgico o al tiempo de su curación, no aquellas que solo requieran un seguimiento o tratamiento médico (que son las que se originan en el 99,9% de los traumatismo leves de la columna cervical) van a ser objeto de responsabilidad penal y, por lo tanto, susceptible de ser recla-

---

(4)   Martín-Caro Sánchez, J. A.: *Lesiones: Comentario del artículo 147 del Código*. Artículo Monográfico. Editorial Jurídica. Sepin. Mayo 2020.
(5)   STS, Sala Segunda, 85/2009, de 6 de febrero: «(...) se considerará tratamiento la intervención médica consistente en alguna forma de terapia (farmacológica, psicoterapéutica, rehabilitadora) que exceda del simple limitarse a observar la evolución del traumatismo, dejado a su propio a su curso». Lo determinante es, pues, la intervención médica.

madas a través del procedimiento para el juicio sobre de delitos leves artículos 962 a 977 de la LECrim.

Recientes sentencias de nuestro Tribunal Supremo confirman la línea jurisprudencial mantenida en relación a la calificación de las lesiones penales. La STS 34/2014 (Sala segunda) de 6 de febrero, y en la en ella citadas, ratifica lo que acabo de exponer:

> «(…) En reiterados precedentes hemos declarado que el tratamiento médico (por todas SSTS 153/2013, de 6 de marzo; 650/2008, de 23 de octubre), es un concepto normativo que, en ausencia de una definición legal, debe ser alcanzado mediante las aportaciones doctrinales y jurisprudenciales que otorgan al mismo la necesaria seguridad jurídica que la interpretación del tipo requiere.

> La propia expresión típica del art. 147 del Código Penal nos permite delimitar su alcance. Así nos señala que el tratamiento médico debe ser requerido objetivamente para alcanzar la sanidad, lo que excluye la subjetividad de su dispensa por un facultativo o de la propia víctima. Además, debe trascender de la primera asistencia facultativa, como acto médico separado, y no se integra por la dispensada para efectuar simples vigilancias o seguimientos facultativos. De ahí que jurisprudencialmente se haya señalado que por tal debe entenderse "toda actividad posterior a la primera asistencia (...) tendente a la sanidad de las lesiones y prescrita por un médico". Aquel sistema que se utiliza para curar una enfermedad o para tratar de reducir sus consecuencias, si aquella no es curable, siendo indiferente que tal actividad posterior la realiza el propio médico o la ha encomendado a auxiliares sanitarios, también cuando se imponga la misma al paciente por la prescripción de fármacos o por la fijación de comportamientos a seguir, quedando al margen del tratamiento médico el simple diagnóstico o la pura prevención médica.

> (...) el tratamiento quirúrgico es aquel, que por medio de la cirugía, tiene la finalidad de curar una enfermedad a través de operaciones de esta naturaleza, cualquiera que sea la importancia de esta: cirugía mayor o menor, bien entendido que la curación, si se realiza con lex artis, requiere distintas actuaciones (diagnóstico, asistencia preparatoria ex ante, exploración quirúrgica, recuperación ex post, etc.)».

La redacción de la triada de artículos de nuestro Código penal (147, 149 y 150) pone fin con casi toda seguridad al ardid o astucia de la denuncia penal con ocasión de las lesiones producidas por traumatismos leves de la columna cervical. Con la entrada en vigor de esta ley, ya no va a resultar necesario una interpretación forzada de si la culpa alcanza o no la intensidad suficiente para ser considerada como una conducta especialmente peligrosa; o si se trata de una lesión constitutiva de delito. Será suficiente atender al carácter objetivo de la lesión según el tenor literal de los artículos 147.1, 149 y 150 del Código penal en relación con el artículo 152.2 del mismo cuerpo legal.

En consecuencia, fuera de este rango o condición objetiva de la lesión derivada del accidente de circulación será necesario acudir a la vía civil, como así lo pone de manifiesto el apartado XXXI del preámbulo de la Ley Orgánica 1/2015 de 30 de marzo.

> Con más o menos acierto quedarán al margen del Derecho penal, ya que éste se conforma alrededor del principio de última ratio. Hasta ahora los jueces no eran partidarios de enjuiciar lesiones cervicales producidas por accidente de circulación a través del juicio de faltas en virtud del principio de intervención mínima del Derecho penal. Con la redacción del nuevo Código penal la decisión habrá quebrado, ya que el legislador ha resuelto esa cuestión mediante la redacción del artículo 152.2 del Código penal.

Ahora, en el momento actual, el escudo de protección jurídica que brinda el ordenamiento a las víctimas cubre todas aquellas acciones que por imprudencia menos grave produzcan el cuadro lesional del 147.1 del Código penal del 2019.

Luego entonces, ¿qué se pretende con el cambio?, ¿cuál es su principal virtud o logro, si es que la hay? Estas y otras preguntas son las que todos nos hacemos cuando se avecina una reforma legislativa que, en principio, nace con vocación optimista. Aunque no siempre es así.

En cuanto a la primera cuestión, parece que cobra cierto protagonismo la idea de erradicar el fraude propiciado por el «SLC». No cualquier lesión puede abrir la vía penal, tampoco el tipo de imprudencia. Debe colegirse, al menos dos factores, una imprudencia del tipo menos grave con una lesión que requiera, además de una primera asistencia, tratamiento médico o quirúrgico. No sería así, si concurriese una imprudencia leve con lesión grave o muy grave, o si se tratase de lesión leve con imprudencia menos grave.

De manera que, dándose esta circunstancia (imprudencia menos grave con lesión del 147.1 CP), al margen de la forma en la que terminase el procedimiento (sobreseimiento y archivo por inexistencia de infracción penal leve o absolución)[6], mientras el Instructor valora si la imprudencia es de carácter leve o negligente ex artículo 1.902 del Código civil, el perjudicado a veces obtenía de forma gratuita el Informe Forense del Juzgado, que de otro modo, en la vía civil, tendría que correr con los gastos de la pericia.

---

[6]   STS, Sala Segunda, 85/2009, de 6 de febrero: «(...) se considerará tratamiento la intervención médica consistente en alguna forma de terapia (farmacológica, psicoterapéutica, rehabilitadora) que exceda del simple limitarse a observar la evolución del traumatismo, dejado a su propio a su curso». Lo determinante es, pues, la intervención médica.

En puridad, resulta harto difícil que el Juez de instrucción incoe un procedimiento para el juico sobre delitos leves por lesiones cervicales, dado que el criterio que prevé el artículo 152.2 del Código penal no contempla esta posibilidad. El precepto hace alusión a lesiones de cierta entidad.

Por consiguiente, el carácter leve de la lesión cervical derivada de una colisión por alcance a escasa velocidad difícilmente va a ser determinante para la incoación de un juicio por delito leve, siendo necesario reconducirlo a la vía civil.

Por tanto, los casos que quedarían al margen de la acción penal serian aquellos supuestos en que no exista tratamiento médico a los efectos del artículo 147 CP. Como sintetiza la siguiente sentencia y la en ella citadas.

Extracto de la Sentencia del Tribunal Supremo, Sala Segunda, núm. 1137/2009, de 22 de octubre:

«El propio art. 147.1 precisa con claridad que la simple vigilancia o seguimiento facultativo del curso de la lesión no se considerará tratamiento médico, si bien hay que convenir que la distinción entre tratamiento y vigilancia no es de fácil distinción, debiéndose efectuar la separación entre ambos conceptos caso a caso. Volviendo a la sentencia, de un lado, en los hechos probados se habla de "tratamiento médico, farmacológico y fisioterapéutico", sin más especificaciones, y en la fundamentación se justifica la categoría de delito por el "tratamiento psiquiátrico" (...). En efecto, la sola prescripción de un tratamiento farmacológico, sin más especificaciones, no supone arribar al concepto de tratamiento médico, no superándose el concepto de seguimiento médico o vigilancia. Lo mismo ocurre con el tratamiento fisioterapéutico, porque sin ser necesario que sea descrito con todo detalle, debe ser más descriptivo que la propia enunciación, dicho de otro modo, la conclusión de haber existido el tratamiento fisioterapéutico debe ser la consecuencia de la existencia de unas terapias suficientemente descritas en el "factum", lo que no puede ser es que se haga presupuesto de la conclusión. Finalmente, en la medida que la definitiva argumentación de la condición de delito se encuentra en la motivación, y que la referencia al tratamiento psiquiátrico no aparece en el "factum", es patente que no existen los elementos de prueba capaces de sustentar la calificación de delito de lesiones (...). Por su parte, la STS, Sala Segunda, 916/2009, de 22 de septiembre, no valora como tratamiento la aplicación de colirios con finalidad preventiva: "2. En el caso, los hechos probados no han sido modificados en relación a las lesiones sufridas por la víctima, diciéndose en la sentencia que han tardado en curar quince días sin precisar más que la primera asistencia facultativa, sin precisar tratamiento médico o quirúrgico a juicio del médico forense. A pesar de lo que señala la recurrente, la aplicación de colirios no fue considerada por el médico forense como tratamiento necesario para la curación, debiendo por lo tanto ser valorados como un mero elemento preventivo, sin que tal valoración médica haya sido modificada en el juicio oral. Por lo tanto, no puede afirmarse que hayan precisado tratamiento médico o quirúrgico para su curación". Finalmente, la STS, Sala Segunda, 411/2009, de 17 de abril, tampoco valora como tratamiento el que tiene como finalidad la reparación plástica, cuando solo existe una secuela permanente con menoscabo estético de carácter moderado. Dice: (...) la secuela es susceptible de reparación mediante intervención quirúrgica de reparación plástica... Lo que se discute es si esa eventualidad debe incluirse en la descripción típica del artículo 147 del CP que se invoca cuando dice que la causación de la lesión será delictiva si tal actuación médica se requiere objetivamente para la sanidad. Así pues, el debate no es el empeñado en la ya nutrida jurisprudencia sobre el citado concepto de tratamiento médico. Es el concepto legal-penal de sanidad el que se debate (...). Pero es constante en nuestra jurisprudencia advertir que el tratamiento médico típicamente relevante es el requerido objetivamente, lo que significa que no puede quedar a expensas de la voluntariedad del lesionado, sino que su realización para la cura o para la recuperación y la reducción de sus consecuencias sea objetivamente necesaria, con independencia de su efectiva realización (STS núm. 1135/2006 de 16 noviembre). Y es frecuente que los abordajes médicos, quirúrgicos o no, que se dispensan para fines de recuperación se computen a los efectos de calificar el resultado lesivo como determinante de la responsabilidad a título de delito. Pero en tales casos la indicación es médicamente realizada por consideraciones objetivas que la aconsejan como necesaria para volver a disfrutar de pérdidas, generalmente, funcionales sin las cuales el estado de salud no puede decirse recuperado (...). Significativa es la decisión que adoptamos en el caso de la Sentencia núm. 1387/2003 de 27 octubre, en la que, pese al desvío de tabique nasal, como secuela, y el defecto estético subsiguiente, no calificable de deformidad, por razón de la precaria descripción de hechos probados, se estimó que no se ha producido el tratamiento médico que exige el tipo penal (...). Pues bien, examinadas las actuaciones,... se corrobora que el informe médico forense, tras describir el proceso lesivo y sus resultados, afirma que de las lesiones que describe el paciente en el día de la fecha se encuentra curado o estabilizado (...)».

En cambio, no podemos cerrar la puerta a la reclamación de lesiones cervicales que articulan su sanación o estabilización lesional a través de métodos curativos (collarín cervical), o reductores de las consecuencias de la lesión prescritos con la finalidad curativa por un titulado en medicina.

Extracto de la Sentencia del Tribunal Supremo, Sala segunda, núm. 656/2009, de 12 de junio:

«Con lo que, tanto la inmovilización como la aplicación del medicamento o medicamentos integrarían el concepto legal de "tratamiento"; que, como ha declarado reiteradamente esta sala, "es toda actividad tendente a procurar la sanación de los efectos de un traumatismo, incluida la administración de fármacos o la imposición de comportamientos, cuando está prescrita por un médico" (SSTS 1518/2005, de 19 de diciembre y 1755/2002, de 22 de octubre). Por su parte, la STS 1454/2002, de 13 de septiembre, dice: "En el caso, no solamente la intervención inicial médica por el desgarro del tobillo producido, sino el tratamiento posterior inmovilizador (y rehabilitador, dice el Tribunal a quo), debe ser considerado tratamiento médico, a los efectos penales. Téngase en cuenta que tal desgarro hubo de producir desprendimiento de piel en el tobillo, con originación de lesiones, más o menos graves, pero que tuvieron ineludible necesidad de ser tratadas médicamente, no una simple asistencia inicial, ni un seguimiento de lesiones preventivo, actuando mediante la inmovilización, al **modo de un collarín cervical, que ha sido un recurso médico que la jurisprudencia de esta Sala ha considerado igualmente tratamiento médico**". STS 523/2002, de 22 de marzo: «En este caso la víctima sufrió además de multiplicidad de hematomas en distintas partes del cuerpo, mordeduras, nariz reventada y un esguince cervical con contractura, que es lesión objetivamente necesitada de tratamiento médico, y de hecho fue sometida a un tratamiento prolongado —más allá de la primera asistencia— que consistió en la colocación de un collarín cervical, prescrito con finalidad curativa (...), hay que entender que el porte de un collarín cervical constituye un sistema curativo, o reductor de las consecuencias cuando la lesión no sea totalmente curable, prescrito con tal finalidad curativa por un titulado en medicina y aunque ese tratamiento se encomiende a auxiliares sanitarios o se imponga al mismo paciente, atendiendo para la valoración del tratamiento médico que, como concepto normativo a concretar por el juzgador en la función integradora de las normas, a la doctrina ya fijada (...)».

En lo atinente a la cuestión: ¿cuál es su principal virtud o logro, si es que la hay? Lo cierto es que la inseguridad jurídica, en cuanto a la respuesta del Juez sobre si una conducta era susceptible de reproche penal, o si en cambio esa misma acción era propia de la vía civil ha desaparecido. En adelante, el precepto 152.2 CP es lo suficientemente inteligible como para desvirtuar cualquier duda al respecto. De una parte, se pondrá fin a la problemática existente en lo concerniente a la diferenciación entre imprudencia leve y menos grave.

Sin embargo, cierto sector doctrinal discrepa del trato que se está dispensando a las denuncias que exigen la responsabilidad penal de las conductas viales en relación a las lesiones producidas por las mismas. Constituye una práctica extendía el dictado de autos de archivo, sobreseimiento por los juzgados de instrucción sin una explicación convincente.

2.1. Lineamientos jurisprudenciales

La calificación de una conducta como delito leve en el ámbito de la circulación de vehículos a motor residencia en el tipo de imprudencia (imprudencia menos grave) y en el resultado lesivo. Pues bien, este hecho, el resultado lesivo, es el que está generando más problemas a la hora de determinar si el cuadro lesional de la víctima es o no incardinarle en el artículo 147.1 del Código penal.

El Tribunal Supremo ha ido estableciendo un lineamiento jurisprudencial sobre este aspecto controvertido. La clave de las resoluciones está en el tratamiento médico. Sala de lo Penal del Tribunal Supremo considera tratamiento médico quirúrgico un concepto normativo que en ausencia de una definición legal debe ser definido mediante las aportaciones doctrinales y jurisprudenciales que le otorguen la seguridad jurídica que la interpretación del tipo requiere. Entre los requisitos, fundamentalmente los siguientes:

— Debe ser requerido para alcanzar la sanidad, excluye la subjetividad por el propio facultativo, o prescripción para que se realice ese tratamiento por otro profesional sanitario.

— Ser prestado de forma ulterior a la primera asistencia, como acto médico o quirúrgico separado, lo que requiere una cierta continuidad del tratamiento por el propio facultativo, o una prescripción para que se realice ese tratamiento por otro profesional sanitario.

— Será necesario que tenga una finalidad curativa, no paliativa. Por tanto excluye actos médicos tendentes a comprobar o vigilar el éxito de la primera asistencia, así como aquellos de simple observación de la evolución de las lesiones o de señalamiento de medidas meramente precautorias. Es necesario cuando sea indispensable para la curación de la lesión, no cuando el proceso de curación de la lesión evolucionaria favorablemente al margen de las actuaciones médicas.

— Sea prestada por un titulado en medicina o por indicación de éste. El médico puede encomendar la prestación del tratamiento a un auxiliar sanitario, o incluso al mismo paciente mediante prescripción de fármacos o fijación de comportamientos a seguir como rehabilitación o recomendaciones dietéticas, hábitos y continuación de curtas sobre heridos.

Todo ello, según fundamento jurídico séptimo de la sentencia del Tribunal Supremo (Sala 2º, Sección 1ª), núm. 518/2016, de 15 de junio.

De otra parte, se debe considerar tratamiento, como así lo prevé la sentencia del Tribunal Supremo (Sala de lo Penal, Sección 1ª), núm. 409/2013, de 21 de mayo:

Fundamento jurídico tercero:

«(…) Se debe considerar tratamiento aquel en el que se ha recurrido a medicamentos necesarios para controlar un determinado proceso posterior a una herida, siempre que el paciente pueda sufrir efectos secundarios que importan un riesgo de una perturbación no irrelevante para su salud, teniendo en cuenta que la jurisprudencia de esta sala viene afirmando que la necesidad de tratamiento médico quirúrgico, a que se refiere el art. 147 del CP, añadirá la primera asistencia, ha de obedecer a razones derivadas de la naturaleza y características de la propia lesión puesta en relación con los criterios que la ciencia médica viene observando en casos semejantes».

En el mismo sentido, Sentencia Tribunal Supremo (Sala Penal) núm. 1170/2010 de 26 de noviembre.

Por lo que respecta a los puntos de sutura, interesa el pronunciamiento del Alto Tribunal en sentencia (Sala Penal) núm. 393/2010 de 22 de abril

«(…) los puntos de sutura, que sirven para acercar los bordes de la herida para su más rápida y segura cicatrización evitando así alguna posible infección, constituyen una operación quirúrgica, aunque sea de la llamada cirugía menor. Entendemos que cuando el facultativo que realizó tal intervención dan puntos para acercar una herida, mientras no se diga otra cosa, es porque ello era necesario, aparte de hacer lo que ordinariamente sea hacen en estos casos cuando la herida es ya de alguna importancia».

Aun es más, sobre este extremo apunto la sentencia de la Audiencia provincial de Barcelona:

Audiencia provincial de Barcelona (Sección 6ª) Sentencia núm. 886/2017 de 13 de diciembre[7]:

«(…) incluso desconociendo el tipo de sutura que se aplique debe considerarse tratamiento quirúrgico, con cita de jurisprudencia del Tribunal Supremo, 546/2014:

En relación a las tiritas de aproximación, se considera que el uso de esparadrapo para mantente unidos los bordes de la herida es un procedimiento equivalente y sustitutivo de los tradiciones puntos de aproximación, tratándose de un medio técnico de fijación de equivalente cosido necesario para procurar la correcta cicatrización, por lo que los puntos sstir-trip supone tratamiento médico al existir un inicial pegamiento tisular y posterior cura local».

En lo concerniente a la rotura o pérdida de piezas dentales, conviene tener presente algunos de los pronunciamientos del Tribunal Supremo

La pérdida de piezas dentales supone una alteración facial que sobre todo si se trata de incisivos, puede ser considerada deformidad, sin que sea suficiente el argumento de que la situación antiestética pueda ser modificada con técnicas quirúrgicas u odontológicas.

---

(7) Audiencia provincial de Madrid, sentencia núm. 541/2018 de 27 noviembre, Audiencia provincial de Madrid (sección 1ª), sentencia núm. 103/2012, de 21 de marzo.

Dicha doctrina ha sido matizada en supuestos de menor entidad según la relevancia de la afectación y las circunstancias de la víctima, así como las posibilidades de reparación.

Sentencia del Tribunal Supremo (Sala de lo Penal, Sección 1ª) núm. 796/2013 de 31 de octubre:

> «La rotura o pérdida de una pieza dental puede ser considerada una lesión subsumible en el artículo 147.1 cuando el tratamiento odontológico requerido posibilita la restauración íntegra de las piezas afectadas y siempre que la actuación médica a la que se somete al a víctima para ello suponga un riesgo para la misma, incluso en aquellos casos en que no hay pérdida, sino que las piezas tan sólo presentan movilidad».

2.1.1. *Especial atención al síndrome del latigazo cervical «SLC»*

Para el caso que nos ocupa, en cuanto a la consideración del esguince cervical o cervicalgia como tratamiento médico he de decir que existe un lineamiento jurisprudencial que aboga por incluir a esta lesión como tratamiento médico susceptible de incardinarse en el artículo 147.1 de nuestro Código penal.

Extracto de la sentencia del Tribunal Supremo (Sala de lo Penal) número 403/2006, de 7 de abril:

> «Lo mismo se predica de la segunda lesión consistente en un esguince cervical que precisó del mentado collarín. Basta recordar a estos efectos, complementando lo anteriormente expuesto, los razonamientos de la STS de 22 de marzo de 2001 que, al resolver un supuesto similar al presente, establecía que en este caso, hay que entender que el porte de un collarín cervical constituye un sistema curativo o reductor de las consecuencias cuando la lesión no sea totalmente curable, prescrito con tal finalidad curativa por un titulado en medicina y aunque ese tratamiento se encomiende a auxiliares sanitarios o se imponga al mismo paciente, atendiendo para la valoración del tratamiento médico que, como concepto normativo a concretar por el juzgador en la función integradora de las normas, a la doctrina ya fijada en la jurisprudencia de esta Sala. Esta Sala viene considerando este tipo de tratamiento como de carácter curativo en cuanto trata de reparar el daño ocasionado por un traumatismo cervical».

Sentencia de la Audiencia Provincial de Vizcaya (Sección 2ª) núm. 90225/2016 de 7 de septiembre:

> «Caso en que, ante una lesión de cervicalgia, que precisó pauta farmacológica y fisioterapia, se consideró que habiendo testificado el médico que atendió a la lesionada, sí hubo tratamiento médico».

Sentencia de la Audiencia Provincial de Barcelona (Sección 6ª) núm. 387/2018 de 11 de junio:

> «Lesiones por accidente de tráfico de cervicalgia, traumatismo craneoencefálico y contusiones en rodilla y cadera, consideró sí había tratamiento médico porque lesionado tras primera asistencia, volvió a acudir a un centro médico por empeoramiento del cuadro clínico inicial siéndole prescita nueva pauta farmacológica, considerándose que ello constituyó asistencia posterior a la primera y por lo tanto, tratamiento médico».

Sentencia de la Audiencia Provincial de Madrid (Sección 4ª) núm. 27/2011 de 18 de julio.

En este caso consideró que si hubo tratamiento médico porque fueron prescritos antiinflamatorios, collarín y tratamiento rehabilitador, concluyendo que las lesiones derivadas del síndrome del latigazo cervical suelen precisar para su curación algunas medidas como la aplicación de antiinflamatorios, collarín cervical y/o un período de rehabilitación, que constituyen tratamiento médico.

Respecto de las lesiones cervicales el criterio para no considerarlas como tratamiento médico se ciñe a lo que establece, entre otras, la sentencia de la Audiencia Provincial de Barcelona (Sección 7ª) núm. 369/2007 de 13 de junio:

> «(…) el hecho de que la lesionada acuda a un centro de rehabilitación, extremo acreditado con un simple escrito suscrito por facultativo y unos "Informes de Asistencia", desconociéndose si dicho posible tratamiento rehabilitador ha sido prescrito por médico como consecuencia de las lesiones sufridas en el accidente o por previa o posterior patología que podía sufrir la perjudicada en las cervicales dado el tiempo transcurrido si, además dicho tratamiento rehabilitador está siendo aplicado, que no dirigido por médicos o por otro personal sanitario que no tenga la consideración de médico, entendemos que este documento tampoco cuestiona desde el punto de vista científico médico las conclusiones a las que llega el Médico Forense que, como ya se ha dicho, ha podido examinar toda la documentación aportada y en virtud de la cual concluye que la denunciante solamente ha precisado una primera asistencia facultativa».

En similares términos, la sentencia de la Audiencia Provincial de Madrid (Sección 7ª), núm. 1128/2015 de 23 de noviembre:

> «El tratamiento rehabilitador no siempre es considerado tratamiento médico, para ello debe ser probado que su finalidad era curativa y que no tenía relación alguna con patología previa del lesionado, en el caso concreto de la no resultó acreditado por falta de prueba al no haber testifical de la víctima ni del médico que le prescribió el tratamiento rehabilitador».

Sentencia de la Audiencia Provincial de Madrid (Sección 30ª) núm. 253/2012 de 6 de julio:

> «En cuanto a la inmovilización en lesiones cervicales, debe acreditarse que el collarín cumplía una función curativa en los informes médicos sino es acompañada de otras medidas».

3. LA IMPORTANCIA DEL ATESTADO O INFORME INSTRUIDO POR LA FUERZA ACTUANTE EN EL ACCIDENTE

En líneas generales, el atestado puede conceptualizarse[8] como un conjunto de diligencias llevadas a cabo por la Policía Judicial incorporadas a un documento, que se configura como indicio o prueba en la averiguación y comprobación de los hechos presuntamente delictivos.

Aunque de la definición se infiere un marcado carácter penal, estatuido por los artículos 292, 293, 294, 297 de la LECrim., lo cierto es que la instrucción de este documento se ha extendido a casi la totalidad de los accidentes de circulación. El atestado[9] ha evolucionado hacia un documento específico denominado informe técnico.

Si del atestado se predica su arraigo al proceso penal, el informe técnico, que incorpora un juicio crítico de las causas del accidente emitido por profesionales de policía, se perfila como un documento ágil y objetivo para depurar responsabilidades en el ámbito civil. Su influencia en esta área del derecho no deja lugar a dudas, ya que la ley le otorga la prerrogativa de documento público.

En procesos civiles la ratificación cobra un papel esencial. Ésta se llevará a cabo en sede judicial siempre que alguna de las partes impugne el documento. Para ello, resulta determinante distinguir el conjunto de pruebas objetivas que pueda contener, las valoraciones y declaraciones subjetivas.

Tanto si se trata del atestado, como del informe técnico las FF y CC de Seguridad[10] con competencia en materia de tráfico están obligadas por ley

---

(8)   Marchal Escalona, A N.: *El Atestado. Inicio del proceso penal.* Ed. Thomson Aranzadi. Pamplona 2008. Pág. 25 y ss. Martín Ancín, F. y Álvarez Rodríguez, J. R: *Metodología del atestado policial. aspectos procesales y jurisprudenciales.* Tecnos Madrid 2003. Pág. 69.

(9)   Anexo número 9 y 10 atestado e informe técnico.

(10)   La Constitución Española de 1978, prevé unos mandatos claros en cuanto a la organización de los Cuerpos y Fuerzas de Seguridad del Estado. En este sentido el artículo 104 vino a establecer que en la ley Orgánica se debían determinar las funciones, principios básicos

a confeccionar atestado, en supuestos de lesionados[11] graves, muy graves o fallecidos; o informes técnicos para el caso de daños materiales. Sin embargo, a la hora de instruir y remitir atestados de oficio al Juzgado se plantean no pocas vicisitudes. No tanto, para los casos de daños materiales[12] supuestos en los cuales el informe queda a merced de la solicitud de la aseguradora o perjudicado.

En el momento actual, tras la reforma operada por Ley Orgánica 2/2019, de 1 de marzo, de modificación de la Ley Orgánica 10/1995, de 23 de noviembre, del Código Penal, en materia de imprudencia en la conducción de vehículos a motor o ciclomotor y sanción del abandono del lugar del accidente las cosas han cambiado. Cobra especial relevancia probar a través de este documento que el accidente se haya producido como consecuencia de una infracción grave de las normas sobre tráfico, circulación de vehículos

---

de actuación y estatutos de las FF y CC de Seguridad. Asimismo, mediante los artículos 149.1.29ª y 148.1.22ª se determinó el marco jurídico en el que los Estatutos de Autonomía podían establecer la forma de concretar la posibilidad de creación de las policías de las respectivas Comunidades Autónomas y los términos dentro de los cuales pueden asumir competencias en cuanto a la coordinación y demás facultades en relación con las policías locales. Dando cumplimiento a los requerimientos constitucionales la Ley de FF y CC de Seguridad, Ley Orgánica 2/1986, de 13 de marzo vino a regular las funciones de las FF y CC de Seguridad del Estado, de las Comunidades Autónomas, de las Policías locales. Artículo 12. Serán ejercidas por la Guardia Civil: c) La vigilancia del tráfico y transporte en las vías públicas interurbanas. De igual forma encontramos plena capacidad operativa para la instrucción de atestados por accidente de tráfico a las policías autonómicas de Cataluña (Ley de ordenación del sistema de seguridad pública de Cataluña 4/2003, de 7 de abril), País Vasco (Ley 4/1992, de 17 de julio, de Policía del País Vasco) y de Navarra (Ley Foral 8/2007 de 23 de marzo de Policías de Navarra). Siguiendo la misma línea y en consonancia con el deber de instruir atestados por accidente de circulación del artículo 53 de la Ley de FF y CC de Seguridad, en el ámbito local, destacan, entre otras: Ley 4/1998, de 22 de julio, de Policías Locales de Cataluña (art. 11), Ley 4/1992, de 8 de julio, de Policías Locales de la Comunidad de Madrid (art. 10), Ley 4/1992, de 17 de julio, de Policías del País Vasco (art. 27), Ley 4/1998, de 22 de julio, de Policías Locales de Murcia de 1998 (art. 7 y 8), Ley 5/2000, de 15 de diciembre, Policías Locales de Cantabria (art. 10), Ley 22/2006, de 4 de julio, de Capitalidad y Régimen Especial de Madrid (art. 40), Ley 23/2006, de 20 de diciembre, de Capitalidad de Palma de Mallorca de las Illes Baleares (art. 125), Ley Foral 8/2007, de 23 de marzo, de Policías de Navarra (art. 9), Ley 4/2007, de 20 de abril, de Coordinación de policías Locales de Galicia (art. 8), Por tanto, podemos concluir, que ha sido asignada la competencia para la instrucción de atestados con motivo de los accidentes de circulación, a las Policías Locales dentro del casco urbano de competencia de las mismas, y ello para todo el territorio nacional. Finamente, las policías portuarias acometerán la instrucción de atestados dentro de los recintos portuarios. Ley 27/1992, de 24 de noviembre, de Puertos del Estado y de la Marina Mercante.

(11)   Todo ello conforme a la regulación que establece el Código penal en atención a la imprudencia grave o menos grave y a la entidad de las lesiones. Artículos 147, en concordancia con los artículos 149, 150 y 152.2 del mismo texto legal. Fuera de éste rango nos moveríamos en el campo de la culpa civil.

(12)   RIVES SEVA, J. M.: *Responsabilidad civil derivada del hecho de la circulación de vehículos a motor*. Las Rozas (Madrid): La Ley, 2009.

a motor y seguridad vial, apreciada la entidad de esta por el Juez o el Tribunal para tratar de cumplir con la primera premisa de la imprudencia menos grave. En el mismo sentido cuando estemos ante una imprudencia grave del tipo artículos 379 a 385 ter. En este supuesto sin necesidad de entrar a calificar el resultado lesivo.

Como quiera que el legislador ha querido rectificar los planteamientos previos que esgrimía en la modificación anterior los funcionarios de Policía Judicial de Tráfico deben dirigir sus intervenciones a cubrir esta nueva situación jurídica.

Según lo antedicho resulta interesante conocer cuándo se debe instruir atestado o informe técnico, en definitiva cuando estamos en el ámbito civil y cuando en el penal.

Para que las lesiones derivadas de un acto imprudente sean constitutivas de infracción penal se requiere la concurrencia conjunta de dos requisitos: objetivo y subjetivo.

— En el delito de LESIONES por IMPRUDENCIA GRAVE.

Han de concurrir el elemento objetivo constituido por lesiones que ha precisado tratamiento médico o quirúrgico o que han causado la pérdida o inutilidad de un miembro o una deformidad, y el elemento subjetivo de actuar con imprudencia grave (artículo 152.1 del Código penal).

Intervención/ejecución/resultado: instrucción de atestado de oficio.

— En el delito leve de LESIONES por IMPRUDENCIA MENOS GRAVE.

Han de concurrir el elemento objetivo constituido por lesiones del artículo 147.1 *siempre que la lesión requiera objetivamente para su sanidad, además de una primera asistencia facultativa, tratamiento médico o quirúrgico. La simple vigilancia o seguimiento facultativo del curso de la lesión no se considerará tratamiento médico*, y el elemento subjetivo de actuar con imprudencia menos grave artículo 152.2 del Código penal).

Intervención/ejecución/resultado: instrucción de atestado de oficio.

— Quedan fuera del ámbito penal LESIONES que no precisen tratamiento médico o quirúrgico y que hayan sido causadas por imprudencia menos grave o por imprudencia leve, cuya responsabilidad ha de exigirse ante los órganos de la jurisdicción civil.

Intervención/ejecución/resultado elaboración de informe técnico, a instancia de parte.

Asimismo, a los efectos de la conducción imprudente en la circulación de vehículos, tendrán relevancia jurídico-penal aquellas conductas más graves en las que el conductor haya obviado normas esenciales reguladoras del tráfico vial, teniendo tal consideración, a modo de ejemplo:

— Como IMPRUDENCIA GRAVE.

La conducción a velocidad superior en 60 Km/h en vía urbana o en 80 Km/h en vía interurbana a la permitida reglamentariamente, sin perjuicio de delito contra la Seguridad Vial del artículo 379.1 del Código penal.

La conducción bajo los efectos del alcohol o drogas tóxicas, sin perjuicio del delito contra la Seguridad Vial del artículo 379.2 del Código penal

La conducción en dirección contraria al sentido de circulación establecido o por zonas peatonales, sin perjuicio del delito contra la Seguridad Vial por conducción temeraria de los artículos 380 y 381 del Código penal.

El abandono del lugar del accidente por el conductor de un vehículo a motor o de un ciclomotor tras causar lesión constitutiva de un delito del artículo 152.2 Cp.

Intervención/ejecución/resultado: instrucción de atestado de oficio.

— Como IMPRUDENCIA MENOS GRAVE (artículo 76 —infracciones graves— de la LTSV).

Artículo 76. Infracciones graves.

Son infracciones graves, cuando no sean constitutivas de delito, las conductas tipificadas en esta ley referidas a:

a) No respetar los límites de velocidad reglamentariamente establecidos o circular en un tramo a una velocidad media superior a la reglamentariamente establecida, de acuerdo con lo recogido en el anexo IV.

b) Realizar obras en la vía sin comunicarlas con anterioridad a su inicio a la autoridad responsable de la regulación, ordenación y gestión del tráfico, así como no seguir las instrucciones de dicha autoridad referentes a las obras.

c) Incumplir las disposiciones de esta ley en materia de preferencia de paso, adelantamientos, cambios de dirección o sentido y marcha atrás, sentido de la circulación, utilización de carriles y arcenes y, en general, toda vulneración de las ordenaciones especiales de tráfico por razones de seguridad o fluidez de la circulación.

d) Parar o estacionar en el carril bus, en curvas, cambios de rasante, zonas de estacionamiento para uso exclusivo de personas con discapacidad, túneles, pasos inferiores, intersecciones o en cualquier otro lugar peligroso o en el que se obstaculice gravemente la circulación o constituya un riesgo, especialmente para los peatones.

e) Circular sin hacer uso del alumbrado reglamentario.

f) Conducir utilizando cualquier tipo de casco de audio o auricular conectado a aparatos receptores o reproductores de sonido u otros dispositivos que disminuyan la atención permanente a la conducción.

g) Conducir utilizando manualmente dispositivos de telefonía móvil, navegadores o cualquier otro medio o sistema de comunicación, así como utilizar mecanismos de detección de radares o cinemómetros.

h) No hacer uso del cinturón de seguridad, sistemas de retención infantil, casco y demás elementos de protección.

i) Circular con menores de doce años como pasajeros de ciclomotores o motocicletas, o con menores en los asientos delanteros o traseros, cuando no esté permitido.

j) No respetar las señales y órdenes de los agentes de la autoridad encargados de la vigilancia del tráfico.

k) No respetar la luz roja de un semáforo.

l) No respetar la señal de *stop* o la señal de ceda el paso.

ll) Conducir un vehículo siendo titular de una autorización que carece de validez por no haber cumplido los requisitos administrativos exigidos reglamentariamente en España.

m) Conducción negligente.

n) Arrojar a la vía o en sus inmediaciones objetos que puedan producir incendios o accidentes, o que obstaculicen la libre circulación.

ñ) No mantener la distancia de seguridad con el vehículo precedente.

o) Circular con un vehículo que incumpla las condiciones técnicas reglamentariamente establecidas, salvo que sea calificada como muy grave, así como las infracciones relativas a las normas que regulan la inspección técnica de vehículos.

p) Incumplir la obligación de todo conductor de verificar que las placas de matrícula del vehículo no presentan obstáculos que impidan o dificulten su lectura e identificación.

q) No facilitar al agente de la autoridad encargado de la vigilancia del tráfico en el ejercicio de las funciones que tenga encomendadas su identidad, ni los datos del vehículo solicitados por los afectados en un accidente de circulación, estando implicado en el mismo.

r) Conducir vehículos con la carga mal acondicionada o con peligro de caída.

s) Conducir un vehículo teniendo prohibido su uso.

t) Circular con un vehículo cuyo permiso de circulación está suspendido.

u) La ocupación excesiva del vehículo que suponga aumentar en un 50 por ciento el número de plazas autorizadas, excluida la del conductor.

v) Incumplir la obligación de impedir que el vehículo sea conducido por quien nunca haya obtenido el permiso o la licencia de conducción correspondiente.

w) Incumplir las normas sobre el régimen de autorización y funcionamiento de los centros de enseñanza y formación y de los centros de reconocimiento de conductores acreditados por el Ministerio del Interior o por los órganos competentes de las comunidades autónomas, salvo que puedan calificarse como infracciones muy graves.

x) Circular por autopistas o autovías con vehículos que lo tienen prohibido.

y) No instalar los dispositivos de alerta al conductor en los garajes o aparcamientos en los términos legal y reglamentariamente previstos.

z) Circular en posición paralela con vehículos que lo tienen prohibido.

Intervención/ejecución/resultado: instrucción de atestado, a instancia de parte.

— Como IMPRUDENCIA/CULPA LEVE

La conducción obviando una señal de «Ceda el Paso», dado que ésta no obliga a la detención del vehículo.

La conducción obviando la preferencia de paso en cruces no señalizados.

La conducción obviando la preferencia entre carriles de circulación.

La preferencia de paso en el interior de glorietas o rotondas.

La conducción desatenta o distraída en la circulación que impidan el control, del vehículo provocando una mera colisión por alcance.

[Elaboración de informe técnico a instancia de parte] [13].

3.1. El precio del atestado: especial referencia a los cuerpos de Policía Local

A lo largo de estos últimos 10-15 años la tasa que grava la expedición de atestados ha experimentado un incremento significativo. Sus efectos se han dejado notar en infinidad de municipios. En unos casos a través un incremento sustancial de la cuota tributaria, en otros con la publicación de la correspondiente ordenanza fiscal.

Un gran número de Entidades locales han encontrado en la imposición de este tributo una fuente de ingresos. Quizás insuficiente, pero cuando menos necesaria para contribuir al sostenimiento del servicio.

Se trata de un gravamen exigido por la Administración en atención a la prestación de un servicio público o de una actividad administrativa que incide de manera particular en el obligado a satisfacerla. No voy a entrar a la discusión enconada que se planean sobre el concepto [14] jurídico de tasa y sus diferencias con el de precio público y otras categorías tributarias [15] En todo caso, sirva la aproximación que ofrece GIANNINI [16] sobre el concepto de la tasa: prestación pecuniaria que se debe a un ente público de acuerdo con una norma legal, y en la medida establecida por ella, por la realización de una actividad del propio ente que concierne de manera especial al obligado.

---

(13)   Atrás han quedado la multitud de oficios que se recibían del Juzgado de Instrucción para instruir atestados por lesiones leves. No obstante, podemos encontrarnos con lesionados de gravedad e incluso fallecidos por accidente de tráfico (caso del homicidio por imprudencia leve), donde la imprudencia no sea calificada como grave o menos grave. En este caso, la conducta quedaría impune. No así la culpa o negligencia civil.

(14)   Corrientes doctrinales apadrinadas por autores como: EINAUDI, DE VITI DE MARCO, GRIZIOTTI, PUGLIESE, RAU, GARCÍA BENSULCE, GIULIANI FONROUGE, GIANNINI, ANTONINI y BERLINI, entre otros GIULIANI FONROUGE, Carlos. 2004. Derecho Financiero. Novena Edición. Buenos Aires. Editorial La Ley. Tomo I. Pág. 253). En el mismo sentido GIANNINI (GIANNINI, A.D. 1957. Instituciones de Derecho Tributario. Séptima Edición. Madrid. Editorial de Derecho Financiero. P. 42.

(15)   FERREIRO LAPATZA, J.J.: Curso de Derecho Financiero Español, 19 edición, Capitulo XII: «La configuración jurídica del tributo. La obligación tributaria», punto V: «La obligación tributaria. Concepto y características». Marcial Pons, Ediciones Jurídicas y Sociales, S.A., Madrid, 1997.

(16)   La prestazione pecuniaria dovuta ad un ente pubblico in base alla legge e nella misura da questo stabilito, per l'esplicazione di una attività dell'ente stesso che concerne in particolare l'obbligato. GIANNINI, A.D.: Instituciones de Derecho Tributario. Séptima Edición. Madrid. Editorial de Derecho Financiero. Pág. 42.

Sin embargo, lejos de ser una práctica ilícita o a margen de la legalidad, lo cierto es que provoca cierta reticencia al obligado al pago, sobre manera cuando se trata de la propia víctima o perjudicado del siniestro vial.

A continuación se muestran las tasas que necesariamente hay que abonar para acceder al contenido de los atestados o informes técnicos de distintos municipios de la geografía española.

Gráfico y tabla de: tasa a satisfacer por el sujeto pasivo para obtener el informe o atestado por accidente de circulación[17]

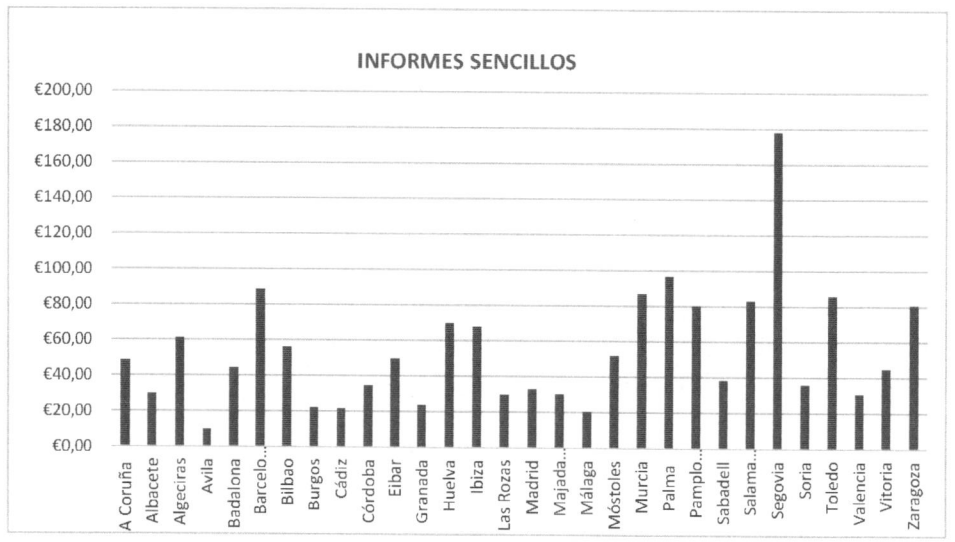

---

(17)   Cantidades sujetas a actualización en 2021.

Bilbao	Policía Local	Informe por accidente de circulación	56,00 €
Burgos	Policía Local	Informe por accidente de circulación	22,40€
Cádiz	Policía Local	Informe simple por accidente de circulación Informe completo por accidente de circulación	21,75€ 162,95€
Córdoba	Policía Local	Atestados en accidentes de circulación de materiales Atestados sin planimetría Atestados con planimetría Atestados con planimetría e informes investigación	34,62€ 69,95€ 103,86€ 207,72€
Éibar	Policía Local	Informe por accidente de circulación	60,00€
Granada	Policía Local	Informe por accidente de circulación	24,00€
Huelva	Policía Local	Informe por accidente de circulación	70,00€
Ibiza	Policía Local	Confección de extracto informativo por accidente tráfico Confección de un informe por accidente de tráfico	68,15€ 174,30€
Las Rozas	Policía Local	Solicitado por persona física Solicitado por aseguradora	30,00 € 350,00€
Madrid	Policía Municipal	Informe, PA (parte de accidente)	32,85€
Majada-honda	Policía Local	Informe solicitado por persona física Informe persona jurídica	30,35 € 342,46€
Málaga	Policía Local	Informe por accidente de circulación	20,44€
Móstoles	Policía Local	Informe por accidente de tráfico	51,79€
Murcia	Policía Local	Por cada informe con un máximo de una fotografía Por cada fotografía adicional	87,00€ 2,50€
Palma	Policía Local	Confección de extracto informativo por accidente tráfico Confección de un informe por accidente de tráfico	96,84€ 242,13€
Sabadell	Policía Local	Datos de los vehículos Informe simple Informe completo con croquis y fotografías (cada fotografía)	0,90€ 8,65€ 0,70€ 5,50€
Salamanca	Policía Local	Informe accidente de tráfico simple Informe accidente de tráfico específico	83,00€ 120,00€

Me pregunto:

— ¿Prestación de un servicio en benéfico de particulares o del colectivo de los ciudadanos?

— ¿La tasa responde a un fin económico o más bien trata de descongestionar el servicio?

— ¿La tasa garantiza Informes de calidad?

En relación a la primera cuestión...

Como hemos visto la prestación de este servicio se encuentra dentro del elenco de funciones que desempeñan las FF y CC de Seguridad. Podríamos afirmar que es una de las funciones con mayor repercusión social, por cuanto la asistencia a las víctimas de los accidentes de tráfico es una necesidad primordial. Incuestionable. Un hecho que se lleva a cabo de oficio. Solo hace falta la llamada de un alertante. Sin embargo, esta vocación universalista contrasta con la prestación de un servicio de expedición de informes por accidentes de tráfico eminentemente particular, solicitado a instancia de parte.

Éste ha sido el argumento más utilizado por las Entidades locales para imponer la tasa. El servicio no se presta de oficio, sino que se lleva a cabo por solicitud de entidades mercantiles o despachos de abogados, entre los más destacados.

Es cierto que el servicio de asistencia a las personas encartadas en accidente de circulación (víctimas o perjudicados sean o no responsables) se lleva a cabo de oficio, tanto es así que constituye una obligación legal. También lo es la función de instruir atestados por accidentes de circulación. Ahora bien, no podemos decir lo mismo de la remisión de copias de esos atestados o informes a cada uno de los encartados.

La distinción entre una y otra faceta no ofrece dudas. La función de asistencia a los implicados en el accidente y posterior instrucción del atestado se lleva a cabo de oficio. No obstante, la expedición del mismo, en aquellos casos en que no sea preceptiva la remisión al Órgano Judicial[18] lleva implícita la solicitud del interesado y, por tanto, un beneficio particular.

Aquí está la clave: el beneficio particular. Una cuestión netamente extrajudicial, incardinada en el campo de la negociación y/o medicación, que poco o nada tiene que ver con la actuación policial.

Por lo que respecta a la segunda…

El ejercicio de la competencia sobre el tráfico para aquellos cuerpos de policía que la tienen asignada demanda, entre otras cuestiones, un importante esfuerzo. La regulación, vigilancia y disciplina del tráfico, así como la instrucción de atestados por accidentes de circulación acapara un porcentaje elevado de recursos.

---

(18)   Resulta un hecho contrastado que en el supuesto de incoación del atestado (de oficio o a instancia de parte) será el Juzgado de Instrucción o el de Primera Instancia el órgano que reclame la realización del mismo.

Todo ello tiene su repercusión en la prestación del servicio por una Administración local que encuentra bastantes dificultades para redistribuir y gestionar sus presupuestos. Quizás sea esta circunstancia, la sostenibilidad del gasto local, la que hay provocado la imposición de tasas por las Corporaciones locales. Entre tanto, sigue llamando la atención que otros cuerpos policiales con competencia en materia de tráfico, a la sazón Guardia Civil y Policías Autonómicas, no se hayan sumado a este movimiento impositivo.

Desde esta óptica, resulta cuando menos discutible el coste de oportunidad que lleva aparejada la gestión de informes solicitados por particulares. Toda vez que el tiempo de trabajo que lleva implícita esta función, son horas que podrían dedicarse a otros fines netamente policiales, no administrativos. El volumen de peticiones no es nada desdeñable.

La figura impositiva contribuye a reducir el coste que supone atender a esa avalancha de solicitudes. En cambio, la exigencia de tasa como requisito previo a la obtención del documento no tiene un efecto reductor a la hora de solicitar el informe.

Desde una perspectiva económica la curva de la demanda, dado un precio (cuota tributaria) y una cantidad (volumen solicitudes) sería más bien inelástica. Toda vez que variaciones moderadas en el precio no afectan de manera notable en la demanda de las peticiones.

El ejemplo anterior tendría sentido si la cuota tributaria se exigiese en todos los casos. Pero esto no es así. Se da la paradoja que la remisión a los órganos judiciales, institucionales y demás administraciones no se grava con la tasa. Por tanto, ante la necesidad de obtener un atestado, únicamente habrá que solicitarlo a través del Juzgado. Así, se evitará el pago de la correspondiente tasa. Una medida que se encuentra amparada por ley.

Y a la tercera…

La respuesta, en principio, resulta negativa. La tasa no garantiza un informe de calidad. Lo que determina la calidad, o mejor dicho la eficacia o contundencia de un informe técnico o atestado son otros aspectos, como; el grado de implicación y dedicación, el nivel de formación y conocimientos de los instructores y los recurso materiales que ostentan los integrantes de las Unidades de Policía Judicial.

El conjunto de estos factores son los que contribuyen a prestar un servicio de calidad. Una garantía que debe ser exigida por los destinatarios del documento.

Las aseguradoras, hasta cierto punto, no se muestran reticentes por la liquidación de la tasa, lo que realmente demandan es un informe técnico concluyente. Que reúna unos estándares mínimos de calidad, entre algunos de ellos:

— Circunstancias del tiempo y lugar.
— Identificación de los instructores.
— Identificación de las personas encantadas: conductores, ocupantes, lesionados, titulares de los vehículos.
— Identificación de las unidades de tráfico que intervienen en el accidente.
— Resultados de las pruebas de alcoholemia y drogas.
— Inspección de la vía.
— Croquis del accidente.
— Informe fotográfico.
— Causas y factores.
— Diligencia de parecer o juicio crítico del accidente.

La prestación de un servicio de calidad requiere, además de una buena implementación de datos y circunstancias cierta agilidad en la obtención del informe. El tiempo que trascurre desde el siniestro hasta la expedición del informe es fundamental. Cuanto más se reduzca la espera, mayor será la calidad del servicio. Con ello se evitará dilaciones indeseadas.

En consonancia con lo anterior resulta conveniente establecer un sistema informático para gestionar la solicitud. Un método que simplifica la liquidación y gestión administrativa del documento. Ayuntamientos como el de Barcelona y Madrid fueron pioneros en implantar este procedimiento. A través de sus páginas web se puede solicitar, mediante la autoliquidación, documentos de ésta índole.

En último término, decir que si bien la tasas no garantiza la calidad del servicio, al menos puede contribuir a mejorarlo. Toda vez que los ingresos percibidos pueden destinarse a mejoras técnicas e incluso a la formación de los miembros de Unidades de Policía Local.

Para terminar, en lo que atañe a la instrucción del informe o atestado resulta conveniente despejar algunas incógnitas. Así, de acuerdo a los preceptos que regulan los delitos de lesiones por imprudencia grave o menos grave del Código penal es preciso discernir entre aquellos accidentes que demandan la incoación de diligencias policiales, de aquellos otros que no lo requieren.

Por tanto, será preceptiva la instrucción, terminación y remisión de atestados de oficio al Juzgado de Instrucción de Guardia en los siguientes casos:

Cuando nos encontremos ante un accidente de tráfico del que se deriven lesiones del artículo 147.1 del Código penal en consonancia con el artículo 152.2 del mismo texto legal.

Accidentes en los que se hayan producido lesiones leves y/o daños materiales, siempre y cuando concurra un delito contra la Seguridad Vial (arts. 379-385 ter del Código penal).

Para el resto de accidentes no será necesaria la instrucción de diligencias penales, quedando las mismas archivadas a la espera de ser solicitadas por los interesados (Órgano judicial en procesos civiles, aseguradoras, despachos de abogados, perjudicados o víctimas).

4.   A VUELTAS CON LA DENUNCIA Y/O DEMANDA

Entre las vías o cauces de reclamación para obtener un resarcimiento íntegro de las lesiones causadas como consecuencia del «SLC» prevalece, con cierta autoridad sobre el resto[19], el ejercicio de la acción penal. Protagonismo que como es sabido responde a la acumulación heterogénea de acciones en un procedimiento relativamente rápido y sencillo, como es procedimiento para el juicio sobre delitos leves[20] Razones de economía procesal, de utilidad a favor de la víctima, en el que no es obligatorio la intervención de Abogado o Procurador, así como a la evitación del riesgo de eventuales resoluciones contradictorias avalan el elevado índice de denuncias por lesiones cervicales derivadas de un accidente de circulación. Nuestro ordenamiento, al igual que ocurre en otros países del entorno europeo como Francia, Alemania o Italia permite la acumulación de acciones penales y civiles en un mismo proceso penal. Así lo prevé el art. 100 de la LECrim. en consonancia con los artículos 109 y concordantes del Código penal. Estos

---

(19)   Juicio verbal u ordinario según lo previsto para en los artículos 248, 249 y 250 de la LECiv. En el mismo, sentido, al margen de la vía judicial, está cobrando relativa importancia la figura de la mediación en conflictos, articulada sobre la Ley 5/2012, de 6 de julio de mediación en asuntos civiles y mercantiles.

(20)   Con la reforma operada por la Ley 1/2015, de 30 de marzo por la que se modifica la Ley Orgánica 10/1995, de 23 de noviembre, del Código Penal, el juicio de faltas pasará a denominarse «Procedimiento para el juicio de delitos leves».

preceptos viabilizan que un mismo hecho pueda ser generador de responsabilidad penal y civil.

La *vis atractiva* del pretérito juicio de faltas para conducir la reclamación de lesiones derivadas del latigazo cervical contribuía decisivamente al aumento de acciones fraudulentas. Solo basta con interponer una denuncia para obtener la tutela judicial de un hecho y prácticamente se asegura el cobro de una indemnización. Todo ello, claro está, sin coste alguno y con el aliciente de obtener el informe médico forense de sanidad, cuya objetividad es prácticamente vinculante para el juzgador.

Hasta el momento actual, éste ha sido el «ABC» de la mayor parte de las reclamaciones por traumatismos cervicales leves. Entonces, a raíz del accidente, la víctima, con un primer informe de asistencia sanitaria y la correspondiente denuncia se aventuraba a iniciar un procedimiento judicial. Si bien es cierto, que el primer parte asistencia tiene un valor incuestionable, no lo es menos las limitaciones que evidencia. Salvando este escollo, en un número elevado de casos, cuando la responsabilidad del siniestro no ofrece dudas, la indemnización se consiga mediante la negociación extrajudicial con la condición de que la víctima renunciase a las acciones penales y civiles. Sin embargo, el instrumento o herramienta de presión que alimentaba toda la argucia era y es el informe forense. Una evaluación de las lesiones cervicales que escapa al control de la aseguradora y que no interesa replicar.

Toda esta maniobra procesal fue desgastando el sistema. En muchas ocasiones el verdadero objetivo de las alegaciones y pruebas en sala era la responsabilidad civil y no la penal, de modo que en el juicio de faltas no estaba en juego tanto el ejercicio del *ius puniendi*, como los intereses económicos de las partes. «Frente al vicio de pedir, la virtud de no conceder». Ante la avalancha de reclamaciones por lesiones cervicales leves, la negativa de los jueces de instrucción de incoar juicio de faltas o, iniciado este, de absolver al acusado.

Empero, esta respuesta ha resultado baldía en lo atinente al informe forense. En la práctica forense española existe una concepción subjetivista en lo que a la credibilidad del «SLC» se refiere. También en este colectivo se han llevado a cabo estrategias con cierta repercusión en los intentos de fraude. La que ha cobrado más protagonismo tiene como objetivo principal desvirtuar la reclamación del perjudicado. Para ello los forenses han evaluado cuadros clínicos cervicales diversos con una única respuesta: 15 días impeditivos, 15 no impeditivos, no hay secuelas. Luego, frente a esta respuesta la víctima o perjudicado se ve obligada al ejercicio de la acción civil con el preceptivo informe forense de parte con lo que ello supone. No olvidemos que hay veces que los jueces sienten más adulación por «quién» dicta el informe que por lo «qué» se dice.

El empeño del legislador por despenalizar las faltas[21] ha terminado con toda esta situación de facto. La potestad que hasta ahora recaía sobre el juzgador, se ha trasladado al legislador. El juez de instrucción no tendrá que pronunciarse sobre si la imprudencia es leve o levísima. En adelante esa decisión ha quedado positividad en el artículo 152.2 del nuevo Código penal. En este sentido, ha de atenderse a la gravedad de la lesión y la imprudencia. Una vez más la vía civil acogerá todas aquellas reclamaciones que queden al margen de este criterio de gravedad de la lesión.

Siquiera, en el caso en que se incoase el procedimiento para el juico sobre delitos leves cabe la posibilidad de sobreseimiento a través de la nueva redacción del artículo 963 LECrim.

«1. Recibido el atestado conforme a lo previsto en el artículo anterior, si el juez estima procedente la incoación del juicio, adoptará alguna de las siguientes resoluciones:

1ª Acordará el sobreseimiento del procedimiento y el archivo de las diligencias cuando lo solicite el Ministerio Fiscal a la vista de las siguientes circunstancias:

a) El delito leve denunciado resulte de muy escasa gravedad a la vista de la naturaleza del hecho, sus circunstancias, y las personales del autor, y

b) no exista un interés público relevante en la persecución del hecho. (…)».

En consecuencia, de aquellos polvos, estos lodos. El juicio de faltas desborda a los forenses, la vía extrajudicial juega siempre en casa y por si fuera poco la vía civil, más atrayente que el resto, ralentiza los procedimientos. Como vemos la tormenta perfecta para la víctima.

Da la sensación que con la Ley Orgánica 2/2019 el sistema retorna a la casilla de salida, eso sí con ciertos matices. No es tan garantista para la víctima como el que vivimos con las faltas, pero si ofrece ciertas garantías para los supuestos cualificados.

---

(21)   JIMÉNEZ SEGADO, C.: «Eliminar las faltas tiene delito (leve)». *Diario la Ley*, núm. 8223. Ed. La Ley. Las Rozas, Madrid 2014.

Por lo antedicho, la denuncia penal asegura que los intereses de la víctima sean respetados desde el inicio del procedimiento. Será el juzgado con la participación inestimable del Médico Forense el órgano encargado de aplicar la tutela judicial efectiva, con plazos, comunicaciones, y seguimiento evolutivo de la víctima.

No nos engañemos lo verdaderamente mollar está en el informe forense. No tanto en la condena penal que le pueda caer al investigado. Esto es, si una vez incoado el procedimiento, a medio camino del proceso, ya sea por auto desestimatorio, sobreseimiento etc., hemos tenido la suerte de obtener el informe de sanidad huelga a lo demás.

Las ventajas de este documento, entre otras, su objetividad. Difícilmente cuestionable, tanto en un sentido como en otro. Esta ventaja *a priori* puede no serlo para la víctima, ya que puede salir escaldada, máxime cuando hablamos de la valoración de un traumatismo leve de la columna vertebral. Si no queremos correr esos riesgos, dejemos tranquilo al médico forense.

En cambio, como inconveniente la austeridad. Informes que no sintetizan hasta extremos insospechables los criterios cuantitativos del Baremo. Por lo general son ramplones con la consignación de secuelas derivadas del SLC. Y es que, como sucede con los médicos privados valoradores del daño corporal, si se permite la expresión, «sin acritud», son los mismos perros perro con distinto collar. A favor de la aseguradora unas veces, a favor del cliente otras.

De otra parte, en el terreno de la acción civil decir que quizás sea éste el cauce más aséptico para llevar a término nuestras pretensiones, sin duda. Ahora bien nos enfrentamos al menos a dos inconvenientes. Por un lado el factor económico, éste es un escoyo importante para los perjudicados que además de contratar los servicios de un abogado tienen que correr con los gastos de la consulta, seguimiento y posterior prueba pericial en el juicio oral. Cada vez son más los despachos que ofrecen facilidades para el pago de los honorarios e incluso para los forenses. Derivando el cobro de los mismos al final del proceso, cuando la víctima sea indemnizada.

En segundo lugar, el factor tiempo. La lentitud del sistema judicial por el aluvión de reclamaciones hace que la respuesta se haga esperar. Aunque no solo el procedimiento civil, también el penal. En uno y otro sentido, hay demasiados casos que superan el año sobradamente.

Estas serían en definitiva algunas de las observaciones sobre las dos vertientes procesales Lógicamente, hay muchas otras, ya que la realidad supera a la práctica. La *praxis* sobre la reclamación judicial de las lesiones cervicales leves no tolera la denuncia, aboga por la demanda civil[22] como vía subsidiaria a la extrajudicial.

---

(22)   Documento anexo número 7.

CAPÍTULO IV

INDEMNIZACIÓN POR TRAUMATISMOS MENORES DE LA COLUMNA VERTEBRAL EN LA LEY 35/2015

1. CUESTIONES PREVIAS

El sistema tabular se ha convertido en una herramienta forzosa para el cálculo de las indemnizaciones de los lesionados como consecuencia de un accidente de tráfico. Desde su entrada en vigor, 1 de enero de 2016, es preciso señalar el alto grado de resoluciones o acuerdos extrajudiciales gracias a la vertebración de las partidas indemnizatorias y su afán o aspiración por la restitución íntegra del daña como así lo predica el artículo 33 de la L 35/2015. Sin embargo, a pesar de que el legislador otorga una especial relevancia al principio de la reparación íntegra del daño para dilatar la protección de las víctimas mediante la garantía de una indemnización suficiente y justa, no es menos cierto que ha previsto de manera excepcional situaciones que pueden quedar extratábulas. Aquellos casos en los que acontecen circunstancias singulares.

Art. 33.5 in fine:

> «[…] perjuicios relevantes, ocasionados por circunstancias singulares y no contempladas conforme a las reglas y límites del sistema, se indemnizan como perjuicios excepcionales de acuerdo con las reglas establecidas al efecto en los artículos 77 y 112».

Tratándose de este supuesto en particular, la ley prevé en los artículos 77 y 112 que los perjuicios excepcionales a los que se refiere el artículo 33 se indemnizan, con criterios de proporcionalidad, con un límite máximo de incremento del veinticinco por ciento de la indemnización por perjuicio personal básico.

En la práctica difícilmente nos vamos a encontrar un perjuicio excepcional en lo que se refiere a la indemnización por traumatismos leves de la columna vertebral, ya que la incidencia que pudiera tener la lesión y las secuelas siempre van a valorarse intratábulas.

1.1. Reglas para la valoración de la lesión cervical como traumatismo leve de la columna vertebra

La lesión cervical se valora como un tipo de lesión temporal que puede llevar o no aparejada secuelas o daños residuales una vez obtenido la sanidad, consolidación o estabilización lesional.

«Artículo 34. Daños objeto de valoración.

1. Dan lugar a indemnización la muerte, las secuelas y las lesiones temporales de acuerdo con lo previsto en los artículos siguientes y con lo reflejado, respectivamente, en las tablas 1, 2 y 3 contenidas en el Anexo de esta Ley.

2. Cada una de estas tablas incluye de modo separado la reparación de los perjuicios personales básicos (1.A, 2.A y 3.A), de los perjuicios personales particulares (1.B, 2.B y 3.B) y de los perjuicios patrimoniales (1.C, 2.C y 3.C)».

El principal baluarte del que se sirve toda valoración objetiva es sin lugar a dudas el informe médico. Un documento emitido por un perito médico experto en la valoración del daño corporal o médico forense donde consta o debería constar el tiempo transcurrido desde el hecho luctuoso hasta la curación del lesionado. Lo que se ha venido observando hasta ahora es la vaguedad o escasez de contenido de dichos informes. En algunos casos por omisión debida, en otros por la avalancha de valoraciones que cubren los peritos.

La ley establece una especie de simbiosis pautada entre la valoración, del facultativo y el deber de colaboración del lesionado, *do ut des* en términos latinos.

«Artículo 37. Necesidad de informe médico y deberes recíprocos de colaboración.

1. La determinación y medición de las secuelas y de las lesiones temporales ha de realizarse mediante informe médico ajustado a las reglas de este sistema.

2. **El lesionado debe prestar, desde la producción del daño, la colaboración necesaria para que los servicios médicos designados por cuenta del eventual responsable lo reconozcan y sigan el curso evolutivo de sus lesiones**. El incumplimiento de este deber constituye causa no imputable a la entidad aseguradora a los efectos de la regla 8.ª del artículo 20 de la Ley de Contrato de Seguro, relativa al devengo de intereses moratorios.

3. Los servicios médicos proporcionarán tanto a la entidad aseguradora como al lesionado el informe médico definitivo que permita valorar las secuelas, las lesiones temporales y todas sus consecuencias personales. A los efectos del artículo 7.3.c) de

esta Ley, carecerá de validez la oferta motivada que no adjunte dicho informe, salvo que éste se hubiera entregado con anterioridad».

Alcanzada la curación o estabilidad lesional, es decir una vez que el lesionado ha finalizado el tratamiento prescrito por el médico será el momento en el cual se realiza el informe de valoración del daño personal que debe de contemplar, con carácter general, los siguientes aspectos.

En primer lugar, la lesión cervical despachada por el legislador como lesión temporal en el artículo 134 debe de incluir el grupo de perjuicios de la Tabla 3. Perjuicio Personal Básico (3.A), Perjuicio Personal Particular [Muy Grave, Grave o Moderado] (3.B) y el Perjuicio Patrimonial [gastos de asistencia sanitaria, gastos diversos resarcibles y lucro cesante] (3.C). La indemnización puede contemplar uno, dos o los tres. Esta circunstancia dependerá del caso concreto.

No son pocas las sentencias que modulan las pretensiones de las partes en relación al cómputo de los días indemnizables por lesiones temporales y a la calificación legal de los mismos.

No sucede lo mismo con el perjuicio personal básico. Aquí la cosa cambia, vamos estando de acuerdo en que los o días de baja laboral, no tienen por qué coincidir con los días de baja médica, ya que se puede estar recibiendo un tratamiento médico o sesiones de rehabilitación debido a una lesión, pero sin embargo ésta no resulta invalidante para realizar el trabajo habitual.

En cuanto a la calificación jurídico-legal de los días que conforman el perjuicio personal particular de la Tabla 3.B según la *praxis* judicial.

(SAP de Salamanca, núm. 399/19, de 6 de septiembre).

Arts. 51 a 54 de L 35/2015 en relación al art. 138 del mismo cuerpo legal:

— **Muy grave (UCI)**: el lesionado pierde temporalmente su autonomía personal para realizar la casi totalidad de actividades esenciales de la vida ordinaria.
— **Grave (hospitalización)**: el lesionado pierde temporalmente su autonomía personal para realizar una parte relevante de las actividades esenciales o la mayor parte de las actividades específicas de desarrollo personal.

La expresión estancia hospitalaria, con presunción legislativa de gravedad, debe aproximarse a la de prestaciones sanitarias en el ámbito hospitalario y ambulatorio y rehabilitación en los ámbitos domiciliario y ambulatorio de los arts. 113 y 116. Por ello, puede y suele incluirse en este grado la conocida como hospitalización domiciliaria en la que el lesionado está inmovilizado e incluso la estancia en el domicilio con tratamiento ambulatorio si supone una pérdida de autonomía o desarrollo personal en los términos expresados.

— **Moderado**: el lesionado pierde temporalmente la posibilidad de llevar a cabo una parte relevante de sus actividades específicas de desarrollo personal.

La práctica judicial muestra que cuando una persona está con un brazo o una pierna rota, si bien verá alterada su calidad de vida como mínimo durante el tiempo en que sea portador de escayola, o collarín en casos de lesiones cervicales etc., esa alteración, limitación o incapacitación, de una u otra forma para hacer su vida normal, se comprende en perjuicio personal particular en grado de moderado, y no en grado grave.

La sentencia de la AP de A Coruña, núm. 217/2020, de 07 de julio esgrime el mismo razonamiento. También en sentencia AP Barcelona núm. 192/2020, de 8 de julio, sentencia de la AP de Asturias, núm. 290/2020, de 27 de julio.

En segundo término, si el informe médico ha consignado secuelas se atenderá a lo que establece el 34 de la L 35/2015. Algias postraumáticas cronificadas y permanentes y/o síndrome cervical asociado y/o agravación de artrosis previa (código 03005), según Baremo médico de la Tabla 2 A.1 de 1 a 5 puntos de secuelas.

En este apartado cobra especial importancia consignar como Perjuicio personal particular de la tabla 2. B, artículos 107, 108 y concordantes. Atención al apartado 5 del artículo 108 de L 35/2015:

«5. El perjuicio leve es aquél en el que el lesionado con secuelas de más de seis puntos pierde la posibilidad de llevar a cabo actividades específicas que tengan especial trascendencia en su desarrollo personal. **El perjuicio moral por la limitación o pérdida parcial de la actividad laboral o profesional que se venía ejerciendo se considera perjuicio leve con independencia del número de puntos que se otorguen a las secuelas**».

En último lugar, reflejar los documentos o prueba documental en los que se apoya la reclamación.

Modelo simple de escrito solicitando indemnización por traumatismo leve de la columna vertebral (región cervical)[1].

2. REGLAS PARA LA VALORACIÓN DE LA LESIÓN CERVICAL COMO TRAUMATISMO LEVE DE LA COLUMNA VERTEBRAL

2.1. Régimen de valoración económica de las secuelas

La localización en el mapa tabular de las secuelas sufridas como consecuencia de un traumatismo menor se identifica con el código 03005, algias postraumáticas cronificadas y permanentes y/o síndrome cervical asociado y/o agravación de artrosis previa (1-5 puntos), dentro del apartado B Columna Vertebral, del Capítulo III Sistema Músculo Esquelético, del Baremo médico que contiene la Tabla 2.A.1.

Un apartado sencillo y específico previsto para traumatismos menores, ya que el apartado siguiente, número establece otro conjunto de secuelas de mayor gravedad citando de manera expresa para aquellos supuestos de lesiones no derivadas de traumatismo menor.

El legislador ha accedido a regular de forma expresa, dada la avalancha de reclamaciones por traumatismos menores cervicales, un tipo de secuela subjetiva, difícilmente apreciable a través de pruebas de imagen cuyo diagnóstico re realiza en base a la manifestación del lesionado sobre la existencia de dolor.

El procedimiento a seguir para incluir las secuelas derivadas de un traumatismo menor de la columna vertebral (cod. 03005) ha de examinarse entre otras cuestiones, las siguientes:

En primer lugar, si se trate o no de un traumatismo menor de la columna cervical manifestado por el lesionado ante la existencia de dolor.

En segundo término, tratándose de un traumatismo menor cervical que no sea posible la verificación mediante pruebas médicas complementarias.

En tercer lugar, la naturaleza de la lesión esté dentro del patrón lógico del traumatismo, en consecuencia:

---

(1)   Anexo número 1.

— Que no exista otra causa que pueda justificar la patología.

— Que la sintomatología aparezca en un período de tiempo clínicamente razonable. En todo caso, el lesionado debe haber sido objeto de exploración médica en el tiempo que establece el Baremo (72 horas posteriores al accidente).

— Que exista relación entre la zona corporal afectada por el accidente y la lesión sufrida.

— Que exista una adecuación entre la lesión sufrida y el mecanismo lesional de su producción.

— Todo ello en ausencia de simulación de la lesión.

Llegados a este punto estamos en disposición de verificar si la secuela se consolida a través de un síndrome cervical asociado por evidencia sintomatológica revelada por vértigos, mareos, cefaleas sobre el dolor o las contracturas musculares, o si se trata de algia postraumática vertebral (con o sin compromiso radicular) mediante clínica de dolor por contracturas musculares acompañadas de vértigos, mareos y cefaleas, o bien si estamos ante una agravación de una artrosis previa por la lesión sufrida. En este caso, es preciso matizar la distinción entre el desgaste articular normal originado por el paso del tiempo, de la artrosis degenerativa con afectación ósea o cartílago articular, manifestada a través de dolor, rigidez, deformidad y limitación funcional.

Las patologías anteriores las recoge el Baremo mediante el código 03005 Algias postraumáticas crucificadas y/o síndrome cervical asociado y/o agravación de artrosis previa. Con un rango de 1 a 5 puntos[2].

El número total de puntos por traumatismo menor será indemnizado en función de la edad del lesionado de acuerdo a lo que establece la tabla 2.A. 2 del Baremo económico.

Viene siendo una constante que la consolidación de secuelas por traumatismo menor obedece a un hecho objetivo de verdadera importancia como es el informe médico concluyente. Por tanto, la secuela no surge de forma espontánea tras la lesión temporal con ocasión de las manifestaciones del lesionado, ya que en la mayor parte de los casos acaba desapareciendo con el paso del tiempo. De otra parte hay que tener presente que las mani-

---

(2)   Baremo médico contenido en la tabla 2.A.1 anexo a la Ley 35/2015 de reforma del Sistema para la valoración de los daños y perjuicios causados a las personas en accidente de circulación del Título IV del Real Decreto Legislativo 8/2004: algias postraumáticas cronificadas y permanentes y/o síndrome cervical asociado y/o agravación de artrosis previa.

festaciones de dolor residual no son base suficiente para indemnizar la secuela derivada del traumatismo cervical menor, exigiéndose un informe médico concluyente, irrebatible, indiscutible.

Traigo a colación el Fundamento jurídico tercero (sobre la secuela) de la sentencia paradigmática de la Audiencia provincial de Vitoria-Gasteiz, núm. 631/2019:

> «(…) Atendida la levedad que del esguince cervical sufrido por la demandante establece, la Sentencia entiende que la lesión cura sin secuela. Visto que al respecto cada perito informa en consonancia con lo informado en relación al período de estabilización o curación de la lesión, la Sentencia también tiene en cuenta la levedad de la lesión objetivada en el informe de urgencias, y que el Sr. Román se limita a informar que la demandante "manifiesta" dolor residual en columna cervical así como parestesias.
>
> **La lesión de cervicalgia postraumática diagnosticada a la demandante es un traumatismo cervical menor diagnosticado con base en la manifestación de la demandante sobre la existencia de dolor que la Sentencia indemniza como lesión temporal conforme resulta del art. 135.1 RDLeg 8/04. Pero para indemnizar la secuela que derive de un traumatismo cervical menor, el art. 135.2 exige un "informe médico concluyente", de modo que sólo se indemnizará la secuela derivada de traumatismo cervical menor si un informe médico concluyente acredita su existencia tras el período de lesión temporal, siendo claro el tenor legal (art. 3.1 del Código Civil).**
>
> **Las manifestaciones de la demandante son base suficiente para indemnizar el diagnóstico de traumatismo cervical menor como lesión temporal, pero no son base suficiente para indemnizar la secuela derivada del traumatismo cervical menor, exigiéndose para indemnizar la secuela un informe médico concluyente.**
>
> En el presente supuesto, en contra de lo que alega el recurso, no concurre un informe tal. El Sr. Roman no emite informe concluyente que acredite la existencia de algias postraumáticas cronificadas y permanentes; da por terminado el tratamiento, dice que "las lesiones" están estabilizadas y se limita a recoger lo que le manifiesta la demandante. Y el perito de la demandante, si bien es cierto que "concluye" que la demandante presenta la secuela referida, no lo es menos que no ofrece una explicación complementaria "concluyente" dado que la sintomatología que recoge es toda por manifestaciones de la demandante, incluso la molestias a la palpación, siendo que lo que el perito comprueba es que la movilidad es completa activa y pasivamente, así como que no hay déficit senso-motor (sin que aluda a rectificación cervical), por lo que no se puede considerar que su informe sea concluyente como el Diccionario de la Real Academia Española define el adjetivo concluyente, con el sentido propio de irrebatible, sinónimo de indiscutible. Al perito de la demandada la demandante también le refirió en visita médica el 27 de junio de 2018 que persistían molestias vertebrales cervicales, sin embargo, tras la exploración, en la que no aprecia contractura muscular ni déficit motor en mano ni dedo

pulgar derechos, concluye que no se acredita ningún sustrato anatómico, radiológico o funcional relevante de origen traumático que justifique la persistencia de las molestias que refiere la demandante. La demandante también trae aquí el informe del otro fisioterapeuta de DIRECCION002, D. Tomás, pero, aun cuando lo tuviéramos por un informe «médico» como viene legalmente exigido, tampoco sería concluyente por cuanto que la alteración en la sensibilidad del primer y segundo dedo de la mano derecha que la demandante refirió empezar a notar justo una semana antes de terminar el tratamiento, había mejorado al terminar, añadiendo que la demandante aún refiere molestias algunos días en la zona cervical, lo cual es insuficiente para ser indemnizado como secuela. Por último, frente a la falta de informe médico concluyente, no es relevante el hecho de que, según la testigo-perito, la demandante siga acudiendo a DIRECCION002 de forma esporádica, máxime cuando la propia Sra. María Inmaculada informó que la demandante, aparte de referir dolores de cabeza al final del día, también refería dolores de espalda a nivel dorsolumbar, lo cual no parece guardar relación alguna con la lesión objetivada en el informe de urgencias emitido el día del accidente del que traemos causa».

El ejercicio valorativo de las secuelas del experto en valoración del daño personal no debe pasar por alto la existencia de dolencias previas. En este sentido, cobra vital importancia reflejar que a la vista del historial clínico emitido por la Sanidad pública o privada del paciente, para el caso en que se disponga de dicha información, se consideran lesiones previas, lo que sin duda puede tener interés desde el punto de vista de modulación o minoración de las secuelas.

Por último, en consonancia con la Guía de Buenas Prácticas del Baremo de Autos no podemos pasar por alto, en los supuestos de oferta motivada relativa a las secuelas, la obligación de la aseguradora de presentar informe médico definitivo si el lesionado aporta informe médico pericial concluyente que acredite la existencia de la secuela.

Guía de Buenas Prácticas para la aplicación del Baremo de Autos

2:3:3 Informe médico en los casos de oferta motivada a las secuelas[3].

2:3:3-1 En los casos de reclamación de secuelas, si el lesionado aporta un informe médico asistencial o pericial, de acuerdo con lo que dispone el art. 7. 1 LRCSCVM, la entidad siempre tendrá que aportar informe médico definitivo. En estos casos, si el lesionado aporta un informe médico pericial con la puntuación otorgada y la codificación de secuelas, la buena práctica exige que en el informe médico definitivo de la entidad también se indiquen los puntos asignados a cada secuela y la codificación que le corresponda.

---

(3) Acuerdos de la Comisión de 6 de marzo de 2018 Ministerio de Justicia. Ministerio de Economía y Empresa. P. 5.

2:3:3-2. No obstante, en el caso de secuelas que deriven de un traumatismo menor de columna vertebral, solo será necesario que la entidad aporte informe médico definitivo si el lesionado aporta informe médico pericial concluyente que acredite la existencia de la secuela, de acuerdo con lo que establece el art. 135.2 LRCSCVM. De acuerdo con lo indicado en el apartado 2:2:2-2, a) en este caso la buena práctica permite que los puntos asignados a cada una de las secuelas y la codificación que les corresponda consten en la oferta motivada o en el informe médico definitivo que se adjunte a ella. En los casos de traumatismos menores de columna vertebral sin secuelas, la buena práctica permite que la entidad base su oferta motivada en la documentación médica aportada por el lesionado.

2.2. Perjuicio moral leve por pérdida de la calidad de vida ocasionada por las secuelas

El principio de vertebración del daño del artículo 33. 4 de la L 35/2015 ha hecho posible la valoración por separado de los daños patrimoniales y los no patrimoniales, así como los diferentes perjuicios en cada uno de ellos. El perjuicio moral por pérdida de la calidad de vida ocasionado por las secuelas se ha convertido en un buen ejemplo. A través de este concepto indemnizatorio previsto en el artículo 107 del Baremo:

> Artículo 107. La indemnización por pérdida de calidad de vida tiene por objeto compensar el perjuicio moral particular que sufre la víctima por las secuelas que **impiden o limitan** su autonomía personal para realizar las actividades esenciales en el desarrollo de la vida ordinaria o su desarrollo personal mediante actividades específicas.

La pérdida o limitación a la que alude el precepto hay que ponerla en relación con los artículos 51 y 54 del Baremo:

> Artículo 51. Actividades esenciales de la vida ordinaria. A efectos de esta Ley se entiende por actividades esenciales de la vida ordinaria comer, beber, asearse, vestirse, sentarse, levantarse y acostarse, controlar los esfínteres, desplazarse, realizar tareas domésticas, manejar dispositivos, tomar decisiones y realizar otras actividades análogas relativas a la autosuficiencia física, intelectual, sensorial u orgánica.

> Artículo 54. Actividades específicas de desarrollo personal. A efectos de esta Ley se entiende por actividades de desarrollo personal aquellas actividades, tales como las relativas al disfrute o placer, a la vida de relación, a la actividad sexual, al ocio y la práctica de deportes, al desarrollo de una formación y al desempeño de una profesión o trabajo, que tienen por objeto la realización de la persona como individuo y como miembro de la sociedad.

Los preceptos anteriormente reseñado se complementan con lo que establece el artículo 108 para los grados del perjuicio moral:

Artículo 108. Grados del perjuicio moral por pérdida de calidad de vida.

1. El perjuicio por pérdida de calidad de vida puede ser muy grave, grave, moderado o leve.

2. El perjuicio muy grave es aquél en el que el lesionado pierde su autonomía personal para realizar la casi totalidad de actividades esenciales en el desarrollo de la vida ordinaria.

3. El perjuicio grave es aquél en el que el lesionado pierde su autonomía personal para realizar algunas de las actividades esenciales en el desarrollo de la vida ordinaria o la mayor parte de sus actividades específicas de desarrollo personal. El perjuicio moral por la pérdida de toda posibilidad de realizar una actividad laboral o profesional también se considera perjuicio grave.

4. El perjuicio moderado es aquél en el que el lesionado pierde la posibilidad de llevar a cabo una parte relevante de sus actividades específicas de desarrollo personal. El perjuicio moral por la pérdida de la actividad laboral o profesional que se venía ejerciendo también se considera perjuicio moderado.

5. **El perjuicio leve** es aquél en el que el lesionado con secuelas de más de seis puntos pierde la posibilidad de llevar a cabo actividades específicas que tengan especial trascendencia en su desarrollo personal. El perjuicio moral por la limitación o pérdida parcial de la actividad laboral o profesional que se venía ejerciendo se considera perjuicio leve con independencia del número de puntos que se otorguen a las secuelas.

Dado el reducido ámbito de aplicación de este tipo de perjuicio en lo que se refiere a las secuelas derivadas del SLC, recordemos que la horquilla fluctúa de 1 a 5 puntos, lo cierto es que en modo alguno podremos conseguir una valoración superior a la leve. Es más, raramente se obtiene un resarcimiento económico por este perjuicio.

El grado leve se presenta a través de dos escenarios posibles:

— **El primero**, que es aquel estadio en el que el lesionado presenta un conjunto de secuelas cuya suma supera los 6 puntos, perdiendo la posibilidad de llevar a cabo algunas de sus actividades de desarrollo personal. No se trata de una interpretación automática por reconocerse secuela de más de seis puntos, pues éste es un requisito más del perjuicio leve que exige además la pérdida de la posibilidad de llevar a cabo actividades específicas (SAP de Pontevedra, núm. 187/2020, de 15 de junio).

No cabe, por otra parte, la suma de esos seis puntos debe de corresponderse con secuelas funcionales (art. 93. Físicas, intelectuales, orgánicas y sensoriales), dejando fuera a los perjuicios estéticos (arts. 101-104), salvo que la actividad de desarrollo afectada tenga que ver con la imagen del lesionado.

Dentro del perjuicio leve, aunque sea extratabulas, se ha podido observar en distintas resoluciones judiciales la modulación de dicho perjuicio en grado medio. Es decir siendo leve puede considerarse leve de grado medio, terminología que viene utilizándose para cuantificar la indemnización (SAP de Ceuta, núm. 21/2020, de 07 de julio).

Como sucede en la reciente sentencia de la Audiencia provincial de Mallorca, núm. 156/2020, de 28 de julio. A través de esta resolución la juzgadora considera plausible conceder a la parte actora el perjuicio moral leve en su grado medio por pérdida de la calidad de vida.

El fundamento jurídico tercero alude a la transcendencia de los informes periciales, ya que ambas periciales coinciden en señalar la persistencia de las lesiones con afectación a actividades de ocio y deportivas. Lesiones que no van a ir a mejor, sino a peor. Un perjuicio moral que requiere acreditar de modo irrefutable su existencia para proceder a su cuantificación.

En ocasiones la prueba clínica a través de los informes periciales es fundamental para acreditar la existencia del perjuicio moral por pérdida de la calidad de vida, sin atender al mero dato «numérico de las secuelas».

Extracto fundamento jurídico tercero de la sentencia de la Audiencia provincial de Lugo, núm. 335/2020, de 02 de julio:

> En relación con el perjuicio moral por perdida de la calidad de vida derivado de las secuelas, se comparte el criterio del juzgador «a quo» pues su concesión precisaría de una prueba más contundente. El mero dato numérico de los puntos por secuelas, sin otros elementos de convicción, cuando los peritos respectivos tienen posiciones opuestas en este extremo, no permite entender que se ha producido un error en la valoración probatoria.

Extracto del fundamento jurídico tercero de la Sentencia de la Audiencia provincial de Mallorca núm. 156/2020, de 28 de julio.

> En este caso, las secuelas alcanzan los 8 puntos, y existen limitaciones para las actividades de ocio y deportivas, que aprecian ambos peritos, si bien deben entenderse como señala el Dr. Florián, que deben estimarse en su grado medio, ya que lo valoró finalmente el 28 de mayo de 2019, manifestado en juicio que la osteoporosis y lesiones degenerativas no van a ir a mejor sino a peor, y que el síndrome de Sudeck está estabilizado, que presenta dificultades en la deambulación, dolor y limitación en la bipedestación prolongada. Por lo que, atendiendo igualmente a la edad del

lesionado, 32 años, se considera plausible la cuantía concedida de 8.275 euros (la horquilla se mueve entre 1.500 y 15.000 euros).

Cuestión distinta es la cantidad de 8.275€ que maneja de la sentencia que si bien es que está dentro de la horquilla 1.500-15.000, no lo es menos que se cuantifica de forma subjetiva[4]. En el mismo sentido SAP de Madrid, núm. 197/2020, de 10 de junio.

De forma paralela, con carácter específico según el *petitum* de la parte apelante (Cía. Pelayo) interesa consultar los argumentos que sostiene la parte recurrente sobre el perjuicio moral leve por pérdida de la calidad de vida. En primera instancia se concede la cantidad máxima del grado leve, esto es, 15.000 euros. Ahora bien, una vez sustanciada la apelación la Audiencia de Granada estima que la cantidad debe de reducirse hasta los 6.000 euros.

SAP de Granada, núm. 132/2020, de 3 de junio:

PRIMERO. Se alega como primer motivo de recurso infracción de los artículos 107 y 109 de la Ley 35/2015. Error en su aplicación y en la valoración de la prueba al respecto. Pese al enunciado del motivo, en realidad no se trata de un supuesto de error en la valoración de la prueba, no alegándose argumento alguno al respecto, sin que exista discrepancia entre las partes sobre el carácter leve del perjuicio por perdida de calidad de vida, sus peritos así lo concluyen y la demandada lo admite al contestar la demanda, siendo realmente objeto de discusión su valoración dentro del margen previsto en la Ley, 1500 a 15000 €. La resolución apelada ha concedido dicha máxima cantidad en razón a la edad, 41 años, del lesionado y las actividades a que afecta en este caso, que resume en la imposibilidad de llevar a cabo el correr o running que antes realizaba, así como deambulación prolongada, refiriéndose como limitada esta. Por lo tanto no está de acuerdo la recurrente con la aplicación que ha efectuado la sentencia que entiende improcedente, de los preceptos a que alude, solicitando sea reducida la cantidad reconocida hasta la de 4000 € que propone desde la contestación de la demanda.

SEGUNDO. La indemnización por pérdida de calidad de vida tiene por objeto «compensar el perjuicio moral particular que sufre la víctima por las secuelas que impiden o limitan su autonomía personal para realizar las actividades esenciales en el desarrollo de la vida ordinaria o su desarrollo personal mediante actividades específicas». La regulación establece categorías autónomas, la pérdida de autonomía personal, que es el impedimento o limitación en las actividades esenciales de la vida ordinaria y la que afecta al desarrollo personal, que es de menor entidad, y se refiere a cuestiones como el ocio, el placer o el trabajo. Como decíamos en este caso no se discute el grado leve del mismo que según el art. 108 es aquél en el que el lesio-

(4)   Aplicación para calcular las indemnizaciones correspondientes a las víctimas de siniestros de tráfico bajo el sistema de valoración del daño personal por accidentes de circulación que fija la Ley 35/2015. Unespa: *https://www.unespa.es/que-hacemos/tablas-y-estadisticas/herramienta-calculo-indemnizaciones-victimas-accidentes-circulacion/*

nado con secuelas de más de seis puntos pierde la posibilidad de llevar a cabo actividades específicas que tengan especial trascendencia en su desarrollo personal. El TR RD Legislativo 8/2004 expresa en su art. 53 que se entiende que la pérdida de desarrollo personal consiste en el menoscabo físico, intelectual, sensorial u orgánico que impide o limita la realización de actividades específicas de desarrollo personal». En el siguiente se entiende por actividades de desarrollo personal aquellas actividades, tales como las relativas al disfrute o placer, a la vida de relación, a la actividad sexual, al ocio y la práctica de deportes, al desarrollo de una formación y al desempeño de una profesión o trabajo, que tienen por objeto la realización de la persona como individuo y como miembro de la sociedad». Dicho TR, art. 109.2, dispone que «los parámetros para la determinación de la cuantía del perjuicio son la importancia y el número de las actividades afectadas y la edad del lesionado que expresa la previsible duración del perjuicio». Teniéndose en cuenta todo ello, para la valoración del perjuicio personal particular por pérdida de calidad de vida por secuelas en grado leve, habrá que valorarse cuáles son las limitaciones y actividades específicas que han resultado afectadas para, teniendo en cuenta su número y la edad, proceder valorar dicho perjuicio dentro del margen legalmente previsto. En este caso valorando que la edad del perjudicado comporta haber superado un importante período de vida activa en cuanto a las actividades de correr y marchas prolongadas y por terrenos irregulares, que son las afectadas, así como el número de actividades y su importancia, entendemos que procederá revocar la resolución apelada en este punto, fijándose la cantidad de 6000 € como la procedente para indemnizar este perjuicio, en razón a todo ello.

Otras: SAP de Madrid, núm. 299/2020, de 02 de julio, SAP de Ciudad Real, núm. 360/2020, de 17 de junio.

— **El segundo escenario** que recoge el precepto esboza una limitación o pérdida parcial de la actividad laboral o profesional que se venía ejerciendo con independencia del número de puntos que se otorguen a las secuelas.

Por cuanto a la actividad laboral o profesional tenemos que entender que este perjuicio moral se valorará tanto por la pérdida de calidad de vida en el ocio como en el trabajo (Sentencias de la Audiencia provincial de Barcelona núm. 385/2019, de 13 de junio y sentencia de la Audiencia provincial de Tarragona núm. 448/2019, de 8 de junio).

Esta limitación o pérdida parcial de la actividad profesional se produce cuando la persona lesionada sufre un cambio de destino o de funciones en su trabajo. Pensemos en el funcionario de policía que antes del accidente estaba destinado en una unidad operativa, empero, con posterioridad, debido a las secuelas (vértigos, mareos, dolor residual) se ve obligado a cambiar de destino. A partir de ese momento prestará servicio en un puesto estático, sin realizar labores de vigilancia ciudadana. Otro supuesto análogo al anterior, trabajador de una fábrica acostumbrado a mover pesos grandes y a raíz del accidente lo trasladan a otro departamento de la empresa con otro cometido. Abundando algo más, el caso de una teleoperadora que tiene que mantener una misma postura durante largos espacios de tiempo, presentando a su vez limitación a la hora de coger pesos. Circunstancias que tendrán su incidencia en su vida personal, piénsese en las labores del hogar, o la actividad deportiva.

Extracto del fundamento jurídico segundo *in fine* de la sentencia de la Audiencia provincial de Lugo, núm. 341/2020, de 3 de julio.

> «(...) No es un hecho discutido que a consecuencia del siniestro a la demandante le ha restado una secuela de algia cervical con compromiso radicular valorada en ocho puntos, así se recoge en la sentencia de instancia, pronunciamiento que no ha sido impugnado, habiendo reconocido por lo demás tanto el médico asistencial como los peritos de ambas partes que a la lesionada en el momento del alta le restaba una clínica dolorosa con compromiso radicular, lo que le dificultaba a la hora de adoptar una postura mantenida durante tiempo, circunstancia que le genera una limitación en el desarrollo de su actividad profesional, es teleoperadora, por lo tanto le obliga a mantener una misma postura durante largos espacios de tiempo, presentando a su vez limitación a la hora de coger pesos, el perito de la actora indicó que incluso ésta alcanzaba los pesos pequeños, mientras que el médico asistencial, doctor José Daniel, señaló que aunque tendría dificultad para coger pesos tendrían que ser pesos grandes, sin que ni el perito de la demandada ni tampoco el médico asistencial apreciasen una limitación de fuerza en las manos. En estas circunstancias, al restarle al lesionado una secuela de más de seis puntos, y tener cierta limitación a la hora de ejercer su actividad laboral, incluso las limitaciones que presenta, pueden tener incidencia en su vida personal, piénsese en las labores del hogar, o la actividad deportiva, debe de reconocérsele a la lesionada un perjuicio moral por pérdida de calidad de vida, eso sí, leve, que atendiendo a la intensidad de las patologías de la actora, las limitaciones que generan en su vida, que deben de ser calificadas como leves, e incluso la edad de la lesionada, es una persona joven, tenía en el momento del siniestro la edad de treinta años, deberá ser indemnizada por este concepto en la cantidad de cuatro mil euros (4.000 €)».

No obstante, puede darse el caso de que la actividad de desarrollo quede limitada por un número inferior a seis puntos, no necesariamente por superar el límite de secuelas que postula el Baremo.

Es el caso de la sentencia de la Audiencia Provincial de Murcia núm. 180/2020, de 13 de julio.

El tribunal concede a la actora la cantidad de 1.500 euros al entender que la secuela padecida, calificada por la aseguradora Plus ultra como una cervicalgia residual, ha afectado a la actividad laboral ejercida antes del accidente.

Extracto del fundamento jurídico tercero y cuarto de la sentencia de la Audiencia Provincial de Murcia núm. 180/2020, de 13 de julio:

«TERCERO. Apela la Aseguradora Plus Ultra, S.A., alegando, en primer lugar, que se recurre el pronunciamiento por el cual se le condena a abonar indemnización a la actora por perjuicio moral por pérdida de calidad de vida leve al amparo del artículo 107 y siguientes de la Ley 35/2015 de 22 de septiembre, argumentando que el perjuicio por pérdida de calidad de vida leve se concede en dos supuestos, uno cuando la víctima padece secuelas en más de seis puntos y pérdida de la posibilidad de llevar a cabo actividades específicas que tengan especial trascendencia en su desarrollo personal, y otra cuando se limite o produzca la pérdida parcial de la actividad laboral o profesional que se venía ejerciendo, con independencia del número de puntos que se otorguen por secuelas, poniéndose de manifiesto por la apelante que existe contradicción en la resolución recurrida ya que, por un lado, se declara expresamente probado que las secuelas no le incapacitan en modo alguno, y, por otro, se concede el perjuicio moral leve por verse limitada la actividad laboral, añadiendo que la secuela consistente en algias cervicales, no limita en modo alguno, pues el propio informe de alta del médico que trató a la lesionada lo califica como una simple cervicalgia residual (documento número tres de la demanda), y los últimos 28 días que precisó tratamiento hasta la estabilización lesional, fueron no impeditivo y de perjuicio básico. Se solicita el que se declare no haber lugar a la indemnización a favor de la actora de la cantidad de 1500 euros que se conceden por perjuicio moral por pérdida de calidad de vida leve, manteniendo el resto de los pronunciamientos. CUARTO. En cuanto al recurso de apelación interpuesto por la Aseguradora Plus Ultra, S.A., debe ser desestimado en base a los acertados razonamientos contenidos en el fundamento de derecho cuarto, párrafo cuarto y siguientes, de la sentencia dictada en la instancia, exponiendo aquellos extremo en que la lesionada ha perdido calidad de vida por las secuelas en cuanto base del perjuicio moral concedido, de manera que con apoyo en los artículos 107 y 108 de la Ley 35/2015, habiéndose concedido el leve, que es el solicitado, procede».

En otras ocasiones, como en sentencia de la Audiencia provincial de Barcelona, núm. 192/2020, de 08 de julio la juzgadora no admite el perjuicio moral leve por pedida de la calidad de vida al considerar que la secuela de cervicalgia a la vista de los informes de seguimiento de la lesión, no consta probado que al lesionado le haya quedado dicha secuela, pues en dichos informes se refiere a simples molestias, lo que en modo alguno puede constituir una secuela.

En consecuencia, dada la disparidad de criterios lo cierto es que la jurisprudencia menor ha venido a establecer una doble requisito para estimar el perjuicio moral leve por pérdida de la calidad de vida:

A) Pérdida de la posibilidad de llevar a cabo actividades específicas que tengan especial transcendencia en su desarrollo personal.

B) Acreditación de más de seis puntos de secuelas.

Argumentación recogida en la SAP de Ciudad Real, núm. 360/2020, de 17 de junio:

> «(…) Basta con atender a una interpretación literal, lógica y sistemática del precepto para concluir que el reconocimiento de dicha indemnización en grado leve exige un doble requisito consistente, por un lado, en la pérdida de la posibilidad de llevar a cabo actividades específicas que tengan especial trascendencia en su desarrollo personal, y por otro, en la acreditación de más de seis puntos de secuelas. En efecto, al igual que el precepto excluye y no resulta resarcible el perjuicio moral por pérdida de calidad de vida de los lesionados con secuelas que no alcancen los siete puntos, aun cuando le impidan realizar actividades específicas que tengan especial trascendencia en su desarrollo personal, lo que ciertamente puede chocar con el principio de indemnidad, si obtenida dicha puntuación no se demuestra que acontecen dichas limitaciones, tampoco se es tributario de las mismas al ser requisitos acumulativos. A mayor abundamiento obsérvese que en el inciso final se reconoce como perjuicio leve, en contraposición a lo ya expuesto, al perjuicio moral por la limitación o pérdida parcial de la actividad laboral o profesional que se venía ejerciendo con independencia del número de puntos que se otorguen a las secuelas, lo que no hace sino avalar lo razonado de que se trata de una doble exigencia. Descartada, por ende, la interpretación que propugna la parte apelante del citado precepto al ser contra legem y no cuestionándose que en ese extremo que existe un auténtico déficit probatorio, el motivo ha de ser rechazado máxime cuando al respecto la única referencia la encontramos en el dictamen pericial del Doctor Esteban, quién se limita a efectuar una alegación genérica al señalar que existen limitaciones en algunas actividades de ocio y deportivas, que ni siquiera concreta ni especifica, lo que resulta insuficiente no solo en orden a acreditar su existencia sino para proceder a su cuantificación».

En otro orden de cosas, tras probar la existencia del perjuicio en grado leve es preciso fijar la cuantía. El artículo 109 de la L 35/2015 contiene las cantidades que corresponden a cada uno de los grados del perjuicio (en este caso, el leve). Se cuantifica mediante una horquilla indemnizatoria que establece un mínimo y un máximo expresado en euros y los parámetros para la determinación de la cuantía del perjuicio son la importancia y el número de las actividades afectadas y la edad del lesionado (que determina la previsible duración del perjuicio). Para el perjuicio leve la horquilla indemnizatoria se mueve ente a horquilla se mueve entre 1.500 y 15.000 euros.

INDEMNIZACIONES POR SECUELAS

TABLA 2.B

Perjuicio personal particular

PERJUICIOS PARTICULARES	
1. Daños morales complementarios por perjuicio psicofísico	
Cuando una sola secuela alcanza al menos 60 puntos o el resultado de las concurrentes alcanza al menos 80 puntos.	De 19.200 € hasta 96.000 €
2. Daños morales complementarios por perjuicio estético	
Cuando alcanza al menos 36 puntos.	De 9.600 € hasta 48.000 €
3. Perjuicio moral por pérdida de calidad de vida ocasionada por las secuelas	
Muy Grave	De 90.000 € hasta 150.000 €
Grave	De 40.000 € hasta 100.000 €
Moderado	De 10.000 € hasta 50.000 €
Leve	De 1.500 € hasta 15.000 €
4. Perjuicio moral por pérdida de calidad de vida de los familiares de grandes lesionados	De 30.000 € hasta 145.000 €
5. Pérdida de feto a consecuencia del accidente	
Si la pérdida tuvo lugar en las primeras 12 semanas de gestación	15.000 €
Si la pérdida tuvo lugar a partir de las 12 semanas de gestación	30.000 €
6. Perjuicio Excepcional	Hasta 25%

Ahora bien, ¿cómo vamos a cuantificar ese perjuicio moral en grado leve?

El propio baremo, en su artículo 109, ofrece unos parámetros o pautas para determinar la indemnización correspondiente. Sin embargo, a pesar de establecer unos criterios orientativos, no existe una cantidad asociada para cada grado sino una horquilla con un máximo y un mínimo. En ausencia de una regla o criterio objetivo lo que acontece es la aleatorio o fortuna a la hora de obtener la indemnización por este perjuicio. Cualquier cantidad es válida siempre y cuando se encuentre en el abanico del perjuicio de que se trate, ya sea leve, moderado, grave o muy grave:

Artículo 109. Medición del perjuicio por pérdida de calidad de vida.

1. Cada uno de los grados del perjuicio se cuantifica mediante una horquilla indemnizatoria que establece un mínimo y un máximo expresado en euros.

2. Los parámetros para la determinación de la cuantía del perjuicio son la importancia y el número de las actividades afectadas y la edad del lesionado que expresa la previsible duración del perjuicio.

3. El máximo de la horquilla correspondiente a cada grado de perjuicio es superior al mínimo asignado al perjuicio del grado de mayor gravedad precedente.

El criterio que muestra este precepto para medir el perjuicio pondera la importancia o relevancia y número de actividades afectadas así como la edad del lesionado. Cuanto más joven sea el lesionado, cuanto mayor sea su esperanza de vida mayor será el número e importancia de las actividades de desarrollo personal afectadas. De tal forma que la edad será determinante a la hora de establecer la indemnización por la duración del perjuicio.

De otra parte, llama la atención el solapamiento de las horquillas indemnizatorias. Éstas se solapan en su margen superior. De tal forma que un perjuicio moral leve en su escala máxima puede merecer una indemnización superior a uno moderado en su límite inferior.

El sector asegurador ha desarrollado diversas estrategias para declinar las peticiones de los lesionados por SLC. Es frecuente encontrarnos con pericias que tratan de probar, a veces lo consiguen, lesiones preexistentes al accidente (artrosis, degeneración articular). En otras ocasiones inciden en el monto indemnizatorio, considerando el principio jurisprudencial del enriquecimiento injusto.

Una vez examinada toda la problemática que surge con ocasión del perjuicio moral por pérdida de la calidad de vida tanto la dificultad probática de su existencia, como la calificación del grado y su reflejo en la cuantificación de la indemnización adjunto a continuación un escrito[5] o propuesta de reclamación del perjuicio moral por pérdida de la calidad de vida.

3. INFORME MÉDICO DE VALORACIÓN DEL DAÑO CORPORAL

3.1. Consideraciones generales

El informe médico es el verdadero protagonista del Baremo, ya que sin esta pericia resulta infructuoso cualquier ejercicio valorativo. No existe una definición médico legal incuestionable de lo que podremos entender como informe médico. No obstante, algunas normas como es el caso del artículo 3 de la Ley 41/2002, de 14 noviembre, básica reguladora de la autonomía del paciente y de derechos y obligaciones en materia de información y documentación, especifica el significado de algunos términos utilizados en el ámbito sanitario (certificado médico, documentación clínica, historia clínica, informe de alta médica, etc.). En una primera aproximación, podríamos decir que se trata de un documento médico legal realizado por un especialista donde se recoge toda la información médica relevante al objeto de establecer una valoración objetiva del cuadro clínico que presenta la víctima. Según la Organización Médica Colegial (OMC) un Informe médico es el documento mediante el cual el médico responsable de un paciente, o el que lo ha atendido en un determinado episodio asistencial, da a conocer aspectos médicos

---

(5)   Anexo número 2.

relacionados con los trastornos que sufre, los métodos diagnósticos y terapéuticos aplicados, y, si procede, las limitaciones funcionales que se puedan derivar. Sirve para dejar constancia de un estado de salud, incluso anterior al de la fecha de petición; por tanto su vigencia no está limitada a un período de tiempo. Su petición puede estar vinculada a motivos de interés particular o de orden legal o público.

Se expide a instancia de parte o de oficio por la autoridad judicial en todo tipo de procedimientos de familia, de incapacidad, laborales, derivados de accidentes de tráfico, entre otros. En este documento se dan a conocer patologías psicofísicas, secuelas funcionales, métodos diagnósticos y terapéuticos, teniendo presente el estado anterior a la solicitud (historia clínica).

Cabe distinguir varios tipos de informes médicos de valoración del daño corporal. Si tenemos en cuenta el momento en el que se expiden podemos hablar de informes forenses extrajudiciales o judiciales, en cambio, si el criterio no es el temporal sino por quien los solicita tendremos informes a instancia de parte (propuestos por la parte perjudicada) o de oficio.

Estas diferencias, salvo en algunos casos de especial relevancia, no son tales si nos ceñimos al facultativo que los emite y al contendió de los mismos. Es cierto que unos y otros incorporan, como hemos visto, distintas pruebas de imagen (resonancia magnética, ecografía, prueba radiológica, entre otros) sin embargo no es menos cierto que no todos los informes requieren de este tipo de pruebas. Por tanto, dependiendo de la inmediatez del informe (asistencial: primera asistencia médica en centro sanitario) y del alcance de las lesiones (informe de valoración del daño corporal: lesiones temporales y secuelas) será necesario una u otra prueba para detallar el alcance y afección de la lesión.

El contenido del informe médico asistencial, como primer informe al que tiene acceso el lesionado, recoge una información clínica trascendental para su posterior estudio a la hora de evacuar el informe de seguimiento. Resulta comúnmente aceptado por la comunidad hospitalaria que el informe médico, ya sea asistencial (A) o de seguimiento (B), debe de realizarse respetando unos estándares mínimos de calidad.

A. Contenido del informe asistencial (informe cínico de urgencias):

1. Datos personales del lesionado

— Nombre y apellidos.

— Fecha de nacimiento.
— Edad, sexo, número DNI/NIF, núm. ASS.
— Domicilio.
— Población, fecha del accidente.
— Servicio médico.
— Tipo de consulta.
— Núm. Expe.

2. Antecedentes

3. Historia actual

4. Exploración física

5. Resumen de pruebas complementaria

6. Evolución y comentarios

7. Diagnostico principal

8. Tratamiento

— Fármacos.
— Recomendaciones.

9. Otras recomendaciones al alta

10. Firma del especialista/facultativo/médico

B. Contenido del informe médico de seguimiento

1. Datos personales

2. Datos médicos

— Anamnesis.
— Diagnóstico inicial.
— Tratamiento inicial.
— Ingresos hospitalarios.
— Mecanismo lesional.
— Antecedentes personales.
— Situación actual.
— Exploración.

3.2 Régimen jurídico

La regulación legal del informe médico ha experimentado algunos cambios, en cierto modo, significativos a raíz de la publicación de la L 35/2015. No es que el anterior baremo dejara fuera de juego al contenido de los informes, sino que aun siendo más o menos impredecibles no contemplaban los principios fundamentales del sistema de valoración del artículo 33.

El artículo 37 de la L 35/2015 destaca la relevancia del informe médico para la determinación de las lesiones temporales y las secuelas para lo cual tendrá que ajustarse a la reglas del sistema. Asimismo, el legislador ha previsto un deber de colaboración mutua entre lesionado y asegurador. De tal forma que esa simbiosis entre ambos permitan el seguimiento y evolución del cuadro lesional. Toda la documentación médica generada durante transcurso del tratamiento clínico será entregada tanto a la aseguradora, como al lesionado. Los servicios médicos que se encarguen de llevar a cabo la exploración y seguimiento de las afecciones del perjudicado emitirán un informe médico definitivo.

El compromiso para la elaboración del informe médico no vacila en considerar la nulidad de la oferta motivada cuando ésta no incluya dicho informe. Así lo prevé el artículo 7.3.c).

Artículo 7. Obligaciones del asegurador y del perjudicado.

3. Para que sea válida a los efectos de esta Ley, la oferta motivada deberá cumplir los siguientes requisitos:

c) Contendrá, de forma desglosada y detallada, los documentos, informes o cualquier otra información de que se disponga para la valoración de los daños, **incluyendo el informe médico definitivo**, e identificará aquéllos en que se ha basado para cuantificar de forma precisa la indemnización ofertada, de manera que el perjudicado tenga los elementos de juicio necesarios para decidir su aceptación o rechazo.

El legislador incide en la importancia del informe médico en otros artículos en los que alude a este documento para justificar todo tipo de perjuicios y secuelas.

En atención a las secuelas derivadas del traumatismo cervical menor llama la atención que el legislador incida de manera especial en la necesidad del informe médico en este tipo de lesión. Solo se indemnizaran las secuelas si así lo establece un informe médico concluyente.

Artículo 135. Indemnización por traumatismos menores de la columna vertebral.

2. La secuela que derive de un traumatismo cervical menor se indemniza sólo si un informe médico concluyente acredita su existencia tras el período de lesión temporal.

Artículo 113. Gastos previsibles de asistencia sanitaria futura.

6. La periodicidad y cuantía de los gastos de asistencia sanitaria futura deberán acreditarse mediante el correspondiente informe médico de conformidad con las secuelas estabilizadas de las lesiones.

Artículo 115. Prótesis y órtesis.

1. Se resarce directamente al lesionado el importe de las prótesis y órtesis que, por el correspondiente informe médico, precise el lesionado a lo largo de su vida.

2. La necesidad, periodicidad y cuantía de los gastos de prótesis y órtesis futuras deberán acreditarse mediante el correspondiente informe médico desde la fecha de estabilización de las secuelas.

Artículo 116. Rehabilitación domiciliaria y ambulatoria.

1. Se resarce directamente al lesionado el importe de los gastos de rehabilitación futura que, por el correspondiente informe médico, precise el lesionado en el ámbito domiciliario o ambulatorio respecto de las secuelas a que se refieren las letras a), b) y c) del apartado 3 del artículo 113, después de que se produzca la estabilización.

2. La necesidad, periodicidad y cuantía de los gastos de rehabilitación futura deberán acreditarse mediante el correspondiente informe médico desde la fecha de estabilización de las secuela.

Artículo 117. Ayudas técnicas o productos de apoyo para la autonomía personal.

1. Se resarce directamente al lesionado el importe de las ayudas técnicas y los productos de apoyo para la autonomía personal que, por el correspondiente informe médico, precise el lesionado a lo largo de su vida por pérdida de autonomía personal muy grave o grave, con un importe máximo fijado en la tabla 2.C para este tipo de gastos.

2. La necesidad, periodicidad y cuantía de las ayudas técnicas y de los productos de apoyo para la autonomía personal deberán acreditarse mediante el correspondiente informe médico desde la fecha de estabilización de las secuelas.

Con ocasión de la L 35/2015, sirviéndose de la labor que desarrollan los Institutos de Medicina Legal y Ciencias Forenses de emitir informes y dictámenes a solicitud de los particulares se aprueba el Real Decreto 1148/2015, de 18 de diciembre, por el que se regula la realización de pericias a solicitud de particulares por los Institutos de Medicina Legal y Ciencias Forenses, en las reclamaciones extrajudiciales por hechos relativos a la circulación de vehículos a motor.

Su objeto principal viene regulado en el artículo 1: regular el procedimiento para solicitar informes periciales a los Institutos de Medicina Legal y Ciencias Forenses (en adelante IMLCF) en los términos previstos en el artículo 7 del Texto Refundido de la Ley sobre responsabilidad civil y seguro en la circulación de vehículos a motor, aprobado por el Real Decreto Legislativo 8/2004, de 29 de octubre.

b) Establecer un procedimiento común para la elaboración de los informes periciales por los IMLCF.

c) Fijar un precio público como contraprestación de la pericia.

Al margen de la legislación específica de desarrollo (L 35/2015) que regula la trascendencia del informe médico es preciso destacar su puesta en escena dentro del proceso, ya sea civil o penal. Es aquí, en la vía judicial dónde el informe médico se convierte en la prueba pericial médica. Está se puede definir como el conjunto de actuaciones médicas a través de la cuales se advierte o asesora al órgano judicial sobre alguna cuestión científica y técnica de esta naturaleza.

Su regulación viene recogida en Título IV «De la Instrucción», Capítulo VII «Del informe pericial», artículos 456 a 485 la LECrim. Así como en la Capítulo VI. «De los medios de prueba y las presunciones». Sección V, «Del Dictamen de peritos», artículos 335 a 352 de la LECiv. En el mismo sentido, por lo que se refiere a la actuación de los peritos médicos: artículo 62 del Código de Deontología Médica.

3.2.1 Contenido del informe médico

Inmiscuidos en la singularidad del informe médico que plantea la L 36/2015 no debemos pasar por alto que se trata de un documento reglado. Quiere ello decir el facultativo a la hora de evacuar el informe debe de seguir lo pautado por la ley. En el caso del informe forense realizado por el especialista en Medicina Forense y Legal éste debe precisar, como mínimo, la temporalidad y el grado de gravedad de las lesiones que sufre el perjudicado (Tabla 3. A y 3. B del Baremo) y las secuelas que puedan derivarse de esas lesiones (Tabla 2. A. 1). Existen otros perjuicios de índole económico (daño emergente/lucro cesante) y moral que en ningún caso van a formar parte de este documento médico-legal.

No obstante, me voy a centrar en el informe realizado por las aseguradoras con ocasión del mandato legal esgrimido por los artículos 7 y 37 de la L 35/2015 o bien en el informe privado, de parte que encarga el perjudicado a un facultativo especialista en valoración del daño corporal. La característica principal, la que lo diferencia del resto es la exhaustividad de las partidas indemnizatorias, teniendo presente cualesquiera circunstancias personales, familiares, sociales y económicas de la víctima, incluidas las que afectan a la pérdida de ingresos y a la pérdida o disminución de la capacidad de obtener ganancias. En este aspecto me ceñiré, para no extenderme demasiado, en los supuestos de traumatismos leves cervicales.

Por todo ello, a diferencia del informe asistencial, un informe médico debe de estructurarse de forma siguiente:

1. **Datos del médico valorador del daño personal.**

　　1.1. Nombre y apellidos, núm. Coleg.

　　1.2. Titulación.

　　1.3. Contacto.

2. **Identificación del solicitante.**

　　2.1. Abogado.

　　2.2. Procurador.

　　2.3. Particular.

　　2.4. Aseguradora.

　　2.5. Mutua.

　　2.6. Tutor legal.

　　2.7. Órgano judicial.

　　2.8. Otros.

3. **Filiación del lesionado.**

　　3.1. Nombre y apellidos.

　　3.2. Fecha de nacimiento.

　　3.3. Edad, sexo, número DNI/NIF.

　　3.4. Domicilio.

　　3.5. Contacto.

4. **Objeto del informe** (traumatismo leve en región cervical).

5. **Relación de las pruebas, informes o fuentes consultadas sobre las que se apoya el estudio.**

6. **Anamnesis y examen clínico.**

6.1. Historial clínico, antecedentes médicos.

6.2. Situación actual.

6.2.1. Correlación cronológica de los hechos.

6.3. Documentos aportados por el lesionado.

6.4. Mecanismo lesional y asistencias recibidas.

7. **Valoración médico legal.**

7.1. Imputabilidad y nexo causal[6].

8. **Situación clínica actual.**

9. **Diagnóstico.**

9.1. Valoración según Baremo.

9.1.1. Lesiones temporales.

9.1.1.1. Perjuicio personal básico.

9.1.1.2. Perjuicio personal particular.

9.1.1.2.1. Muy Grave.

9.1.1.2.2. Grave.

9.1.1.2.3. Moderado.

9.1.2. Estabilidad lesional.

9.1.2.1. Evolución de las secuelas (puntos).

9.1.2.1.1. Baremo médico.

9.1.2.1.1.1. Código 03005 Algias postraumáticas crucificadas y/o síndrome cervical asociado y/o agravación de artrosis previa. Con un rango de 1 a 5 puntos.

9.1.3. Perjuicios causados al lesionado.

9.1.3.1. Perjuicio moral por pérdida de la calidad de vida ocasionado por las secuelas.

9.1.3.1.1. Leve.

---

(6)   El nexo de causalidad es un concepto médico y, a su vez, jurídico-legal utilizado para determinar la compatibilidad entre las lesiones sufridas en un accidente de circulación y el tipo de impacto sufrido en el siniestro por los ocupantes y el propio vehículo. GATIUS CASABÓN. M.: *La falta de nexo causal en la Ley 35/2015*. Editorial Sepín jurídico. Artículo Monográfico. Abril 2018.

10. Conclusiones del informe y consejos de actuación.

11. Anexo de documentos.

12. Fecha y firma del facultativo/perito/especialista en valoración del daño corporal.

3.2.2 Clasificación

La regulación actual en materia de responsabilidad civil derivada de la circulación de vehículos a motor maneja distinta terminología para referirse al informe médico. Lo hace en clave de prueba pericial, ya sea extrajudicial o judicial. Tras la entrada en vigor del Baremo 2015 se ha observado una más que notable inclinación hacia la vía extrajudicial. La mayor parte de las reclamaciones derivadas de accidentes de circulación se acaban resolviendo por el cauce del acuerdo privado entre las partes. Aseguradoras y perjudicados inician y finalizan la reclamación sirviéndose del artículo 7 del Texto Refundido de la Ley sobre responsabilidad civil y seguro en la circulación de vehículos a motor, aprobado por el RDLeg 8/2004, de 29 de octubre. Como he venido repitiendo hasta la saciedad, el informe médico es sin lugar a dudas el documento más importante. Tanto es así que si la oferta motivada no incluye el informe será inválida, por incumplimiento de la aseguradora.

A) Vía extrajudicial:

1. Informe médico asistencial.

La ley no lo cita expresamente pero se refiere a este tipo de asistencia médica en el artículo 7.1 de LRCSCVM. El perjudicado en la reclamación extrajudicial deberá de adjuntar la información médica asistencial de que disponga para cuantificar el daño. Aquí se incluyen todos los informes realizados por facultativos o por los servicios médicos o centros que han atendido a la víctima al objeto de establecer el diagnóstico, tratamiento terapéutico o rehabilitador.

1. Informe pericial privado.

Se trata de un informe con, al menos, tres características singulares. De una parte, recaba y analiza toda la información que contienen los informes asistenciales; de otra, sin haber practicado ninguna actuación médica propiamente dicha sobre el perjudicado determina la existencia y alcance de los daños corporales al objeto de fijar la indemnización. Por último, debe de ser evacuado o elaborado por un experto en valoración del daño corporal al que recurre el perjudicado.

En otras ocasiones es el asegurador el que solicita un informe médico privado en aquellos casos en que la información aportada por el perjudicado en su informe es considerada insuficiente para la cuantificación del daño (art. 7.2 LRCSCVM en relación con el artículo 37.2 del mismo cuerpo legal).

1.1. Informe médico definitivo.

Concepto introducido por el legislador en el precepto 7.3. c) de la LRCSCM en relación a la oferta motivada. Hasta el punto considerar la no validez de la oferta que no vaya acompañada de un informe médico definitivo. Este documento debe valorar las secuelas, las lesiones temporales y todas sus consecuencias personales. En el mismo sentido se pronuncia el artículo 7.4. b) de la LRCSCVM a la hora de acreditar las razones por las que la aseguradora no da una oferta motivada.

Todo ello con la repercusión que prevé el artículo 7.2 de la LRCSCVM: efectos en el devengo de interés moratorio.

1.2. Informe pericial complementario.

Se trata de un informe imparcial o dictamen médico-legal emitido por el Instituto de Medicina Legal y Ciencias Forenses sobre la base del emitido por los servicios médicos de la aseguradora. Conviene aclarar que este informe del Instituto de Medicina Legal tiene como objeto examinar si la oposición del perjudicado al informe médico definitivo está justificada o no. Quiere ello decir que poco o nada sustancial resulta esta pericia para el perjudicado, ya que en ocasiones establece una indemnización inferior a la de partida.

Lo establece el artículo 7.5 de la LRCSCVM:

5. En caso de disconformidad del perjudicado con la oferta motivada, las partes, de común acuerdo y a costa del asegurador, podrán pedir informes periciales complementarios, incluso al Instituto de Medicina Legal siempre que no hubiese intervenido previamente.

Esta misma solicitud al Instituto de Medicina Legal podrá realizarse por el lesionado aunque no tenga el acuerdo de la aseguradora, y con cargo a la misma. El Instituto de Medicina Legal que deba realizar el informe solicitará a la aseguradora que aporte los medios de prueba de los que disponga, entregando copia del informe pericial que emita a las partes.

Asimismo, el perjudicado también podrá solicitar informes periciales complementarios, sin necesidad de acuerdo del asegurador, siendo los mismos, en este caso, a su costa.

Esta solicitud de intervención pericial complementaria obligará al asegurador a efectuar una nueva oferta motivada en el plazo de un mes desde la entrega del informe pericial complementario, continuando interrumpido el plazo de prescripción para el ejercicio de las acciones judiciales. En todo caso, se reanudará desde que el perjudicado conociese el rechazo de solicitud por parte del asegurador de recabar nuevos informes.

Los aspectos relativos a la solicitud y procedimiento se reglamentan a través del Real Decreto 1148/2015, de 18 de diciembre, por el que se regula la realización de pericias a solicitud de particulares por los Institutos de Medicina Legal y Ciencias Forenses, en las reclamaciones extrajudiciales por hechos relativos a la circulación de vehículos a motor.

1.3. Informe médico concluyente.

Aquel informe cuya finalidad es acreditar la existencia de una secuela derivada de un traumatismo cervical menor tras el tiempo de la lesión temporal. Por lo general el artículo 135.2 de la LRCSCVM considera a los traumatismos menores de la columna vertebral como lesiones temporales. Ahora bien, su conversión en secuelas debe de acreditarse a través de un informe médico concluyente.

La L 35/2015 no prevé cual es el contenido o qué se debe de entender por concluyente. Tampoco la práctica jurídica ayuda a descifrar este enigma. Estamos ante lo que se ha calificado como un concepto jurídico indeterminado que ha provocado ríos de tinta[7]. No hay por tanto una definición precisa de este término legal. Una cuestión que pasa desapercibida por el legislador aunque no sería un tema que le correspondiese a éste. En este sentido podrían os echar mano al comité de expertos que se encargan de elaborar la guida de buenas prácticas para una aplicación lógica del Baremo. La cuestión es baladí si tenemos en cuenta la repercusión económica que supone a los perjudicados por traumatismos leves de la columna cervical.

---

(7) MAGRO SERVET, V.: «El informe médico concluyente, informe médico definitivo e informe pericial en la siniestralidad vial adicionado al parte forense tras la LO 2/2019, de 1 de marzo». *Tráfico y seguridad vial*, núm. 243. Madrid, 2019.
GALLARDO SAN SALVADOR, N.: «El informe médico concluyente». *Revista de la Asociación Española de Abogados Especializados en Responsabilidad Civil y Seguro*, núm. 57. Madrid, 2016. Pp. 49-56.
SOLERA CALLEJA, I.:
— «La prueba biomecánica asume un significativo componente estadístico que puede no alcanzar el grado de completud probatoria. En cuanto a las secuelas, la Ley exige un «informe médico concluyente» y no puede tenerse por tal la apreciación de limitaciones de movilidad del informe médico aportado: SAP de Madrid (Secc. 11ª) de 11 de abril de 2018, sentencia 119/2018». *Revista de responsabilidad civil, circulación y seguro*, núm. 7. Madrid. Pp. 61-62.

La comunidad médica aduce entre otras cuestiones que la medicina no es una ciencia exacta. No puede certificar al cien por cien la existencia de secuelas en lesiones leves cervicales. En el mismo sentido, no puede sostener que con el tiempo no aparezca una secuela como el dolor crónico muy frecuente en este tipo de traumatismos.

Por tanto, una aproximación a informe médico concluyente nos revela un informe de calidad, exhaustivo, completo y que siga al pie de la letra lo que prevé el Baremo. Suscrito por un profesional médico con experiencia en la valoración del daño corporal. Que contemple un decálogo de apartados como el que se relaciona a continuación:

1. Objeto del informe.
2. Fuentes consultadas.
3. Mecanismo lesional.
4. Primer diagnóstico o anamnesis.
5. Tratamiento inicial.
6. Seguimiento o control de la evolución
7. Estado final.
8. Estudio del nexo de causalidad.
9. Valoración del daño corporal ajustado a los parámetros de la L 35/2015.
10. Desglose de los criterios seguidos con puntuación de las secuelas.
11. Anexos con pruebas de imagen.

La jurisprudencia se ha pronunciado acerca del informe médico concluyente. Lo han hecho entre otras en las sentencias: AP Sevilla 76/2020, de 25 de octubre, AP de Palma de Mallorca 732/2020, de 16 de marzo, AP de Zaragoza 81/2020, de 13 de marzo, AP de Madrid 404/2020, de 9 de marzo.

— «Análisis judicial sobre el alcance y significado del término «concluyente» previsto en el apartado 2 del artículo 135 de la LRCSCVM. Necesidad de informe médico concluyente. Se estima el recurso del perjudicado contra la sentencia que había desestimado la secuela derivada de un traumatismo menor de columna.: SAP de Murcia de 30 de septiembre de 2019». *Revista de responsabilidad civil, circulación y seguro*, núm. 1,2020, Madrid. Pp. 50-52.
— «Se desestima la reclamación de secuelas, al no haber aportado un informe médico concluyente en los términos exigidos en el artículo 135 de la Ley 35/2015, de 22 de septiembre: SAP de Bilbao (Secc.5ª) de 4 de diciembre de 2017, resolución 318/2017». *Revista de responsabilidad civil, circulación y seguro*, núm. 6. Madrid, 2018. Pp. 43-43.
— «El informe concluyente será el de alta, que pone fin al proceso de curación, cuando en él se consignan determinadas deficiencias residuales por parte del médico o el servicio que ha seguido la evolución de su tratamiento: SAP de Girona de 15 de mayo de 2020». *Revista de responsabilidad civil, circulación y seguro*, núm. 8. Madrid, 2020. Pp. 50-50.

Interesa el análisis que recoge la sentencia de la Audiencia provincial de Granada, núm. 908/2019, de 30 de diciembre y la en ella citadas sobre el contenido del informe médico concluyente. Fundamento jurídico cuarto *in fine*:

«Qué haya de entenderse por "informe médico concluyente" es una cuestión jurídicamente discutible, donde existen opiniones discrepantes. En la S.A.P. de Orense de 10 de octubre de 2018 el concepto de informe médico concluyente se relaciona no sólo con los criterios estrictos de causalidad genérica ex art. 135.1 del T.R. (de exclusión, cronológico, topográfico y de intensidad) sino con marco probatorio "estricto". En S.A. P. de Cáceres de 26 de septiembre de 2018, se expresa que con el <u>término concluyente</u> "el legislador ha querido exigir la determinación inequívoca de la existencia de secuelas derivadas de traumatismo cervical menor… el **referido término hay que entenderlo como sinónimo de informe médico definitivo, convincente, indiscutible, irrebatible, rotundo y categórico**. En S.A.P. de Valencia de 9 de julio de 2018, se indica que dicho término debe de entenderse como "informe médico que objetiva la realidad de las secuelas que son reclamadas". Y en S.A. P de Álava de 28 de junio de 2018, se indica que «el informe médico concluyente debe aclarar que existe un nexo causal, que la lesión surgió en un breve espacio de tiempo, y que está ubicada físicamente donde el paciente recibió el golpe".

El artículo 11 del Real Decreto 1148/2015, de 18 de diciembre, por el que se regula la realización de pericias a solicitud de particulares por los Institutos de Medicina Legal y Ciencias Forenses, en las reclamaciones extrajudiciales por hechos relativos a la circulación de vehículos a motor, dice, respecto del contenido del informe, lo siguiente:

1. El informe se ajustará a las reglas y sistema recogido en el Texto Refundido de la Ley sobre responsabilidad civil y seguro en la circulación de vehículos a motor.
2. Dicho informe contendrá como mínimo:

a) La identificación de la víctima lesionada, la entidad aseguradora y el perito o los peritos del IMLCF responsables.

b) La información relevante del accidente.

c) La información médica de la víctima lesionada en la que se basa el informe, con indicación precisa, en su caso, de las fuentes, documentos y pruebas realizadas.

d) La determinación y medición de las secuelas y de las lesiones temporales con todos sus perjuicios indemnizables que requieran valoración médica, de acuerdo con la solicitud realizada.

e) Lugar, fecha y hora de la exploración.

Utilizando este parámetro, podemos considerar que un informe pericial médico de parte emitido por un profesional médico y que se ajuste al contenido recogido en dicho artículo 11 puede ser considerado como un informe médico concluyente.

B) Vía judicial (proceso judicial):

1. Informe forense *ab initio*.

Aquí juega un papel destacado la denuncia del perjudicado. Llave jurídica que abre la puerta para conseguir la pericia médica. Utilizada con el fin de poner en conocimiento de la autoridad judicial unos hechos presuntamente constitutivos de infracción penal. Justamente antes de la reforma operada por la Ley Orgánica 1/2015, de 30 de marzo, por la que se modifica la Ley Orgánica 10/1995, de 23 de noviembre, del Código Penal era el medio del que se servía el lesionado para obtener una valoración objetiva de los daños corporales que presentaba. No eran pocas las ventajas de este informe forense, ya que a parte de su gratuidad suponía un hecho notorio la contundencia que revelaba en la negociación entre la aseguradora y el perjudicado.

Después de la entrada en vigor de esta norma, tras esa primera etapa, pasamos a una intermedia en la cual se cercena la posibilidad de obtener un informe forense con ocasión de las lesiones derivadas del siniestro vial, salvo casos especialmente graves. Circunstancia que fue objeto de un sinfín de quejas canalizadas fundamentalmente por las asociaciones de víctimas y que hizo suyas la Fiscalía de Seguridad Vial: las víctimas por hechos menos graves tenían demasiados problemas para acreditar sus lesiones, la vulnerabilidad económica de los perjudicados seguía siendo un obstáculo a la hora de obtener la pericia médica que no fuera otra que el informe forense, no se admitían denuncias por lesiones del artículo 147.1 del Código penal salvo que concurriera imprudencia grave.

Todo este ambiente enrarecido provoca que a partir de la última reforma del Copio penal, en virtud de la Ley Orgánica 2/2019, de 1 de marzo, de modificación de la Ley Orgánica 10/1995, de 23 de noviembre, del Código Penal, en materia de imprudencia en la conducción de vehículos a motor o ciclomotor y sanción del abandono del lugar del accidente lleguemos a un punto intermedio, un estadio donde se conjuga el tipo de imprudencia con el resultado lesivo.

Artículo 152 del Código penal.

2. El que por **imprudencia menos grave** causare alguna de las lesiones a que se refieren los artículos 147.1, 149 y 150, será castigado con la pena de multa de tres meses a doce meses.

Si los hechos se hubieran cometido utilizando un vehículo a motor o un ciclomotor, se podrá imponer también la pena de privación del derecho a conducir vehículos a motor y ciclomotores de tres meses a un año. **Se reputará imprudencia menos grave**, cuando no sea calificada de grave, siempre que el hecho sea consecuencia de una infracción grave de las normas sobre tráfico, circulación de vehículos a motor y seguridad vial, apreciada la entidad de esta por el Juez o el Tribunal.

En la actualidad, cualquier infracción grave del artículo 76 Real Decreto Legislativo 6/2015, de 30 de octubre, por el que se aprueba el Texto Refundido de la Ley sobre Tráfico, Circulación de Vehículos a Motor y Seguridad Vial puede ser considerada como imprudencia menos grave.

Teniendo presente lo anteriormente expuesto, resulta poco probable que un traumatismo menor de la columna cervical (art. 147.1 CP), por sí solo, pueda llamar a la puerta del juzgado de instrucción para incoar un procedimiento penal (delito leve/lesiones por imprudencia/diligencias previas procedimiento abreviado) y con ello conseguir la pericia forense. La imprudencia menos grave como factor desencadénate de un accidente del que puedan derivar lesiones cervicales leves.

Artículo 147.1 del Código penal.

1. El que, por cualquier medio o procedimiento, causare a otro una lesión que menoscabe su integridad corporal o su salud física o mental, será castigado, como reo del delito de lesiones con la pena de prisión de tres meses a tres años o multa de seis a doce meses, siempre que la lesión requiera objetivamente para su sanidad, además de una primera asistencia facultativa, tratamiento médico o quirúrgico. La simple vigilancia o seguimiento facultativo del curso de la lesión no se considerará tratamiento médico.

Aunque el caso que expongo a continuación no corresponde a un traumatismo menor de la columna vertebral, sino con una lesión leve en una extremidad superior (hombro) puede servir de ejemplo a la vista de lo reproducido hasta aquí.

Se trata de un atropello a peatón aislado, a escasísima velocidad, prácticamente el vehículo estaba parado, reanudaba lentamente la macha para ejecutar una maniobra de giro a la derecha. En ese momento golpea levemente al peatón y éste cae sobre la calzada. Como consecuencia del golpe sufre lesiones leves, entre ellas una contusión en el hombro.

A raíz del accidente se interpuso la correspondiente denuncia en el Juzgado de Guardia para con ello abrir la vía penal y conseguir algunas de las «ventajas» que conlleva ese procedimiento, entre ellas el informe forense.

El seguimiento de la lesión coincide con la etapa más crítica de la pandemia por Sars Cov-2. Esta circunstancia de fuerza mayor ocasiona una relajación en el tratamiento, podríamos decir abandono del mismo por los servicios médicos de la aseguradora responsable. Mientras tanto el hombro reduce su movilidad, hasta el punto de diagnosticarle «hombro congelado».

La denuncia penal causa el efecto deseado, que no fue otro que la revisión de la lesión por médico forense. Bien, dada de alta por éste facultativo se obtuvo el informe. Sin embargo, pasados unos días el Juzgado de instrucción decreta auto el sobreseimiento provisional de la causa al no estar debidamente justificado el delito, según los artículos 641.1 y 779.1. 1ª de la LECrim.

Aquí quería llegar, tenemos informe pero no tenemos pleito penal. Mi pregunta, ¿se ha obtenido lo que se perseguía? Todo parece indicar que sí. No queremos ir más allá. Tenemos el informe forense y con eso es suficiente.

2. Informe forense *ab intra*

Pericia que prevé el artículo 339 de la LECiv., solicitada por las partes o bien por el propio órgano judicial. Es frecuente que de contrario se pida como prueba una pericial, bien por sus servicios médicos, bien por designación judicial.

4. ASPECTOS CONTROVERTIDOS DEL INFORME FORENSE EXTRAJUDICIAL

Lo deseable es que este informe sea accesible para la víctima tras la primera asistencia sanitaria. Al igual que sucede con el deber de colaboración con la aseguradora, el Real Decreto 1148/2015, de 18 de diciembre, por el que se regula la realización de pericias a solicitud de particulares por los Institutos de Medicina Legal y Ciencias Forenses, en las reclamaciones extrajudiciales por hechos relativos a la circulación de vehículos a motor debería prever la opción de solicitar la evaluación y seguimiento de las lesiones desde un primer momento.

No hace falta estar muy instruido en la materia para deducir la perversión jurídica imbricada en la norma que regula la solicitud del informe en relación con la LRCSCVM.

Se trata de un informe *ex post* que se sustancia sobre la base de lo que otros profesionales, designados por la propia aseguradora responsable del daño, han establecido a través de la oferta motivada. La función del forense como ya hemos apuntado se reduce a comprobar si ese informe de parte se ajusta a los parámetros del Baremo. Si esa subjetividad inicial sigue siéndolo a término. No esperemos grandes diferencias entre el informe de la aseguradora y el informe extrajudicial. En ocasiones, existen diferencias, eso sí a la baja; y si las hay éstas no son vinculantes para la aseguradora. Aún más, ni tan si quiera podemos citar al forense para acudir a la vista oral. Y por si fuera poco tampoco tienen autoridad para proponer nuevas pruebas médicas. Entonces, ¿qué pantomima es ésta?, ¿a dónde queremos llegar?

¿Cómo explicar a un cliente que el informe forense extrajudicial solicitado por desavenencias con la aseguradora es notablemente inferior en calidad y objetividad al que ya posee el lesionado?

Esta problemática sigue siendo el caballo de batalla de las indemnizaciones reclamadas por las víctimas que deciden utilizar esta vía para encauzar su reclamación.

Lo cierto es que vistas así las cosas, lo más aconsejable es recurrir a la pericia privada y prescindir del informe extrajudicial. La literatura jurídica así lo entiende. No son pocas las voces que se decantan por iniciar un procedimiento al margen del informe forense extrajudicial.

Entiende, con buen criterio bajo mi humilde punto de vista, que el perito privado va a realizar una valoración y seguimiento de las lesiones en primera línea. Se presupone que al ser propuesto por la parte defenderá mejor nuestros intereses.

La reclamación no se dilatará en el tiempo como sucede con el informe extrajudicial. Su presencia en la vista está asegurada.

La única desventaja, si así la consideramos de partida será la económica que supone asumir los honorarios de la pericia privada, sin bien es cierto que en la actualidad no lo es tanto, ya que los despachos de abogados cuentan con un gabinete médico que ofrece varias posibilidades para minimizar esos costes.

5. EL DEBER DE SER RECONOCIDO POR LOS SERVICIOS MÉDICOS DEL EVENTUAL RESPONSABLE

Un deber de colaboración del lesionado que postula el legislador en el artículo 37.2 de la L 35/2015. El perjudicado debe prestar, desde la producción del daño, la colaboración necesaria para que los servicios médicos designados por cuenta del eventual responsable lo reconozcan y sigan el curso evolutivo de sus lesiones. No cumplir este debe constituye causa no imputable a la entidad aseguradora a los efectos de la regla 8ª del artículo 20 de la Ley de Contrato de Seguro, relativa al devengo de intereses moratorios.

No prestar la colaboración que exige este precepto, entendida como obligación recíproca, va en perjuicio de la parte débil, que no es otra que el lesionado. El deber de colaboración pasa por atender la cita o visita de los servicios médicos de la aseguradora responsable del siniestro.

Desde el momento en el cual el lesionado deje de cumplir esa obligación se cercena su derecho a exigir intereses moratorios del artículo 20 de la LCS. Situación de hecho que se podría presentar si pasados tres meses la aseguradora no emite una oferta motivada al carecer de información médica. Lo cierto es que la omisión o incumpliendo de este deber le va a suponer ciertos perjuicios, ya que además de no detener derecho a los intereses de demora su comportamiento provocará un retraso en la diligenciarían de la indemnización, máxime cuando estamos hablando de traumatismos menores de la columna vertebral.

El interés de la aseguradora no deja indiferente a nadie, dado que la primera atención médica a la víctima proporciona información esencial sobre los informes asistenciales. Algo nada desdeñable que les permite realizar una estimación económica del alcance de la reclamación.

A partir de aquí, si la aseguradora lo estimara oportuno podrá someter al lesionado a las pruebas complementarias que precise.

En consecuencia, no someterse al reconocimiento, exploración o vista médica de los servicios de la aseguradora responsable del eventual daño sería absurdo. Dicho de otra forma, si el espíritu de la ley persigue el justo resarcimiento de los perjuicios sufridos por las víctimas mediante el principio de reparación integra del daño no podemos oponernos al cumplimiento del deber de colaboración recíproco del lesionado respecto la aseguradora, y de ésta respecto del lesionado.

Mutatis mutandis, algo similar a lo que sucedía en el Derecho romano con los contratos innominados: *do ut facias,* doy para que hagas. Te presto mi cuerpo para que lleves a cabo el informe médico.

5.1. Obtención del consentimiento informado de la víctima para la realización de exámenes o pruebas

Requisito sin el cual no será posible obtener el informe forense extrajudicial. Todo ello en defensa de la confidencialidad de la información relacionada con la salud. El texto legal advierte la necesidad de obtener el consentimiento informado, de conformidad con el Ley 41/2002, de 14 de noviembre, básica reguladora de la autonomía del paciente y de derechos y obligaciones en materia de información y documentación clínica (L 41/2002).

Artículo 5 del RD 1148/2015. Consentimiento y colaboración activa [8].

1. Deberá recabarse el consentimiento informado de la víctima lesionada, de conformidad con la Ley 41/2002, de 14 de noviembre, básica reguladora de la autonomía del paciente y de derechos y obligaciones en materia de información y documentación clínica, para la exploración, para autorizar el acceso a la documentación de su historial clínico que sea de exclusivo interés en relación al accidente sufrido y para la realización de exámenes o pruebas complementarias cuando el médico forense los considere necesarios, así como para la cesión a la entidad aseguradora de los datos resultantes de dichos exámenes y pruebas.

En el caso de que la solicitud se haga de mutuo acuerdo y sea presentada por la entidad aseguradora, el IMLCF antes de realizar la pericia, se asegurará de la existencia de consentimiento por parte de la víctima lesionada, según los términos previstos en el párrafo anterior.

2. Tanto el sujeto perjudicado como la entidad aseguradora deberán colaborar activamente con el IMLCF, aportando la documentación necesaria y facilitando la realización de la pericia.

Todo ello en relación con el artículo 2 de la L 41/2002:

1. La dignidad de la persona humana, el respeto a la autonomía de su voluntad y a su intimidad orientarán toda la actividad encaminada a obtener, utilizar, archivar, custodiar y transmitir la información y la documentación clínica.

2. Toda actuación en el ámbito de la sanidad requiere, con carácter general, el previo consentimiento de los pacientes o usuarios. El consentimiento, que debe obtenerse después de que el paciente reciba una información adecuada, se hará por escrito en los supuestos previstos en la Ley.

---

(8)   Anexo número 3. Escrito otorgando consentimiento de interesado.

CAPÍTULO V

EL FRAUDE ASOCIADO AL SÍNDROME DEL LATIGAZO CERVICAL

1.   CONSIDERACIONES PREVIAS

Pese a los esfuerzos del sector asegurador por suavizar y neutralizar las tentativas de fraude que rodean al síndrome del latigazo cervical, aún no ha sido posible desarrollar un medio o sistema capaz de poner bajo sospecha la lesión cervical derivada del accidente de circulación, si bien es cierto que el sistema de valoración del daño «Baremo» está contribuyendo a disuadir las acciones fraudulentas.

Sigue latente en la sociedad la idea de asociar el traumatismo leve cervical derivado de la colisión por alcance con la obtención de una suma de dinero nada desdeñable, siendo el seguro del automóvil el canal del que se sirve la víctima, perjudicado o afectado[1] para alcanzar el resarcimiento del daño. Las expectativas creadas con anterioridad a la entrada en vigor en 2016 de la L 35/2015, no han respondido a lo que en principio se pensaba. Cierto sector apuntaba un éxito incuestionable en lo que al fraude se refiere. Todo ello, con ocasión de la reducción o merma que iban a sufrir los traumatismos menores de la columna vertebral. No podemos negar la el descenso notable en el *quuatum* indemnizatorio, lo cual no es óbice para que las aseguradoras sigan, indemnizando este cuadro lesional pero con ciertos matices. El efecto llamada sigue latente a pesar del recorte de las indemnizaciones.

De otra parte, el sector asegurador se ha irrogado atribuciones que marginan el merecido resarcimiento del daño lo que ha provocado una gestión arbitraria de los procedimientos extrajudiciales con la anuencia o consentimiento implícito del Ministerio de Medicina Legal y Ciencias Forenses.

---

(1)   Los conceptos de víctima y/o perjudicado no son coincidentes. Llamamos víctima a quien sufre directamente una lesión psicofísica o un daño en su patrimonio, y perjudicado a quienes no siendo las víctimas del accidente experimentan un daño moral o patrimonial como consecuencia del mismo. Vid. REGLERO CAMPOS, L. F.: *Accidentes de Circulación: Responsabilidad Civil y Seguro*. 4ª edición. Aranzadi Thomson. Navarra 2018.

2. SIGNIFICADO Y TIPOS DE FRAUDE

La definición del término fraude ha sido debatida por los autores. Sin embargo, todas las aproximaciones o intentos de conceptualizar el fraude contienen un intento de engaño, falsificación, o simulación con el fin de obtener un beneficio. Los elementos que conforman el fraude se circunscriben alrededor de una acción u omisión realizada en el ámbito del sector asegurador. Supone siempre la obtención de un provecho propio o de un tercero. Debe contener la mala fe.

A los efectos que nos ocupan por fraude a compañía aseguradora debemos entender toda conducta que se encuentre relacionada con la existencia o inexistencia de un contrato de seguro dirigida a obtener de forma ilegal, a beneficio de uno mismo o de un tercero, mediante el engaño, la manipulación, la agravación o la ocultación, un acto de disposición patrimonial con cargo de una compañía aseguradora.

La regulación legal aparece dispersa en distintas normas. Todas ellas tratan de perseguir este tipo de acción engañosa. Así nuestro Código civil establece en el artículo 7 que los derechos deberán ejercitarse conforme a las exigencias de la buena fe.

La Ley no ampara el abuso del derecho o el ejercicio antisocial del mismo. Todo acto u omisión que por la intención de su autor, por su objeto o por las circunstancias en que se realice sobrepase manifiestamente los límites normales del ejercicio de un derecho, con daño para tercero, dará lugar a la correspondiente indemnización y a la adopción de las medidas judiciales o administrativas que impidan la persistencia en el abuso.

Los artículos 4, 10, 11, 16 y 17 de la Ley de Contrato de Seguro establecen las obligaciones que debe cumplir el asegurado, siempre bajo el principio de diligencia y buena fe.

El artículo 19 del mismo cuerpo legal establece la obligación de resarcimiento del asegurador, con la excepción del caso en que el siniestro haya sido acusado de mala fe por el asegurado.

Dentro del Código penal, los artículos 248 y concordantes que regulan la estafa, así como los artículos 390 y concordantes sobre falsedad documental y los artículos 456 y 457 que versan sobre la acusación, denuncia falsa y la simulación de delitos.

Entre los tipos de fraude distinguimos al menos tres:

— El fraude ocasional u oportunista. Aquellos que se aprovechan de un siniestro real, pero haciendo constar que se han producido daños que anteriormente existían.

— El fraude premeditado. En este caso es indiferente que los daños se hayan producido realmente o no, ya que lo importante es que éstos han sido planificados con anterioridad a su producción. Normalmente suelen ser perpetrados por varias personas, siendo su objetivo la obtención de un beneficio económico.

— El fraude organizado. Este sería el más peligroso de los tres debido, en parte, a su gran profesionalización, en la que intervienen tramas organizadas, incluso respaldadas por profesionales que tratan de industrializar el proceso delictivo, amparadas en el uso de las nuevas tecnologías, y suponiendo por tanto un gran perjuicio económico.

La delincuencia organizada ha evolucionado hacia un *modus operandi* más sofisticado, con un sistema jerárquico, dirigido por un líder, con personas dedicadas a la captación de cómplices que tratan de lograr la indemnización de estos siniestros mediante la reclamación a las compañías. Entre ellas se encuentran sujetos expertos que conocen a fondo el procedimiento empleado por las compañías.

2.1. Estado de la cuestión

El momento actual está provocando que las acciones fraudulentas sean cada vez más frecuentes. La falsedad del accidente de circulación, simulando o agravando las lesiones se ha convertido en un timo jurídico que cabalga sobre las vaguedades propias de un sistema legislativo incapaz de contener la avalancha de este tipo de reclamaciones.

Las Cías. Aseguradoras han comenzado a perseguir este tipo de hechos a través de su departamentos especializado en la lucha contra el fraude, sino que también las FF y CC de Seguridad, como sucede con Guardia Civil, han creado un grupo especial de lucha contra el fraude (GIAT).

Lo cierto es que a raíz de la entrada en vigor del Baremo no hemos asistido a un descenso notable del número de acciones fraudulentas por traumatismo leves de la columna cervical. Una consulta a la hemeroteca digital revela datos significativos al respecto. Veamos a continuación de forma somera un conjunto de noticias y sus fuentes que ayudan a comprender esta reflexión.

Fecha	Fuente	Lugar
24/05/2019	Grupo Aseguranza	Toledo

El seguro y la ciencia ponen día a día barreras al fraude más temido para el sector asegurador: el latigazo cervical. Un equipo multidisciplinar del Hospital Nacional de Parapléjicos de Toledo ha desarrollado una metodología basada en técnicas de imagen que permite visualizar la presencia del dolor en pacientes con esguince cervical crónico tras un accidente de tráfico.

Link: https://www.grupoaseguranza.com/noticias-de-seguros/identificado-primera-vez-dolor-asociado-esguince-cervical

Fecha	Fuente	Lugar
10/08/2018	El País	Madrid

Según datos de 2015 de la Asociación Empresarial del Seguro (UNESPA), el mayor número de fraudes al seguro se daba en el sector del automóvil. De 306.000 casos reportados en total, que hubieran supuesto el pago de 550 millones de euros, el 53% tenían que ver con falsos accidentes de coche.

El interés de las aseguradoras por acabar con el llamado cuponazo cervical tuvo respuesta con la entrada en vigor de una legislación más severa, que vino a poner coto a estos abusos, exigiendo a los damnificados más rigor al acreditar el daño ante el seguro. Aun así, y según UNESPA, el año pasado se indemnizó a 372.000 lesionados, de los cuales 100.000 estaban vinculados al latigazo cervical.

Link: https://elpais.com/economia/2018/03/09/actualidad/1520593455_209269.html

Fecha	Fuente	Lugar
22/08/2018	La Verdad	Murci

La Universidad de Murcia (UMU) está llevando a cabo una investigación que busca establecer un protocolo que permita a los profesionales detectar el engaño en casos falsos de lesiones de latigazo cervical, una de las más comunes en accidentes de tráfico. La investigación la están desarrollando el Servicio de Psicología Aplicada (SEPA) y el Servicio Externo de Ciencias y

Técnicas Forenses (SECyTeF) de la UMU. Ambos trabajan desde el año 2015 en una tesis doctoral que implementa ese protocolo para discriminar de forma sistemática y eficaz entre aquellas personas que simulan la lesión y los pacientes que realmente padecen un esguince cervical.

Link: https://www.laverdad.es/murcia/ultima-protocolo-sacara-20180822004000-ntvo.html

Fecha	Fuente	Lugar
26/02/2020	Auto Bild.es	España

En los últimos seis años, el número de mafias especializadas en estafar a los seguros se ha multiplicado por ocho. Si en 2013, las compañías de seguros tenían que lidiar con unas 49 bandas organizadas para inventar falsos siniestros; en 2018, contabilizaban más de 120.

El Baremo del Fraude del Seguro de la compañía aseguradora Línea Directa muestra que el de automóviles es el ramo más afectado por las estafas. Tanto es así que en la última década se han detectado más de 60.000 fraudes relacionados con vehículos, frente a los 6.500 casos detectados en hogar. En dinero, esto supone un gasto de más de 9.200 millones de euros en los últimos 10 años.

Link: https://www.autobild.es/noticias/funcionan-mafias-especializadas-estafar-seguros-588973

Fecha	Fuente	Lugar
10/02/2020	Diario de Sevilla	Coria del Río

Aunque cuentan con cierta benevolencia social, los fraudes al seguro son un delito. La Audiencia provincial de Sevilla juzga a doce personas por la presunta comisión de un delito de estafa procesal, dos de ellos en grado de tentativa y de modo continuado.

La Fiscalía solicita para los dos acusados de un delito continuado de estafa procesal en grado de tentativa la pena de 11 meses y 15 días de prisión y 1.500 euros de multa. Para los diez acusados restantes el Ministerio Público solicita por el delito de estafa procesal, 9 meses de prisión y 1.200 euros de multa.

Link:https://www.diariodesevilla.es/juzgado_de_guardia/actualidad/
Amigos-Juicio-acusados-organizarse-estafar_0_1435356707.html

Fecha	Fuente	Lugar
10/02/2020	Capital Madrid	Madrid

Ya son 25 las ediciones del «Concurso de detección de fraudes» de ICEA (Investigación Cooperativa entre Entidades Aseguradoras). Muchos años en una lucha que no tiene fin, pero sí resultados. Según el informe «Fraude al seguro español. Año 2018», que reúne una cuota de mercado del 52%, las aseguradoras ahorran a sus clientes 47,9 euros por cada euro que destinan a este tipo de investigaciones. La inversión media de una aseguradora en la investigación de un fraude es de 247,9 euros.

El año pasado, las entidades que remitieron información para la elaboración del mencionado estudio detectaron 175.777 intentos de estafa, 20 cada hora. Parecen muchos. Pero no hay que sacar la conclusión de que los asegurados son unos desaprensivos que pretenden aprovecharse del seguro en cuanto tienen ocasión. Según otro informe, el «VI Mapa AXA del fraude en España», los clientes, en general, son honestos, solo el 1,8% de los siniestros declarados a AXA fueron finalmente calificados como fraudulentos. Eso sí, la compañía detectó un 12,5% más de casos de fraude que en 2017.

Link: https://www.capitalmadrid.com/2019/5/14/52999/cada-hora-20-personas-intentan-estafar-al-seguro.html

Fecha	Fuente	Lugar
19/07/2017	ABC Motor	Sevilla

En cuanto a los daños personales, el timo más recurrente es el latigazo cervical, una de las lesiones menos graves y más habituales. Conseguir cobrar una indemnización por este tipo de lesión es más complicado de lo que debiera por estar altamente vigilada, ya que los estafadores se aprovechan de que la verificación de la lesión puede llegar a ser muy complicada.

Precisamente, en discernir el grado de dolor o daño se centra otra de las batallas que afrontan los seguros. No solo en el aspecto físico, como ocurre con el famoso «latigazo», sino también en la parte material: abolladuras que aumentan de tamaño o rozaduras que se extienden sin fin son algunos de los casos más habituales. También sucede que se inventan hechos, como accidentes inexistentes que dan lugar a partes falsos o los robos de coches con violencia simulados.

Link.https://www.abc.es/motor/abci-estafar-seguro-negocio-puede-salir-caro201707190332_noticia.html?ref=https:%2F%2Fwww.google.com%2F#ancla_comentarios

(…)….

2.2. Herramientas jurídicas para perseguir el fraude en el sector asegurador

2.2.1. Mala fe del asegurado

Nos estamos refiriendo a una conducta intencionada de la que se colige mala fe del sujeto que lleva a cabo la acción. Aquel comportamiento del asegurado que requiere un acto consciente, voluntario y antijurídico.

El sentido lato de la mala fe nos acerca al dolo penal, no obstante cada uno mantiene distintos matices[2].Mientras que el dolo civil requiere un engaño mínimo, insignificante por su nimiedad, el dolo penal entraña cierta entidad, cualificación, no vale cualquier engaño. Sea como fuere, resulta comúnmente aceptado que la mala fe es equiparable al dolo. Digamos que existen dos respuestas jurídicas trabadas en estos casos. De una parte, la que se encuentra en el campo del Derecho privado y a través de la cual la aseguradora podrá rechazar las pretensiones indemnizatorias fraudulentas en base al art. 19 de la Ley de Centrado de Seguro[3] de otra, aquella que implica la criminalización de la conducta y que da paso a la vía penal articulada a través de los preceptos 248 y 623 del Código penal[4].

Luego entonces, una conducta dolosa del asegurado puede contener una respuesta penal y/o civil que dependerá de la entidad de la culpa, negligen-

---

(2)   VALLE MUÑIZ, J. M.: *El delito de estafa. Delimitación jurídico-penal con el fraude civil*. Ed. Bosch, Barcelona 1987, P. 274.

(3)   En consonancia con el art. 19 de la LCS existen otros preceptos de mismo texto legal que cercenan el derecho a la indemnización del asegurado, entre ellos, los arts. 10, 12, 15, 16, 17, 25, 26, 31, 32, 43, 47, 52.

(4)   Falta penal derogada y que pasó a integrarse en los tipos de delitos menos graves con ocasión de la reforma del Código Penal operada por la Ley 1/2015, de 30 de marzo. Así, la estafa, apropiación indebida y las defraudaciones de gas, electricidad y agua u otro elemento, energía o fluido, o equipos terminales de telecomunicaciones del art. 623.4 pasó a formar parte de los tipos atenuados de los arts. 249, 253.2, 254.2, 255.2 y 256.2 del mismo texto legal.

cia, mala fe o dolo[5] de quien o quienes pretendan valerse del ardid o engaño intencionado para obtener un beneficio. Por tanto, para que la conducta desplegada por el asegurado se convierta en causa de exclusión de la responsabilidad del asegurador debe de contener, al menos, tres requisitos fundamentales:

— Que se trate de un acto voluntario y consciente.
— Que a su vez sea intencionado y malicioso del asegurado.
— Que el siniestro sea querido por el asegurado, no simplemente una representación del resultado.

Lo que sí debemos tener suficientemente claro es que tanto el Derecho penal —intención deliberada de cometer una acción típica prohibida por la ley—, como el Derecho civil —acto intencional y malicioso del asegurado— provocan la inasegurabilidad del asegurado.

Así lo establece, entre otras, la sentencia de la Sala 1ª del Tribunal Supremo, de 11 de marzo de 2002:

> «(...) El principio de no asegurabilidad del dolo, acogido en el art. 19 de la Ley de Contrato de Seguro, lo que excluye es que el asegurador esté obligado a indemnizar al propio asegurado por un siniestro ocasionado por la mala fe de éste, pero no impide que el asegurador responda frente a los terceros perjudicados en el caso de que el daño o perjuicio causado a los terceros sea debido a la conducta dolosa del asegurado, disponiendo en este caso el asegurador de la facultad de repetir contra el asegurado reconocida expresamente por el art. 76 de la Ley de Contrato de Seguro (...)».

Ahora bien, retomando el punto de partida del presente estudio, ¿cómo encaja la mala fe del asegurado en el puzle del fraude derivado del «SLC»?

La respuesta no se hace esperar, brota espontánea; el engaño consiste o bien en simular o exagerar unas lesiones inexistentes, o bien en asociar al accidente una enfermedad o lesión anterior al mismo.

Los indicadores clínicos[6] se convierten en una herramienta indispensable para detectar cuando un individuo trata de simular una cervicalgia o traumatismo leve de la columna vertebral.

---

(5)   Badillo Arias, J. A.: *El dolo y la culpa en el contrato de seguro. Revista de Responsabilidad Civil y Seguro.*
(6)   Fuester. Op. Cit., p. 554.

1. Discrepancia entre las pruebas médicas objetivas y la valoración subjetiva del dolor y la discapacidad por parte del paciente.

2. Distorsiones de respuesta en las pruebas de autoinforme: patrón de exageración de los síntomas.

3. Discrepancias entre las conductas de dolor y la valoración subjetiva auto-informada del sufrimiento del paciente y su discapacidad.

4. Mala valoración vital y baja autoeficacia percibida.

5. Baja adherencia a las prescripciones médicas presentados con el curso previsible de esta metodología

6. Incongruencia entre los signos y los síntomas presentados en el curso previsible de esta patología.

7. La frecuencia y/o intensidad y/o duración de los síntomas excede con mucho lo usual en la patología diagnosticada, por lo que la duración del tratamiento está aún por encima de lo esperable, sin base etiología para explicarlo.

8. El paciente predice su empeoramiento o su falta de mejoría.

En consecuencia la mala fe del asegurado ante un siniestro se convierte en virtud del art. 19 y concordantes de la Ley de Contrato de Seguro en causa de inasegurabilidad del dolo, en una *exceptio doli*.

2.2.2. El delito de estafa: especial referencia a la estafa procesal

Desde otra perspectiva, inmiscuida ya en el terreno del Derecho penal nos topamos con una conducta delictiva que encuentra respuesta en el art. 248 y concordantes del Código Penal. Aquel desvalor de resultado que alberga un hecho ilícito y voluntario, que tiene como propósito provocar un perjuicio a terceros y que precisa la intención de obtener un beneficio a favor del agente doloso.

La propia idiosincrasia de la conducta fraudulenta nos sitúa al pie de la acción penal, siendo este cauce el mayormente utilizado para solicitar la condena de los presuntos responsables de la estafa. En algún tiempo denominada como estafa de seguro[7.] Así lo hacia el art. 529.4 del Código Penal

---

(7)   Pérez Alonso, E.J.: «La estafa de seguro». *La Ley Penal. Revista jurídica española de doctrina, jurisprudencia y bibliografía*, núm. 33. Año III, 2006. P. 1. En el mismo sentido, Choclán Montalvo, J. A.: *El delito de estafa*. Bosch. Barcelona, 2000. P. 351.

de 1973[8]. En la actualidad, la «penúltima» reforma del Código Penal, orquestada por la Ley Orgánica 1/2015, de 30 de marzo, tipifica la estafa en los arts. 248, 249, 250 y 251 del mismo texto legal[9].

El tipo básico del delito de estafa (art. 248.1) se caracteriza por su redacción inteligible, «Cometen estafa los que, con ánimo de lucro, utilizaren engaño bastante para producir error en otro, induciéndolo a realizar un acto de disposición en perjuicio propio o ajeno». Prácticamente, con estas tres líneas sería suficiente para identificar un ilícito penal de este tipo. No obs-

---

(8)   Son circunstancias que agravan el delito de estafa a los efectos del artículo anterior: 4ª. Cuando se produzca destrucción, daño u ocultación de cosa propia, agravación de lesiones sufridas o autolesión para defraudar al asegurador o a un tercero. En profundidad vid. GARCÍA PÉREZ, J. J.: *La praxis jurisprudencial sobre el fraude de seguro como delito de estafa*. Estudios, Boletín del Ministerio de Justicia núm. 2032. 2007, Págs. 719-740.

(9)   El art. 249, queda redactado como sigue:
«Los reos de estafa serán castigados con la pena de prisión de seis meses a tres años. Para la fijación de la pena se tendrá en cuenta el importe de lo defraudado, el quebranto económico causado al perjudicado, las relaciones entre éste y el defraudador, los medios empleados por éste y cuantas otras circunstancias sirvan para valorar la gravedad de la infracción.
Si la cuantía de lo defraudado no excediere de 400 euros, se impondrá la pena de multa de uno a tres meses».
El art. 250, queda redactado como sigue:
«1. El delito de estafa será castigado con las penas de prisión de uno a seis años y multa de seis a doce meses, cuando:
1.º Recaiga sobre cosas de primera necesidad, viviendas u otros bienes de reconocida utilidad social. inutilizando, en todo o en parte, algún proceso, expediente, protocolo o documento público u oficial de cualquier clase.
2.º Se perpetre abusando de firma de otro, o sustrayendo, ocultando o inutilizando, en todo o en parte, algún proceso, expediente, protocolo o documento público u oficial de cualquier clase.
3.º Recaiga sobre bienes que integren el patrimonio artístico, histórico, cultural o científico.
4.º Revista especial gravedad, atendiendo a la entidad del perjuicio y a la situación económica en que deje a la víctima o a su familia.
5.º El valor de la defraudación supere los 50.000 euros, o afecte a un elevado número de personas.
6.º Se cometa con abuso de las relaciones personales existentes entre víctima y defraudador, o aproveche éste su credibilidad empresarial o profesional.
7.º Se cometa estafa procesal. Incurren en la misma los que, en un procedimiento judicial de cualquier clase, manipularen las pruebas en que pretendieran fundar sus alegaciones o emplearen otro fraude procesal análogo, provocando error en el juez o tribunal y llevándole a dictar una resolución que perjudique los intereses económicos de la otra parte o de un tercero.
8.º Al delinquir el culpable hubiera sido condenado ejecutoriamente al menos por tres delitos comprendidos en este Capítulo. No se tendrán en cuenta antecedentes cancelados o que debieran serlo.
2. Si concurrieran las circunstancias incluidas en los numerales 4.º, 5.º, 6.º o 7.º con la del numeral 1.º del apartado anterior, se impondrán las penas de prisión de cuatro a ocho años y multa de doce a veinticuatro meses. La misma pena se impondrá cuando el valor de la defraudación supere los 250.000 euros».

tante, conviene tener presente los requisitos que deben concurrir en la estafa[10]:

— Un engaño o ardid antecedente o concurrente que se convierte en la razón esencial del tipo. Aquella maquinación, simulación, mendacidad o falacia empleada por el sujeto activo.
— Que dicho engaño sea adecuado, eficaz y suficiente para provocar un error esencial en el sujeto pasivo.
— Ha de darse un desplazamiento patrimonial de éste, con el consiguiente perjuicio económico para el mismo.
— Una relación de causalidad entre el engaño y el perjuicio ocasionado.
— Que se lleve a cabo con ánimo de lucro del sujeto activo del delito, bien sea en beneficio propio o ajeno, bien se consiga alcanzar el lucro o no se logre.

Por todo ello, el art. 248.1 del Código Penal se ha convertido en el principal baluarte de las aseguradoras víctimas del fraude para perseguir esta delincuencia de cuello blanco, *cide collar crime*. Podemos afirmar que la estafa común, por lo que atañe a los accidentes de tráfico, se exterioriza, entre otras argucias, mediante la simulación, agravación o exageración de lesiones, la invención o el amaño del accidente e incluso por medio de la preexistencia de lesiones anteriores al propio accidente. Vaya por delante que no son todas las que están aquí, ni están todas las que son, ya que la ilimitada variedad de los supuestos que la vida real provoca hace que el fraude se mimetice con el dinamismo evolutivo de la sociedad. A pesar de las técnicas utilizadas para defraudar a la aseguradora, lo cierto es que en la mayor parte de los casos el delito de estafa no llega a consumarse, quedando en tentativa. Esto explica la importancia del trabajo de investigación, detección y denuncia de acciones fraudulentas por los equipos antifraude de las compañías aseguradoras.

En cambio, desde la especificidad de este tipo de infracción penal, si existe un rasgo característico del fraude en el ámbito de los accidentes de circulación con lesionados, éste es la estafa procesal. Figura que encuentra su regulación jurídica en el art. 250.1.7º del Código Penal:

---

[10]   Reiterada jurisprudencia de la Sala 2ª del TS avalan este razonamiento, entre ellas: 22/12/2008, 26/01 y de 16/10 de 2009. En este sentido, puede verse la SAP de León núm. 274/2014.

«Incurren en la misma los que, en un procedimiento judicial de cualquier clase, manipularen las pruebas en que pretendieran fundar sus alegaciones o emplearen otro fraude procesal análogo, provocando error en el juez o Tribunal y llevándole a dictar una resolución que perjudique los intereses económicos de la otra parte o de un tercero».

Se trata de una conducta delictiva que necesariamente ha de acontecer en el seno de un procedimiento judicial. Una maniobra procesal mediante la cual se perjudica no solamente a la parte contraria (patrimonio privado), sino también al juez (buen funcionamiento de la Administración de Justicia) y, según cierto sector doctrinal, a la generalidad o comunidad de asegurados. Doctrina y Jurisprudencia[11] lo han calificado como un delito pluriofensivo. En este sentido, el propio Tribunal Supremo en reiterada jurisprudencia establece que «la estafa procesal constituye una modalidad agravada de la estafa porque al daño o peligro, que supone para el patrimonio del particular afectado se une el atentado contra la seguridad jurídica representada por el Juez, al que se utiliza como instrumento al servicio de la actuación defraudadora».

Por todo ello, la estafa procesal propia[12] se conforma alrededor de una triada de agentes. Coexisten tres protagonistas: el agente o sujeto activo, la víctima o perjudicado y el juez. Cada uno de ellos juega un papel fundamental para configurarse como delito de estafa procesal, pero sin embargo el protagonista es el juez.

La forma más frecuente de aparición de la estafa procesal es la tentativa, dado que, para hablar de delito consumado[13], no solo tiene que existir una resolución judicial sobre el fondo, sino que ésta debe causar una disposición

---

(11) STS núm. 76/12 de 15 de febrero de 2012, STS núm. 1100/11, de 27/10/2011, STS núm. 1015/09, de 28/10/2009.

(12) La estafa procesal propia se comete cuando los artificios desplegados en el proceso tengan como finalidad inducir a error al juez, con la finalidad que adopte una resolución injusta. Por su parte, la estafa procesal impropia acontece en el marco de un proceso donde el engaño se dirige al sujeto pasivo, no al juez. Sobre este extremo *vid.* SOLAZ SOLAZ, E.: *La estafa procesal.* Tirant lo Blanch monografías 861. Valencia, 2013. Pp. 76-84.

(13) En este sentido, traigo a colación la sentencia núm. 381/2013 de 10 de abril. La Sala declara que en ninguno de los casos que se han tenido probados, se ha llegado a alcanzar el objetivo de alcanzar una resolución judicial que, determinada por la maquinación urdida de simular unas lesiones inexistentes y una responsabilidad de otra persona con la consiguiente derivación a la Aseguradora de la obligación de indemnizar, fuese la causa inmediata del perjuicio económico y del consiguiente enriquecimiento injusto.
En todos los supuestos en que no se llegó a consumar la estafa, estaremos ante el tipo agravado en grado de tentativa (art. 250.1.7ª en relación con los arts. 16 y 62 del Código Penal). De otra parte, en el único caso que se perfeccionó la estafa por lograrse los beneficios económicos pretendidos a través del cobro de las indemnizaciones estaremos ante el tipo básico consumado (arts. 248 y 249 del Código Penal). En la misma línea la STS 214/2007, de 26 de febrero de 2007.

patrimonial efectiva. Cuando el autor obtiene la disponibilidad del bien económico objeto de la misma. Este momento se presenta en la ejecución de la sentencia injusta. Por tanto, no se alcanzará la consumación, cuando tengan lugar las investigaciones llevadas a cabo por la Cía. Aseguradora afectada.

Así lo prevé, entre otras[14], la sentencia del Tribunal Supremo núm. 739/2006, de 23 de junio, al condenar a varios sujetos por la comisión de un delito de estafa en grado de tentativa.

Se trata de un accidente de circulación simulado en el que participan cinco sujetos y dos turismos. De acuerdo con su plan, el siniestro se habría producido en la autovía N-VI, por la súbita incorporación al carril por el que circula el vehículo dañado de otro vehículo del que intentan valerse para urdir el plan. Maniobra que, supuestamente, habría provocado la pérdida de control del conductor que sufre los daños en el vehículo.

Toda la estrategia queda plasmada en la correspondiente Declaración Amistosa de Accidente.

Así las cosas, al presentar la reclamación a la aseguradora ésta se niega a indemnizar. De todo lo anterior se siguió un procedimiento ordinario en el Juzgado de Primera Instancia.

La sentencia condena a la aseguradora a abonar la cantidad reclamada por el presunto perjudicado. No obstante, fue recurrida en apelación. La Audiencia dictó sentencia, condenando a los implicados a los delitos de estafa en grado de tentativa y a otro de falso testimonio.

Tras formalizarse en tiempo y forma recurso ante el Tribunal Supremo, éste determina que no ha lugar a los recursos interpuestos por los partícipes en la simulación del siniestro.

Dentro de este subtipo de estafa procesal coexisten algunas particularidades. Suele ser habitual que el delito de estafa entre en concurso con otros delitos como son:

— Denuncia falsa (art. 456 CP).
— Simulación de infracción penal (art. 457 CP).
— Falso testimonio (art. 458 CP).
— Falsedad documental (art. 395 y concordantes CP).

---

(14)   SSTS: 11/10/1990, 21/05/1997, 8/03/2002.

Desde el punto de vista del SLC simulado, encajado aquí como un tipo de estafa procesal, llama la atención la importancia que cobra la interposición de la denuncia, ya sea ante el Juzgado o la Policía. A partir de ese instante, en el que el sujeto intenta obtener un lucro económico bajo el ardid o engaño de haber sido víctima de una infracción penal y hasta la finalización del proceso mediante una resolución judicial se estarían cometiendo, al menos, dos infracciones penales claramente identificables: un delito de estafa procesal y otro de simulación de infracción penal, arts. 457 y 250.7ª. Ahora bien, como quiera que resulta preciso que exista un desplazamiento patrimonial efectivo para considerar la estafa como consumada, nos estaríamos moviendo en actos de ejecución: tentativa acabada o inacabada. Pero en ningún caso en actos verdaderamente consumativos, fuera de todo agotamiento delictivo, que producirá otras consecuencias en el ámbito de la responsabilidad civil.

2.3. Nuevos sistemas de detección de acciones fraudulentas: el papel de las Fuerzas y Cuerpos de Seguridad

Las aseguradoras reciben semanalmente numerosos siniestros fraudulentos, principalmente para las coberturas de Responsabilidad Civil por daños materiales y Responsabilidad Civil por daños corporales, sobre manera en lo referente a las lesiones ocasionadas como consecuencia de la colisión por alcance, conocidas como el «cuponazo cervical». Se trata, como todos conocemos, del SLC.

Ahora bien, para hacer frente a esta avalancha de reclamaciones, cuando menos sospechosas, las compañías aseguradoras se han visto obligadas a crear equipos de investigación contra el fraude, ficheros informatizados antifraude, servicios de investigadores privados, programas de formación continua, entre otros[15]. Sin embargo, no está resultado suficiente. Se necesita algo más.

En el momento actual están surgiendo nuevas iniciativas de lucha contra el fraude tanto en el ámbito sectorial, como institucional. Es precisamente éste último, el sector institucional el que debe asumir un papel relevante en la detección de acciones fraudulentas. La existencia de una estrecha colaboración entre el sector asegurador y las FF y CC de Seguridad puede ser decisiva a la hora de obtener una solución para el problema que estamos tratando.

---

(15) Informe AXA Espala. *V Mapa AXA del fraude en España. Febrero 2013.* https://www.axa.es/documents/1119421/143282252/V+Mapa++AXA+del+Fraude+en+Espa%C3%B1a.pdf.

En este apartado me concedo licencia para tratar, en base a mi experiencia profesional de dos décadas en la especialidad de la Policía Judicial de Tráfico de la Policía Local de Salamanca, un proyecto que ya tuve ocasión de proponer en el seno de este cuerpo policial.

A lo largo de estos últimos años se han detectado algunos casos que no dejan lugar a dudas de que el accidente ha sido manipulado o, cuando menos, exageradas sus consecuencias. La mayor parte de los policías que desarrollan su actividad profesional en la unidad de Policía Judicial de Tráfico, en alguna ocasión, ha detectado indicios más que evidentes de situaciones.

La presente propuesta surge con ocasión de casos detectados apenas sin esfuerzo, únicamente con el devenir de los acontecimientos[16]. En unos meses, consultado los archivos y bases de datos pude percibir algunas situaciones cuando menos sospechosas.

Detallo a continuación un conjunto de casos supuestamente fraudulentos[17] en la Policía Local de Salamanca:

C-1. Salida de vía a escasa velocidad. Sin daños materiales. En el vehículo Salida de vía a escasa velocidad. Sin daños materiales. En el vehículo viajan: conductor y tres ocupantes. Éstos últimos heridos.

C-2. Salida de vía a escasa velocidad. Sin daños materiales. En el vehículo viajan: conductor y tres ocupantes. Estos últimos heridos.

C-3. En el accidente de referencia constan como lesionados 9 personas. Una de ellas aparece, según informa la Letrada del Consorcio de Compensación de Seguros CCS, en 11 partes de accidentes en las mismas circunstancias.

C-4. En el accidente de referencia constan como lesionados 9 personas. Una de ellas aparece, según informa la Letrada del Consorcio de Compensación de Seguros, en 11 partes de accidentes en las mismas circunstancias.

C-5. Colisión por alcance simulada entre dos turismos. Existe grabación de las circunstancias que rodean al accidente. Realizada inspección ocular en los vehículos los mismos presentan daños anteriores sin que se aprecien ni daños ni zona de impacto entre ambos.

---

(16)   Anexo número 11.
(17)   Se omiten datos de carácter personal y de los propios funcionarios de policía intervinientes en los accidentes reseñados. Todo ello en consonancia con la Ley Orgánica 3/2018, de 5 de diciembre, de Protección de Datos Personales y garantía de los derechos digitales.

C-6. Colisión lateral sin daños. Uno de los encartados refiere dolor en zona cervical.

C-7. Incidente sanitario en autobús urbano. Una pareja caída en el suelo. Ningún otro pasajero manifiesta lesiones a causa de la maniobra. La lesionada refiere dolor en zona cervical.

C-8. Nueve lesionados como consecuencia de accidente de circulación.

C-9. Colisión por alcance a escasa velocidad, resultado del mismo cuatro lesionados.

C-10. Simulación de atropello a peatón. La investigación a través de las manifestaciones de los encartados pone de manifiesto entre víctimas y conductor para llevar a cabo el fraude.

C-11. Accidente de tráfico realizado dolosamente para reclamar indemnización a la aseguradora. 5 lesionados.

C-12. Atropello a animal suelto, prácticamente sin llegar a arrollarlo, a escasa velocidad. El conductor del vehículo reclama indemnización por lesiones. Refiere dolor en zona cervical.

C-13. Colisión lateral entre dos vehículos de la que resultan lesionados 15 personas. No existen daños, imperceptibles prácticamente. La facultativa del 112 que asiste a los presuntos heridos hace constar que las lesiones son fingidas. Incluso se identifica con número de colegiada para prestar declaración si fuese necesario.

C-14. Salida de vía sin daños, sin huellas de frenada, a escasa velocidad y sin choque. 4 ocupantes del turismo refieren dolor cervical.

C-15. Colisión por alcance entre dos turismos. Uno de ellos taxi. Como consecuencia de la colisión, de la que no produjeron daños materiales reseñables, resultaron presumiblemente lesionados 8 personas.

C-16. Usuaria lesionada encartada en 11 accidentes, según informa la letrada del Consorcio de Compensación de Seguros. Accidente de escasa entidad. 4 heridos leves. Todos refieren dolor cervical.

C-17. Cuando se les informa de que la investigación del accidente tiene indicios de ser simulado se ponen nerviosos y comunican que no desean ser atendidos por el 112. Que cuando al conductor se le comunica que la investigación del accidente tiene indicios de ser simulado se pone nervioso. Que se procede a inspeccionar el vehículo porque según manifiesta el conductor la causa de la pérdida de control del vehículo es producida porque «al notar que la dirección se me quedaba dura he girado más fuerte hacia la izquierda cambiando de carril y chocando en la mediana con la farola», y de dicha inspección resulta que la dirección y sus elementos funcionan de forma correcta, siendo el vehículo retirado por su conductor y los dos usuarios.

Como miembro de la Policía Judicial de Tráfico, dada la inmediatez y proximidad a las consecuencias del accidente de circulación resulta palmario que los componentes de la dotación policial interviniente serán los primeros en detectar un intento de estafa a las aseguradoras que operan en el ámbito del Seguro Obligatorio de Vehículos a Motor. Pues bien, es aquí donde debemos intervenir, donde podemos descubrir y perseguir a los presuntos delincuentes.

Al margen de otras consideraciones y desde la óptica policial se pueden establecer mecanismos para detectar, investigar e instruir, si se diera el caso, diligencias policiales.

En líneas generales, dos serían *a priori* los efectos positivos. De una parte, se producirá un descenso notable en las reclamaciones a las aseguradoras por síndromes de latigazo cervical asociados a accidentes de baja intensidad. En segundo lugar, y consecuencia de lo anterior, los beneficios de este tipo de entidades experimentarán un considerable aumento. Hecho o circunstancia que redundará en mayor o menor medida en los asegurados, que somos todos.

A través de estas líneas, negro sobre blanco, presento una iniciativa de colaboración entre las unidades especializadas en la instrucción de atestados e informes técnicos y las aseguradoras que operan en el sector automóvil.

Se trata de crear un canal de comunicación entre las aseguradoras a través de la Unión Española de Entidades Aseguradoras (en adelante UNESPA), el Consorcio de Compensación de Seguros (en adelante CCS) y otras instituciones públicas o privadas que puedan sufrir las consecuencias del fraude, entre otras: SACyL 112, ayuntamientos, aseguradoras, tramitadoras de siniestros, fiscalías y juzgados.

Una de las funciones cardinales del proyecto pasaría por establecer una serie de mecanismos para controlar y detectar las acciones que entrañan cualquier tipo de fraude o simulación. Posteriormente, una vez analizados los indicadores de fraude la intervención policial, en el seno de Policía Judicial de Tráfico, emitirá o bien, un informe indiciario de la situación de hecho que se plantea; o bien, si las circunstancias que se presentan así lo aconsejan, la incoación de diligencias por la comisión de un presunto delito de estafa.

Toda la información sería incorporada a nuestra base de datos para identificar a los reincidentes. Esta herramienta de trabajo nos permitirá elabora diligencias de calidad a la hora de establecer la participación de una determinada persona en distintos accidentes viales.

De otra parte, en cuanto a la viabilidad de la presente propuesta, es preciso destacar que su puesta en marcha no necesita aportación económica, ya que no genera la consumación de recursos personales ni materiales. Todo lo contrario, además de los beneficios económicos, podemos obtener un acceso rápido a las bases de datos de las aseguradoras que participen en este planteamiento que, me consta, tiene gran interés.

2.3.1. *Proyecto de creación del grupo de lucha contra el fraude en la Policía Local de Salamanca: policía judicial de tráfico*

El Sistema propuesto trata de perseguir una serie de hechos presuntamente delictivos que han empezado a brotar en el seno de nuestra sociedad. Es indudable que en épocas de recesión económica se produce un aumento en la comisión de hechos delictivos debido a las dificultades económicas a las que se ven abocadas muchas familias. En la mayor parte de los casos, las penurias económicas o la mala experiencia tras un siniestro, inducen a manipular los hechos con el fin de obtener enriquecimiento personal.

Por tanto, las FF y CC de Seguridad como garantes de la seguridad ciudadana no deben volverle la cara a este tipo de delincuencia. La Policía debe y puede asumir la investigación de las circunstancias que rodean al accidente de circulación. No solamente desde la óptica de la causalidad, sino también desde la perspectiva fraudulenta. Si el accidente que acontece es o no fruto de la imprevisibilidad o más bien de la simulación con el objetivo de obtener un enriquecimiento patrimonial.

A modo de conclusión personal, y teniendo presente mis conocimientos, experiencias y aportaciones prácticas a lo largo y ancho de mi actividad profesional, me dispongo a esbozar un proyecto de lucha contra el fraude a las aseguradoras y demás instituciones públicas.

Es muy probable, que a corto-medio plazo nuestro cuerpo de Policía Local deba desplegar sus recursos tanto personales, como materiales para dar cabida a esta nueva faceta.

En relación a esta idea paso a presentar a modo de pequeñas pinceladas, basándome como digo, en mis conocimientos y experiencias profesionales, lo que debería ser la Policía judicial de Tráfico en la lucha contra el fraude y la estafa en el sector asegurador.

Ámbito de aplicación y desarrollo

Su desarrollo y funcionamiento se llevará a cabo en las Unidades de Policía Judicial de Tráfico, bajo la supervisión y coordinación del jefe operativo de cada una de ellas.

Denominación «ULFAC»

Unidad de Lucha contra el Fraude derivado del Accidente de Circulación.

Funciones

Además de las funciones que habitualmente se vienen desarrollando, se debería de llevar a cabo la detección, investigación e instrucción de los delitos de estafa a aseguradora con ocasión del accidente de circulación. En el mismo sentido, comunicar, en aquellos casos donde no se produzca una infracción penal, un posible fraude a la aseguradora perjudicada.

Con carácter general, filtrar cualquier sospecha de fraude en la que se utilice el accidente de circulación como soporte para obtener una ganancia patrimonial. A través de la investigación de las causas y factores del accidente, de las declaraciones o manifestaciones de las personas implicadas (perjudicados, lesionados, víctimas, facultativos, testigos, etc.), así como de los antecedentes siniestrales podremos detectar una más que probable situación fraudulenta.

Para conseguir este fin, tengo a bien, presentar un conjunto de funciones orientadas a detectar y perseguir el fraude, entre ellas, las siguientes:

— Canal de comunicación entre las Aseguradoras que dispongan de medios contra la lucha del fraude. Establecer un canal de comunicación entre estas unidades y el sector asegurador del sector a través de UNESPA. Esta vía de comunicación mejorará la colaboración entre ambas partes y como consecuencia de ello, tendremos a nuestro alcance información de los asegurados, presuntos estafadores, que nos facilitará sobre manera la detección de sus acciones delictivas.

— Detección, control y seguimiento de acciones fraudulentas. El funcionario de policía interviniente tiene que prestar atención a los posibles fraudes. En ese caso, ante una situación de este tipo debe de prestar especial atención a casos que favorecen un presunto fraude, que albergan alguna sospecha de engaño o simulación. Entre algunos de ellos, los siguientes:

I. Simulación de accidente de circulación para cobrar la indemnización correspondiente.

II. Agravación de las consecuencias del accidente de circulación.

III. Reincidencia en la reclamación de indemnización por lesiones.

IV. Colisiones por alcance pactadas entre víctimas y conductor responsable del accidente.

Según los expertos, al menos, se han detectado dos tipos de defraudadores:

— Defraudador ocasional: defrauda cuando tiene que hacer frente a un problema económico creado por un siniestro auténtico, simulando daños tras un siniestro auténtico y, en otras ocasiones, fingiendo un siniestro.

— Defraudador habitual: defrauda, simulando un siniestro, de manera repetida a lo largo del tiempo. Utiliza el seguro como un medio para obtener ingresos ilícitos en cuantía y en frecuencia. Es precisamente la necesidad de garantizar los ingresos lo que hace que el defraudador perfeccione su método.

En cuanto el funcionario de policía delecte una acción de este tipo debe de marcar el expediente con las sigilas OPF código de control interno «Ojo. Posible Fraude» y dar conocimiento del hecho al encargado de gestionar y tramitar el informe definitivo:

— Elaboración y remisión de informe indiciario de posible fraude. Desde el momento en que existan sospechas de que el accidente de circulación está siendo utilizado o manipulado para obtener un beneficio, el policía interviniente debe prestar atención a todos y cada uno de los indicadores de fraude. Asimismo, debe de iniciar el protocolo «OPF». En este caso, siendo una situación de posible fraude informará al mando encargado de la «ULFAC» de las circunstancias que rodean al accidente. Una vez analizada la situación, o bien se realizara un informe indiciario de posible fraude, o bien se instruirán diligencias por delito de estafa. Tanto de la primera como de la segunda acción se informará a la Cía., perjudicada. Ésta solicitará el informe indiciario que se remitirá lo antes posible.

Si la vía utilizada es la del informe indiciario, como es el caso, habrá que tener presente que estamos ante una situación de mala fe del asegurado o de las personas por las que deba responder la aseguradora en virtud del SOA. No se trata de un dolo penal, sino más bien de culpa grave, como así lo prevé el artículo 19 la Ley de Contrato de Seguro:

Art. 19. El asegurador estará obligado al pago de la prestación, salvo en el supuesto de que el siniestro haya sido causado por mala fe del asegurado.

Por lo tanto, en el supuesto en el que estas personas causen un siniestro de forma maliciosa, la aseguradora quedaría exonerada de cumplir con su prestación.

El informe indiciario sobre posible fraude se realizará como anexo al informe técnico del accidente mediante la plantilla que se establezca al efecto[18].

— Incoación de diligencias por presunto delito de estafa. En aquellos casos donde el fraude detectado presente los caracteres de infracción penal, es decir, con evidente ánimo de lucro y engaño o ardid bastante, será necesario instruir diligencias por un delito de estafa del artículo 248 y concordantes del Código penal[19].

— Base de datos de acciones fraudulentas. Con la colaboración de las aseguradoras y demás instituciones públicas y privadas se creará un registro o base de datos sobre los presuntos estafadores. Aquellas presuntas víctimas que buscan engañar a la Cía. aseguradora con el propósito de obtener un incremento patrimonial o beneficio económico. Así, mediante una consulta puntual sobre un hecho de estas características se podrá detectar un intento de fraude o estafa de forma rápida y ágil. El resultado se integrará al atestado o informe como diligencia o como indicio de presunto fraude.

---

(18)   Anexo número 4.
(19)   Anexo número 5.

CONCLUSIONES

PRIMERA. Escasa aportación médica en la determinación de los traumatismos menores de la columna cervical.

Resulta cuando menos complicado detectar el traumatismo menor de la columna cervical mediante pruebas de imagen. En la mayor parte de los casos, ni las pruebas de imagen como pueden ser las radiografías convencionales o tomografías axiales computables (TAC) e incluso resonancias magnéticas (RM) demuestran ser eficaces en el diagnóstico de este tipo de lesión.

Los protocolos de asistencia médica señalan la práctica al paciente de un conjunto de pruebas diagnósticas para diagnosticar este cuadro lesional leve. El facultativo debe prestar atención a los comportamientos indicativos de dolor, gestos, fricción de la zona o su protección.

Asimismo, no debe obviarse la información referente los antecedentes o historia clínica del paciente que puedan revelar lesiones preexistentes, así como toda la información relativa al mecanismo de producción de la lesión.

SEGUNDA. Biomecánica de la colisión en los traumatismos leves cervicales.

La biomecánica del impacto se ha convertido en un estudio muy extendido en las colisiones a baja susceptibles de producir lesiones leves cervicales. La mayor parte de las aseguradoras combaten las reclamaciones de los lesionados con esta pericia. No obstante, siendo una prueba pericial concluyente para desvirtuar o desarticular las pretensiones de la parte demandante, lo cierto es que se trata de una prueba pericial que no goza de una prerrogativa especial, ni que tan si quiera puede ser valorada desatendiendo el régimen general de la sana critica. Lo cual significa que el juzgador ha de estar convencido intelectualmente por las argumentaciones del perito, para asumir su dictamen, pero, en definitiva, es un medio de prueba más, sujeto al principio de libre valoración en relación con el criterio de la valoración conjunta de la prueba.

TERCERA. Criterios sobre causalidad genérica.

— Ha de tratarse de traumatismos menores de la columna vertebral, generalmente, derivados de colisiones a baja intensidad.

Por tanto, las colisiones o impactos que se encuentren fuera de estos parámetros (lesiones graves o muy graves) quedaran al margen del artículo 135 de la LRCSCVM. No así en el caso de que existan secuelas. En este supuesto la indemnización solo será posible si están acreditadas mediante informe médico concluyente tras el período de lesión temporal.

— Sintomatología exclusivamente subjetiva.

Como aludiera en la primera conclusión, la dificultad de diagnóstico para observar la clínica provoca la subjetivación de la sintomatología. Incluso a veces inventada, circunstancia que mediatiza a los médicos que acaban supeditados a la mera manifestación de dolor de los pacientes.

De tal forma que un reconocimiento médico del paciente será suficiente para considerar que esa persona sufre un traumatismo leve de la columna cervical.

Por tanto, para la aplicación del artículo 135 de la L 35/2015, tratándose de lesiones del tipo es importante distinguir entre las cervicalgias y/o contracturas musculares en zona cervical, siempre sobre la base de existencia de dolor manifestado por el lesionado, del esguince cervical, cuestión que está siendo advertida por el órgano judicial.

— El tratamiento de lesiones temporales.

El resultado del diagnóstico del SLC desemboca, por regla general, en una lesión o patología temporal. Así lo establece el artículo 135 de la L 35/2015. Por tanto, habrá que estar a lo que establece el conglomerado tabular en los artículos 134 y concordantes.

El principal obstáculo que ha de salvar la víctima es precisamente éste, no vacilar en contratar los servicios de un especialista en valoración del daño corporal nada más que haya cumplido con el criterio cronológico de las 72 horas. Desde esa primera consulta médica hasta la estabilización de las lesiones temporales se hace necesario un seguimiento exhaustivo del SLC.

De lo contrario el informe médico final no será un elemento de prueba suficiente para acreditar las posibles secuelas que se deriven de la lesión.

— Siempre que se cumplan los criterios de causalidad.

En principio hay que pensar que han de darse todos los criterios para poder establecer el nexo de causalidad, lo cual no quiere decir que estemos ante una prueba *iuris et de iure*, es decir o se dan todos, o no hay nada que hacer.

Sin embargo, los criterios del artículo 135 de la LRCSCVM no son *númerus clausus* en su aplicación, pudiendo acudirse a otros. Del mismo modo, no es necesario que concurran todos para probar la existencia de las lesiones. En este sentido, la jurisprudencia ha puesto de manifiesto el propósito de salvar el criterio cronológico de la asistencia médica tras las 72 horas posteriores al accidente en aquellos casos en los que la sintomatología aparece después.

CUARTA. Deber de mitigar el daño por parte de quien lo padece.

Dos tipos de conductas que quedan al margen de lo que podemos entender como la diligencia debida. Aquella conducta exenta de culpa o negligencia.

— Con carácter genérico, si deja de llevar a una conducta generalmente exigible que, sin comportar riesgo alguno para su salud o integridad física, habría evitado la agravación del daño.

Siempre y cuando la pasividad u omisión ante el tratamiento médico no comprometa su integridad física o salud. Ello supone que no podrá ser obligada a intervenciones quirúrgicas o tratamientos que conlleven un elevado riesgo para la salud debido a factores como la edad, estado previo del paciente e incluso las posibles secuelas que pudieran aparecer después. De forma paralela, tampoco tendrá relevancia causal no someterse a una intervención que no asegure a priori un resultado satisfactorio sobre la lesión.

— En forma específica, si abandona de forma injustificada el proceso curativo.

Alguien que rehúsa a continuar con el tratamiento prescrito por un facultativo y que conlleva fines terapéuticos. En este caso será necesario, como en el anterior, probar que la causa de empeoramiento como perjuicio directo para la víctima deviene del incumplimiento inequívoco de las prescripciones médicas que se diagnostican tras una correcta exploración del lesionado. Eso sí, siempre y cuando el presunto abandono sea injustificado, ya que cabría una ruptura del nexo de causalidad.

En definitiva:

I. Negativa infundada a someterse al tratamiento, conducta omisiva o pasiva de la víctima. Podría existir responsabilidad de la víctima si ésta no inicia o dilata en el tiempo el tratamiento rehabilitador siempre y cuando exista una relación causal entre esa inactividad y la agravación de las secuelas.

II. Ha de distinguirse los simples tratamientos sin riesgo y no invasivos de aquellos otros de carácter quirúrgico que conllevan un riesgo evidente para justificar el abandono del tratamiento (derecho a decidir del paciente, artículo 2.3 de la Ley Orgánica 4/2002 de 14 de noviembre Básica Reguladora de la Autonomía del Paciente.

III. Relación de causalidad entre la omisión y la agravación del daño (abandono total e injustificado).

IV. Inversión de la carga de la prueba (asegurador).

QUINTA. Perjuicio moral leve por pérdida de la calidad de vida.

En relación a la limitación o pérdida parcial de la actividad laboral o profesional que se venía ejerciendo con independencia del número de puntos que se otorguen a las secuelas.

Por cuanto a la actividad laboral o profesional tenemos que entender que este perjuicio moral se valorará tanto por la pérdida de calidad de vida en el ocio como en el trabajo.

Algunos lineamientos jurisprudenciales ponen de manifiesto que la pérdida parcial de la actividad profesional se produce cuando la persona lesionada sufre un cambio de destino o de funciones en su trabajo. Pensemos en el funcionario de policía que antes del accidente estaba destinado en una unidad operativa, empero, con posterioridad, debido a las secuelas (vértigos, mareos, dolor residual) se ve obligado a cambiar de destino. A un puesto estático, sin realizar labores de vigilancia ciudadana.

Otro supuesto análogo al anterior, trabajador de una fábrica acostumbrado a mover pesos grandes y a raíz del accidente lo trasladan a otro departamento de la empresa con otro cometido. Abundando algo más, el caso de una teleoperadora que tiene que mantener una misma postura durante largos espacios de tiempo, presentando a su vez limitación a la hora de coger pesos. Circunstancias que tendrán su incidencia en su vida personal, piénsese en las labores del hogar, o la actividad deportiva.

SEXTA. Informe médico concluyente.

La Ley 35/2015 no prevé cual es el contenido o qué se debe de entender por concluyente. Tampoco la práctica jurídica ayuda a descifrar este enigma. Estamos ante lo que se ha calificado como un concepto jurídico indeterminado que ha provocado ríos de tinta. No hay por tanto una definición precisa de este término legal. Una cuestión que pasa desapercibida por el legislador aunque no sería un tema que le correspondiese a éste. En este sentido podrían os echar mano al comité de expertos.

Audiencia provincial de Granada, núm. 908/2019, de 30 de diciembre y la en ella citadas sobre el contenido del informe médico concluyente. Fundamento jurídico cuarto *in fine:*

> «Qué haya de entenderse por "informe médico concluyente" es una cuestión jurídicamente discutible, donde existen opiniones discrepantes. En la S.A.P. de Orense de 10 de octubre de 2018 el concepto de informe médico concluyente se relaciona no sólo con los criterios estrictos de causalidad genérica ex art. 135.1 del T.R. (de exclusión, cronológico, topográfico y de intensidad) sino con marco probatorio "estricto". En S.A. P. de Cáceres de 26 de septiembre de 2018, se expresa que con el término concluyente "el legislador ha querido exigir la determinación inequívoca de la existencia de secuelas derivadas de traumatismo cervical menor… el **referido término hay que entenderlo como sinónimo de informe médico definitivo, convincente, indiscutible, irrebatible, rotundo y categórico**. En S.A.P. de Valencia de 9 de julio de 2018, se indica que dicho término debe de entenderse como "informe médico que objetiva la realidad de las secuelas que son reclamadas". Y en S.A. P de Álava de 28 de junio de 2018, se indica que «el informe médico concluyente debe aclarar que existe un nexo causal, que la lesión surgió en un breve espacio de tiempo, y que está ubicada físicamente donde el paciente recibió el golpe".

Por tanto, una aproximación a informe médico concluyente nos revela un informe de calidad, exhaustivo, completo y que siga al pie de la letra lo que prevé el Baremo. Suscrito por un profesional médico con experiencia en la valoración del daño corporal. Que contemple un decálogo de apartados como el que se relaciona a continuación:

1. Objeto del informe.
2. Fuentes consultadas.
3. Mecanismo lesional.
4. Primer diagnóstico o anamnesis.

5. Tratamiento inicial.

6. Seguimiento o control de la evolución.

7. Estado final.

8. Estudio del nexo de causalidad.

9. Valoración del daño corporal ajustado a los parámetros de la L 35/2015.

10. Desglose de los criterios seguidos con puntuación de las secuelas.

11. Anexos con pruebas de imagen.

SÉPTIMA. Claves del delito de estafa procesal en la simulación de lesiones por traumatismos cervicales leves.

Se trata de una conducta delictiva que necesariamente ha de acontecer en el seno de un procedimiento judicial. Una maniobra procesal mediante la cual se perjudica no solamente a la parte contraria (patrimonio privado), sino también al juez (buen funcionamiento de la Administración de Justicia) y, según cierto sector doctrinal, a la generalidad o comunidad de asegurados. Doctrina y Jurisprudencia lo han calificado como un delito pluriofensivo. En este sentido, el propio Tribunal Supremo en reiterada jurisprudencia establece que «la estafa procesal constituye una modalidad agravada de la estafa porque al daño o peligro, que supone para el patrimonio del particular afectado se une el atentado contra la seguridad jurídica representada por el Juez, al que se utiliza como instrumento al servicio de la actuación defraudadora».

La forma más frecuente de aparición de la estafa procesal es la tentativa, dado que, para hablar de delito consumado, no solo tiene que existir una resolución judicial sobre el fondo, sino que ésta debe causar una disposición patrimonial efectiva. Cuando el autor obtiene la disponibilidad del bien económico objeto de la misma. Este momento se presenta en la ejecución de la sentencia injusta. Por tanto, no se alcanzará la consumación, cuando tengan lugar las investigaciones llevadas a cabo por la Cía. Aseguradora afectada.

Desde el punto de vista del SLC simulado, encajado aquí como un tipo de estafa procesal, llama la atención la importancia que cobra la interposición de la denuncia, ya sea ante el Juzgado o la Policía. A partir de ese instante, en el que el sujeto intenta obtener un lucro económico bajo el ardid o engaño de haber sido víctima de una infracción penal y hasta la finalización del proceso mediante una resolución judicial se estarían cometiendo, al menos, dos infracciones penales claramente identificables: un delito de estafa procesal y otro de simulación de infracción penal, arts. 457 y 250.7ª. Ahora bien, como quiera que resulta preciso que exista un desplazamiento patrimonial efectivo para considerar la estafa como consumada, nos estaríamos moviendo en actos de ejecución: tentativa acabada o inacabada. Pero en ningún caso en actos verdaderamente consumativos, fuera de todo agotamiento delictivo, que producirá otras consecuencias en el ámbito de la responsabilidad civil.

ANEXO DE DOCUMENTOS

ANEXO 1
ESCRITO DE RECLAMACIÓN-PROPUESTA DE INDEMNIZACIÓN A LA ASEGURADORA RESPONSABLE DEL SINIESTRO

CÍA. ASEGURADORA

N/Ref, núm. 000.000. MATRÍCULA NOMBRE LESIONADO/A

RECLAMACION EXTRAJUDICIAL

Estimados Sr./Srs.:

A través de la presente, este despacho de abogados, tiene a bien ponerse en contacto con Vds. En relación con el siniestro cuyos datos se reaccionan *ut infra* y en aplicación del artículo 7, apartado 1 del Texto Refundido de la Ley de Responsabilidad Civil y Seguro en la Circulación de Vehículos a Motor (LRCSCVM), aprobado por el RD Legislativo 8/2004, de 29 de octubre. En consonancia con lo anterior le remitimos la siguiente reclamación extrajudicial en concepto de indemnización y gastos resarcibles.

A. Datos del perjudicado

— Nombre:

— DNI/NIF/NIE:

— Dirección:

— Tfno.:

— *E-mail*:

B. Circunstancias del siniestro

El accidente tuvo lugar en (...), el (...) de (...) de 20(...) en la calle/avda./plaza (...) confluencia con la calle/avda./plaza (...) al ser colisionado frontolateralmente por el vehículo, matrícula (...) turismo asegurado en (...), mediante número de póliza 0000000A.

Al lugar de los hechos acudieron varias dotaciones de Policía Local/Guardia civil. Entre ellas, el equipo de atestados, dotación que incoa el informe técnico o atestado por accidente de circulación núm. (...)/20(...).

Como consecuencia del siniestro nuestra patrocinado sufrió daños corporales de distinta consideración. Por todo ello, a fin de llevar a cabo el resarcimiento del daño corporal irrogado, esta parte considera oportuno remitirles la presente reclamación de indemnización[1], según *Ley 35/2015, de 22 de septiembre, de reforma del sistema para la valoración de los daños y perjuicios causados a las personas en accidente de circulación*.

C. Daños personales

— TABLA 3. INDEMNIZACIÓN POR LESIONES TEMPORALES

(Arts. 134 a 143 L 35/2015)[2]

I. Tabla 3.A. Perjuicio Personal Básico:

II. Tabla 3.B. Perjuicio Personal Particular

a. Por pérdida temporal de calidad de vida:

  i. Muy Grave:

  ii. Grave: 76,29€ x día (2 días)

  152,78€

  iii. Moderado: 52,96€ x día (88 días)

  4.460,48€

  iv. Básico: 30,56€ x día (13 días)

  397,28€

---

[1] Siguiendo la valoración efectuada por (...) a través de **OFERTA MOTIVADA** emitida el (...) de (...) de 20(...).

[2] Ley 35/2015, de 22 de septiembre de reforma del sistema para la valoración de los daños y perjuicios causados a las personas en accidentes de circulación (BOE núm. 228, de 23 de septiembre de 2015).

> **1) TOTAL INDEMNIZACIÓN LESIONES TEMPORALES: 5.010,54€**

III. Tabla 3.C. Perjuicio patrimonial:

a. Gastos diversos resarcibles

--/--/20--	Doc. 1	Gastos de peluquería. Con anterioridad al accidente los realizaba ella misma. Sin embargo, dadas las lesiones se vio obligada a acudir a un centro de imagen y belleza personal		59,00€
--/--/20--	Doc. 2	Factura de gimnasio. D.(...) practicaba regularmente actividad física		60,00€

> **2) TOTAL GASTOS RESARCIBLES:**
>
> **119,00€**

b. Lucro cesante:

En atención al **artículo 143** de la Ley 35/2015, sistema para la valoración de los daños y perjuicios causados a las personas en accidentes de circulación, este despacho de abogados tiene a bien incluir el esfuerzo que supone afrontar las tareas del hogar durante el tiempo de incapacidad temporal. Labores del hogar que han sido llevadas a cabo por nuestra patrocinada D.ª (...). Por ello, en relación al artículo 143,4 con el artículo 131 de la Ley 35/2015: «*La dedicación a las tareas del hogar se valoraran en la cantidad diaria de un salario mínimo interprofesional anual hasta el importe máximo total correspondiente a una mensualidad en los supuestos de curación sin secuelas o con secuelas iguales o inferiores a tres puntos*».

Si el salario mínimo interprofesional diario para 20(...) es de 24,53€. Por tanto, 103 días de incapacidad temporal por 24,53€ hacen un total de 2.526,59€. Se establece el importe de una mensualidad. Con lo cual resultan **735,90€.**

---

3) TOTAL LUCRO CESANTE:

735,90€

— TABLA 2. SECUELAS. Perjuicio Personal Básico (Tablas 2.A.1/ 2.A.2)

Edad del lesionado: **47**

I. Puntuación anatómico funcional:

a) TOTAL por secuelas Psicofísicas

1 punto

II. Baremo económico:

---

4) TOTAL SECUELAS 771,38€

Cantidad total indemnización (T 1) + (T 2) + (T 3) + (T 4):

5.010,54€ + 119,00€+ 735,90€+ 771,38€ = 6.636,82€

Cantidad total a percibir: 6.636,82€ (s.e.u.o)

SEIS MIL SEISCIENTOS TREINTA Y SEIS CON OCHENTA Y DOS EUROS

D. Elementos de valoración

Para la determinación de la citada cantidad, se han tenido en cuenta, además de los emitidos por los servicios médicos de valoración del daño corporal de (...) los siguientes documentos:

— Doc. Núm. 1. Factura peluquería

— Doc. Núm. 2. Factura Gimnasio

Les ruego que me confirme la tramitación de mi petición

En (...)a (...)/(...)/20(...)

Sin otro particular, reciba un cordial saludo.

Firma de Ldo. (...)

ANEXO 2
ESCRITO SOLICITANDO PERJUICIO POR PÉRDIDA DE LA CALIDAD DE VIDA

PERJUICIO MORAL POR PÉRDIDA DE LA CALIDAD DE VIDA DE D/D.ª. (...) DNI/NIF/NIE (...)

El presente documento tiene por objeto establecer aquellas circunstancias que limitan o impiden el desarrollo normal de la vida cotidiana de D/D.ª. (...), todas aquellas **actividades específicas de desarrollo personal**[1] que venía desarrollando con anterioridad al accidente de circulación y que a partir del siniestro se han visto cercenadas por las secuelas que presenta (***núm. De puntos*** *de acuerdo al informe de valoración del daño corporal*).

Según el Texto articulado conforme a **la Ley 35/2015, de 22 de septiembre, reforma del sistema para la valoración de los daños y perjuicios causados a las personas en accidentes de circulación** el perjuicio moral por pérdida de calidad de vida ocasionada por las secuelas se encuentra reguilada en el **artículo 107**, dice así:

La indemnización por pérdida de la calidad de vida tiene por objeto compensar el perjuicio moral particular que sufre la víctima por las secuelas que impiden o limitan su autonomía personal para realizar las actividades esenciales en el desarrollo de la vida ordinaria o su desarrollo personal mediante actividades específicas.

En el mismo sentido, a colación de lo anterior, el artículo 108 del mismo texto legal establece los grados del perjuicio moral por pérdida de la calidad de vida,

El perjuicio por pérdida de la calidad de vida puede ser muy grave, grave moderado o leve. [...]

---

(1)   Artículo 54 Ley 35/2015: A efectos de esta Ley se entiende por actividades de desarrollo personal aquellas actividades, tales como las relativas al disfrute o placer, a la vida de relación, a la actividad sexual, al ocio y la práctica de deportes, al desarrollo de una formación y al desempeño de una profesión o trabajo, que tienen por objeto la realización de la persona como individuo y como miembro de la sociedad.

5. **El perjuicio leve** es aquel en el que el lesionado con secuelas de **más de seis puntos** pierde la posibilidad de llevar a cabo actividades específicas que tengan especial trascendencia en si desarrollo personal. [...]

Afección del perjuicio moral a las actividades de desarrollo personal

La redacción del **artículo 54 de la Ley 35/2015** prevé al menos las siguientes: disfrute o placer, la vida de relación, la actividad sexual, ocio y la práctica de deportes.

Asimismo, en el artículo el **artículo 109** se establecen los parámetros para la determinación de la cuantía del perjuicio moral por pérdida de calidad de vida ocasionada por secuelas, que son: la importancia, el número de las actividades afectadas y la edad del lesionado

Por tanto, D/D.ª. (...), ha visto afectada su calidad de vida en:

A) Disfrute, placer y vida de relación

A partir del siniestro D./D.ª (...) sufre un trastorno psicológico que afecta directamente a la mayor parte de las actividades de desarrollo personal. El dolor, la angustia, la aflicción física o espiritual, y, en general, los padecimientos que le han sido infligidos con ocasión del accidente de tráfico han provocado un trastorno de adaptación ansioso-depresivo, necesitando tratamiento farmacológico así como seguimiento facultativo continuo. Para justificar este extremo se adjunta como documentos

> — **Documento núm. 1**: informe de la Psicóloga Clínica Dr. D./D.ª (...) del Hospital Cínico Asistencial (...)

B) Práctica de deportes:

A través de los documentos que se aportan y unen al presente informe se puede colegir que D.ª /D. (...) ha visto limitada su actividad física. De ahí, que con anterioridad al siniestro la práctica de actividad física era un constante en su vida. Acudía regularmente a los entrenos todos los días. Para justificar este extremo se adjunta como documento:

> — **Documento núm. 2**: práctica de deporte/actividad física/matrícula en gimnasio/inscripción en club deportivo/licencia federativa expedida por (...)

Sin embargo, a día de hoy esta actividad se ha visto notablemente afectada y alterada por las secuelas que presenta en las extremidades inferiores y en el cuello: dolores, rigidez, pérdida de movilidad, e inflación entre otras.

C) Ocio:

Siguiendo la pauta anterior de la actividad física, han sido constantes y habituales viajes los fines de semana para disfrutar con su pareja y familia. Téngase en cuenta los viajes y experiencias vividas hasta el momento, dado que D.ª/D. (...) y su pareja acostumbran a realizar viajes o excursiones periódicas

— **Documento núm. 3**. Contratos con agencias de viajes, justificantes, reservas de hoteles, excursiones, etc.

A la vista de lo anteriormente expuesto, esta parte tiene a bien calificar el perjuicio irrogado a mi cliente como una ALTERACIÓN MODERADA DEL DESARROLLO PERSONAL NO LABORAL, incardinable en un grado leve medio que limita la posibilidad de llevar a cabo actividades específicas de especial trascendencia en su desarrollo personal.

D) Edad (años):

Como es lógico, la edad del lesionado debe convertirse en un factor determinante en la valoración de la pérdida de calidad de vida. Y ello es así, dada la expectativa de vida. Dicho de otra forma, la expectativa de vida del lesionado se correspondería con la duración presumida del perjuicio permanente. A mayor duración, mayor será la indemnización.

1. Perjuicio personal particular tabla 2.B

Como quiera que el lesionado ha sufrido un cambio notable en las actividades de desarrollo personal, así como por el número de actividades que se han visto afectadas y teniendo presente su edad, esta parte considera que el perjuicio leve por perdida de la calidad de vida debe situarse en el tramo: de **1.500 € a 10.000€** (horquilla leve ampliado 10.000 a 15.000€); y en consecuencia, teniendo presente la limitación e incluso perdida de algunas actividades específicas de desarrollo, así como la edad de D.ª /D. (...), la indemnización debe alcanzar los **OCHO MIL EUROS (8.000€)**, cifra que se ajusta a lo previsto en la tabla 2.B indemnización por secuelas (perjuicio personal particular).

Sirva el presente informe para justificar la pérdida ostensible de calidad de vida de nuestro cliente y evitar así un proceso judicial, que entendemos sería más costoso para Vds.

Resulta una práctica habitual de este despacho de abogados alcanzar un acuerdo amistoso, sin perjuicio de interponer demanda judicial si no se alcanzase lo estipulado en el presente escrito, por otra parte, entendemos, ajustado a derecho.

Lo que a Vds. Participo para su conocimiento y efectos oportunos

En (...) a (...) de (...) de 20(...)

ANEXO 3
ESCRITO SOLICITANDO CONSENTIMIENTO INFORMADO DE LA VÍCTIMA

CONSENTIMIENTO INFORMADO DE LA VÍCTIMA LESIONADA

En base al Real Decreto 1148/2015, de 18 de diciembre, por el que se regula la realización de pericias a solicitud de particulares por los Institutos de Medicina Legal y Ciencias Forenses, en las reclamaciones extrajudiciales por hechos relativos a la circulación de vehículos a motor; y a Ley 41/2002, de 14 de noviembre, básica reguladora de la autonomía del paciente y de derechos y obligaciones en materia de documentación clínica.

D. (...), mayor de edad, con DNI/NIF (...), MANIFIESTA:

Que ha sido informado sobre los derechos que le atribuye el artículo 7.5 de la Ley de Responsabilidad Civil y Seguro en la Circulación de Vehículos a Motor, entre ellos el derecho a solicitar al Instituto de Medicina Legal un nuevo informe forense para una valoración objetiva de sus lesiones y secuelas.

Que en el mismo sentido ha sido instruido, como víctima de accidente de tráfico, de la necesidad de llevar a cabo las exploraciones, reconocimientos, exámenes y pruebas preceptivas para una correcta valoración de las lesiones cuando sea requerido a tales efectos.

Y en consecuencia, AUTORIZA Y DA SU CONSENTIMIENTO para el acceso a la documentación de su historial clínico que sea de exclusivo interés en relación al accidente sufrido y para la realización de exámenes o pruebas complementarias cuando el médico forense los considere necesarios, así como para la cesión a la entidad aseguradora de los datos resultantes de dichos exámenes y pruebas.

En (...) a (...) de (...) de 20(...)

Fdo: D./D.ª,

DNI/NIF

ANEXO 4
ESCRITO INFORME INDICIARIO SOBRE POSIBLE FRAUDE A ASEGURADORA

INFORME INDICIARIO SOBRE POSIBLE FRAUDE A ASEGURADORA (Nombre de la Cía.)

El/los Funcionario/s del Cuerpo de Policía Local con número/s de identificación profesional/es [números de identificación profesionales] hace/n constar que sobre las [hh.mm] horas del día [dd-mm-aaaa] , en Salamanca (Salamanca), en [tipo de vía, denominación y núm.] , ocurrió un accidente de tráfico al [tipo de accidente y tipo de vehículos implicados, así como la matrícula de los mismos] , que presenta indicios o sospechas de fraude a aseguradora.

TIPO DE ACCIÓN DETECTADA

Mediante el presente informe el/los Funcionario de Policía Local anteriormente reseñados tienen a bien participar a la Cía aseguradora Nombre de la Cía los siguientes aspectos relacionados con las características del accidente. Le anticipamos que se han detectado indicios significativos de que el accidente de tráfico ha sido simulado--creado de forma deliberada--usado para conseguir reparar, mediante las coberturas de la póliza, daños producidos anteriormente-- los heridos fingen lesiones inexistentes (esguince cervical).

IDENTIFICACIÓN DE PERSONAS INVOLUCRADAS E INDICADORES DE FRAUDE.

Vehículo A , matrícula [matrícula] .

— **Conductor**: [Nombre APELLIDO APELLIDO] , nacido/a el [dd-mm-aaaa] , con domicilio en [localidad] ([provincia]), [tipo de vía, denominación, núm., portal, escalera, piso, puerta] , con teléfono núm. [000 000 000] y D.N.I./D.O.I./Pasaporte núm. [00000000-X] .

— Indicadores de fraude

— Relación de parentesco: En relación a las personas que viajaban en el vehículo o sobre las cuales existen sopechas de que la situación de hecho pueda ser considerada como una acción fraudulenta

— Situación laboral: desmpleado/empleado/etc.

— Actitud frente al suceso: Nervioso/tranquilo/inquieto/reseñar aquellas circunstancias que denotan inseguridad o imprecisiones en la manifestación.

— Incoherencias y/o contradicciones en la manifestación: manifestaciones expontáneas inmediatamente después del accidente, cambios significativos en la versión de los hechos.

— Características del daño producido: si los daños son relamente ocasionados como consecuencia de la dinámica accidenteal del accidente o si los mismos no corresponden a ese accidente

— Características de las lesiones producidas: Si las lesiones se derivan o pueden derivarse de la dinámica accidental del tipo de colisión. Biomecanica del las lesiones.

— Antecedentes siniestrales: En caso positivo relación de accidentes de siilares características donde haya participado o se haya encontrado implicado.

—Ocupante/usuario: [Nombre APELLIDO APELLIDO] , nacido/a el [dd-mm-aaaa] , con domicilio en [localidad] ([provincia]), [tipo de vía, denominación, núm., portal, escalera, piso, puerta] , con teléfono núm. [000 000 000] y D.N.I./D.O.I./Pasaporte núm. [00000000-X] .

— Indicadores de fraude

— Relación de parentesco: En relación a las personas que viajaban en el vehículo o sobre las cuales existen sopechas de que la situación de hecho pueda ser considerada como una acción fraudulenta

— Situación laboral: desmpleado/empleado/etc.

— Actitud frente al suceso: Nervioso/tranquilo/inquieto/reseñar aquellas circunstancias que denotan inseguridad o imprecisiones en la manifestación.

— Incoherencias y/o contradicciones en la manifestación: manifestaciones expontáneas inmediatamente después del accidente, cambios significativos en la versión de los hechos.

— Características del daño producido: si los daños son relamente ocasionados como consecuencia de la dinámica accidenteal del accidente o si los mismos no corresponden a ese accidente

— Características de las lesiones producidas: Si las lesiones se derivan o pueden derivarse de la dinámica accidental del tipo de colisión. Biomecanica del las lesiones.

— Antecedentes siniestrales: En caso positivo relación de accidentes de siilares características donde haya participado o se haya encontrado implicado.

— Otros.

Vehículo B, matrícula [matrícula] .

—Conductor: [Nombre APELLIDO APELLIDO] , nacido/a el [dd-mm-aaaa] , con domicilio en [localidad] ([provincia]), [tipo de vía, denominación, núm., portal, escalera, piso, puerta] , con teléfono núm. [000 000 000] y D.N.I./D.O.I./Pasaporte núm. [00000000-X] .

— Indicadores de fraude

— Relación de parentesco: En relación a las personas que viajaban en el vehículo o sobre las cuales existen sopechas de que la situación de hecho pueda ser considerada como una acción fraudulenta

— Situación laboral: desmpleado/empleado/etc.

— Actitud frente al suceso: Nervioso/tranquilo/inquieto/reseñar aquellas circunstancias que denotan inseguridad o imprecisiones en la manifestación.

— Incoherencias y/o contradicciones en la manifestación: manifestaciones expontáneas inmediatamente después del accidente, cambios significativos en la versión de los hechos.

— Características del daño producido: si los daños son relamente ocasionados como consecuencia de la dinámica accidenteal del accidente o si los mismos no corresponden a ese accidente

— Características de las lesiones producidas: Si las lesiones se derivan o pueden derivarse de la dinámica accidental del tipo de colisión. Biomecanica del las lesiones.

— Antecedentes siniestrales: En caso positivo relación de accidentes de siilares características donde haya participado o se haya encontrado implicado.

— **Ocupante/usuario:** [Nombre APELLIDO APELLIDO] , nacido/a el [dd-mm--aaaa] , con domicilio en [localidad] ([provincia]), [tipo de vía, denominación, núm., portal, escalera, piso, puerta] , con teléfono núm. [000 000 000] y D.N.I./D.O.I./Pasaporte núm. [00000000-X] .

— Indicadores de fraude

— Relación de parentesco: En relación a las personas que viajaban en el vehículo o sobre las cuales existen sopechas de que la situación de hecho pueda ser considerada como una acción fraudulenta

— Situación laboral: desmpleado/empleado/etc.

— Actitud frente al suceso: Nervioso/tranquilo/inquieto/reseñar aquellas circunstancias que denotan inseguridad o imprecisiones en la manifestación.

— Incoherencias y/o contradicciones en la manifestación: manifestaciones expontáneas inmediatamente después del accidente, cambios significativos en la versión de los hechos.

— Características del daño producido : si los daños son relamente ocasionados como consecuencia de la dinámica accidenteal del accidente o si los mismos no corresponden a ese accidente

— Características de las lesiones producidas: Si las lesiones se derivan o pueden derivarse de la dinámica accidental del tipo de colisión. Biomecanica del las lesiones.

— Antecedentes siniestrales: En caso positivo relación de accidentes de siilares características donde haya participado o se haya encontrado implicado.

— Otros.

— **Peatón:** [Nombre APELLIDO APELLIDO] , nacido/a el [dd-mm-aaaa] , con domicilio en [localidad] ([provincia]), [tipo de vía, denominación, núm., portal, escalera, piso, puerta] , con teléfono núm. [000 000 000] y D.N.I./D.O.I./Pasaporte núm. [00000000-X]

— **Indicadores de fraude**

— Relación de parentesco: En relación a las personas que viajaban en el vehículo o sobre las cuales existen sopechas de que la situación de hecho pueda ser considerada como una acción fraudulenta

— Situación laboral: desmpleado/empleado/etc.

— Actitud frente al suceso: Nervioso/tranquilo/inquieto/reseñar aquellas circunstancias que denotan inseguridad o imprecisiones en la manifestación.

— Incoherencias y/o contradicciones en la manifestación: manifestaciones expontáneas inmediatamente después del accidente, cambios significativos en la versión de los hechos.

— Características del daño producido: si los daños son relamente ocasionados como consecuencia de la dinámica accidenteal del accidente o si los mismos no corresponden a ese accidente

— Características de las lesiones producidas: Si las lesiones se derivan o pueden derivarse de la dinámica accidental del tipo de colisión. Biomecanica del las lesiones.

— Antecedentes siniestrales: En caso positivo relación de accidentes de siilares características donde haya participado o se haya encontrado implicado.

— Otros.

APRECIACIÓN DE LA FORMA EN QUE SE PRODUJO EL ACCIDENTE SIMU-LADO/SOBRE EL CUAL EXISTEN INDICIOS DE QUE SEA SIMULADO/ ETC ., CAUSAS Y FACTORES.

De la inspección ocular practicada del lugar de los hechos y/o al/los vehículo/s implicado/s, huellas diversas, manifestaciones de interés y demás circunstancias es parecer de los Funcionarios de Policía actuantes que el accidente pudo tener el siguiente desarrollo: [desarrollo]

A juicio de los Funcionarios de Policía que realizan el presente informe, la posible causa del accidente pudo ser [causa]. Como factor/es influyente/s en el accidente se observa: [factores, si se observan].

OBSERVACIONES.

A este informe, que contiene los datos más relevantes de las personas y vehículos implicados, así como la apreciación de la forma en que se pudo producir el accidente y sus causas y factores, se adjunta un croquis comprensivo de la situación del accidente y/o informe fotográfico.

	En (...),
V° B°	[dd de mes de aaaa]
El Jefe de Policía	Los Policías,

ANEXO 5
ATESTADO POR PRESUNTO DELITO DE ESTAFA DE SEGURO A ASEGURADORA

ATESTADO POR PRESUNTO DELITO DE ESTAFA DE SEGURO A ASEGURADORA

Diligencias núm. TV-PF-0000-00, de fecha [día] de [mes] de 2020, instruidas por presunto delito de estafa a aseguradora con ocasión de simulación de accidente —lesiones—daños materiales— para obtener la indemnización con cargo al Seguro Obligatorio del Automóvil

Lugar, hora y fecha:

— (...), en [lugar en el que sucedieron los hechos o se logró la detención del vehículo], sobre las [hh.mm] horas del día [dd-mm-aaaa].

Observaciones:

— Diligencias y actuaciones iniciadas a raíz del presunto accidente de tráfico/atropello ocurrido ente el vehículo y el vehículo /peatón

Denunciado/a:

— [Nombre APELLIDO APELLIDO].

Vehículo:

— [Tipo de vehículo], matrícula [matrícula].

Tipo de seguro:

—SOA/SVA/SOV/, núm. De Póliza, vigencia.

—[Categoría] N.I.P. [NIP]

— [Categoría] N.I.P. [NIP]

CUERPO DE DILIGENCIAS

ATESTADO POR PRESUNTO DELITO DE ESTAFA DE SEGURO A ASEGURADORA [NOMBRE DE LA ASEGURADORA]

EXPOSICIÓN DE HECHOS.

En Salamanca (Salamanca), y en Jefatura de la Policía Local, siendo las [hh.mm] horas del día [dd-mm-aaaa], ante los/las Funcionarios/as de Policía Local con número/s de identificación profesional/es (NIP) [NIP], HACEN CONSTAR:

Que sobre las [hh.mm] horas del día [dd de mes de aaaa], en Salamanca (Salamanca), y en LUGAR DE OCURRENCIA DE LOS HECHOS, observaron relato de las circunstancias e indicios del presunto fraude a la aseguradora.

[EL SINIESTRO PUEDE SER CREADO DE FORMA DELIBERADA/DESPUÉS DEL ACCIDENTE APARECEN PERSONAS QUE SIMULAN LESIONES INEXISTENTES, O INCLUSO NO VIAJABAN EN EL VEHÍCULO SINIESTRADO/ ACCIDENTE PUEDE SER USADO PARA REPARAR, MEDIANTE LAS COBERTURAS]

INDICADORES DE FRAUDE I: HORA DEL SUCESO/TIPO DE COLISIÓN/INDIVIDUOS INVOLUCRADOS/RELACIONES DE PARENTESCO/INCOHERENCIAS O CONTRADICCIONES EN LA MANIFESTACIÓN/ACTITUD DEL DEMANDANTE ANTE EL SUCESO/ANTECEDENTES DEL SINIESTRADO/SITUACIÓN LABORAL

INDICADORES DE FRAUDE II: CARACTERÍSTICAS DEL DAÑO PRODUCIDO/ PRESENCIA O NO DE EVIDENCIA OBJETIVA DE DAÑO

El conductor/titular/ocupante/usuario del vehículo o peatón atropellado simulaba o fingía los daños/lesiones o las consecuencias del presunto accidente de circulación mediante engaño bastante y/o error de suficiente entidad de como para obtener, con ánimo de lucro, una disposición patrimonial o prestación del asegurador del vehículo matrícula [matrícula].

Que la persona imputada en la presunta estafa a aseguradora fue identificada como [Nombre APELLIDOS], nacido/a en [localidad][(Provincia)], el [dd-mm-aaaa], hijo/a de [nombre de los padres], estado civil [estado civil], profesión [profesión], con domicilio en [código postal y localidad][(Provincia)], [dirección completa], DNI/ otro documento de identidad núm. [00000000-X], expedido el [dd-mm-aaaa], con teléfono número [000 000 000], fax número [000 000 000] y dirección de correo electrónico [dirección].

El [conductor/titular] exhibe [tipo de documento con el que acredita la existencia de SOA] para acreditar que tiene concertado certificado de seguro obligatorio de responsabilidad civil, póliza/certificado internacional de seguro núm. [número] y validez desde el [dd-mm-aaaa] hasta el [dd-mm-aaaa], con la Compañía [NOMBRE], con domicilio social en [localidad] ([provincia]), [dirección completa], teléfono/s núm. [000 000 000], fax núm. [000 000 000] y dirección de correo electrónico [dirección/carece]. De dicho seguro es/consta como tomador/a del mismo [Nombre APELLIDO APELLIDO/RAZÓN SOCIAL], con domicilio en [localidad] ([provincia]), [dirección completa], [D.N.I., N.I.E., D.O.I., pasaporte, C.I.F. etc.] núm. [reseñar la numeración completa, con letras, si existen, y de forma fiel a como consta en el documento del que se toma; ejemplo: 09999999-X], teléfono/s núm. [000 000 000], fax núm. [000 000 000] y dirección de correo electrónico [dirección/carece].

Los demás datos de identificación de la persona requerida, así como los referidos a la autorización para conducir, vehículo, autorización para circular y seguro obligatorio de automóviles, constan en acta de identificación que se adjunta a las presentes.

Que en el vehículo de referencia viajaban, además del/de la conductor/a reseñado/a, el/los usuario/s que se relaciona/n a continuación:

— [Nombre APELLIDO APELLIDO], nacido/a en [Localidad] ([Provincia]) el [dd-mm-aaaa], hijo/a de [nombre de los padres], con domicilio en [Localidad] ([Provincia]), vía [nombre vía, núm., portal, piso, puerta], DNI/otro documento de identidad núm. [00000000-X], expedido el [dd-mm-aaaa] y teléfono/s núm./s. [000 000 000]. Ocupaba en el vehículo la siguiente posición: [posición]. CONSTE Y CERTIFICO.

DILIGENCIA DE ANTECEDENTES.

Se extiende para hacer constar que consultados antecedentes relativos a [Nombre y APELLIDOS] a las [hh.mm] horas, en el/los lugar/es que se expresa/n, con esos datos de filiación consta que:

— En [base o lugar consultado] le consta: [antecedentes].

— En [base o lugar consultado] le consta: [antecedentes].

Se extiende para hacer constar que consultados antecedentes relativos a [Nombre y APELLIDOS] a las [hh.mm] horas, en el/los [lugar o lugares consultados], con esos datos de filiación, no figura ninguno. CONSTE Y CERTIFICO.

DILIGENCIA DE ANTECEDENTES DE SINIESTRALIDAD

Se extiende para hacer constar que consultados a las [hh.mm] horas el/los [lugar o lugares consultados], interesando incidencias sobre la participación de [Nombre y APELLIDOS] en otros accidentes de similares características, figura/n la/s siguiente/s: [incidencias o anotaciones que figuran y demás reseñas]. CONSTE Y CERTIFICO.

DILIGENCIA DE INCIDENCIAS SOBRE VEHÍCULO, MATRÍCULA PLACA

Se extiende para hacer constar que consultado/s a las [hh.mm] horas el/los [lugar o lugares consultados], interesando incidencias sobre el vehículo matrícula [matrícula], marca [marca], modelo [modelo], figura/n la/s siguiente/s: [incidencias o anotaciones que figuran y demás reseñas]. CONSTE Y CERTIFICO.

247

DILIGENCIA DE INFORMACIÓN DE DERECHOS.

Se extiende para hacer constar que en vista de lo actuado se informa a [Nombre APELLIDOS], cuyos demás datos de filiación constan en diligencias anteriores, de los derechos que le asisten conforme determina la Ley de Enjuiciamiento Criminal vigente, lo que se realiza en acta que se adjunta a las presentes. CONSTE Y CERTI-FICO.

Acto seguido se cumplimentan los derechos de los que hace uso. CONSTE Y CER-TIFICO.

DILIGENCIA DE OFRECIMIENTO DE ACCIONES AL PERJUDICADO

Se extiende para hacer constar que en vista de lo actuado se informa a [Nombre APELLIDOS], cuyos demás datos de filiación constan en diligencias anteriores, de los derechos que le asisten como perjudicado por delito, conforme determina la Ley de Enjuiciamiento Criminal vigente, lo que se realiza en acta que se adjunta a las presentes. CONSTE Y CERTIFICO

OTRAS DILIGENCIAS (...)

DILIGENCIA

Se extiende para hacer constar que se formula/n y remite/n a la/s Autoridad/es com-petente/s la/s siguiente/s denuncia/s administrativa/s:

— Boletín de denuncia número [número], por presunta infracción al [precepto infringido] de [norma infringida] por [«hechos denunciados»], que es remitido a [órgano instructor correspondiente].

— Boletín de denuncia número [número], por presunta infracción al [precepto infringido] de [norma infringida] por [«hechos denunciados»], que es remitido a [órgano instructor correspondiente]. CONSTE Y CERTIFICO.

DILIGENCIA DE TERMINACIÓN Y REMISIÓN

En este estado se dan por concluidas las presentes diligencias, constando, además de la portada, de [número] folios escritos en su anverso, las cuales se remiten al Juzgado de Instrucción de Guardia de los de Salamanca (Salamanca), adjuntándose los siguientes documentos:

— **Documento núm. 1**: Acta de identificación de la persona imputada por pre-sunto delito de estafa a aseguradora, que consta de [número] folio/s escrito/s en su anverso.

— **Documento núm. 2**: Informe de accidente simulado o fingido, que consta de [número] folio/s escrito/s en su anverso.

— **Documento núm. 3**: Acta de declaración de facultativo que asiste en primera instancia a los presuntos lesionados,

— **Documento núm. 4**: Informe de los daños materiales que presenta el vehículo.

— **Documento núm. 5**: Acta de Ofrecimiento de Acciones [Nombre y APELLIDOS], que consta de [número] folio/s escrito/s en su anverso

— **Documento núm. 6**: Acta de declaración del investigado/a no detenido/a [Nombre y APELLIDOS], que consta de [número] folio/s escrito/s en su anverso

— **Documento núm. 7:** Acta de información de derechos al investigado/a no detenido/a, que consta de [número] folio/s escrito/s en su anverso. —------Información de derechos al detenido-----

— **Documento núm. 8:** Acta de medidas adoptadas con vehículo, que consta de [número] folio/s escrito/s en su anverso.

— **Documento núm. 9:** Acta de designación del medio y/o lugar de citación copia de la cédula de citación a nombre de [Nombre y APELLIDOS], que consta de [número] folio/s escrito/s en su anverso

— **Documento núm. 10:** Acta de identificación y declaración del perjudicado [Nombre y APELLIDOS], que consta de [número] folio/s escrito/s en su anverso.

— **Documento núm. 11:** Acta de identificación y declaración del testigo [Nombre y APELLIDOS], que consta de [número] folio/s escrito/s en su anverso.

— **Documento núm. 12:** Otros documentos de interés.

Como imputado/a, [Nombre APELLIDO APELLIDO], queda apercibido/a de la obligación de comparecer ante V.I., en los términos fijados en el acta de designación del medio y/o lugar de citación copia de la cédula de citación.

Se significa a V.I. que perjudicados, testigos, peritos y/o facultativos son apercibidos de las responsabilidades que incurrirán en caso de no comparecer ante la Autoridad Judicial el día y hora que sean citados señalados en la cédula de citación.

Asimismo, se significa que se remite copia a la Fiscalía de la Audiencia Provincial y se da comunicación al Cuerpo Nacional de Policía. CONSTE Y CERTIFICO.

ANEXO 6
ESCRITO DE DENUNCIA POR LESIONES DERIVADAS DE ACCIDENTE DE TRÁFICO

AL JUZGADO DE INSTRUCCIÓN DE (...) **QUE POR TURNO CORRESPONDA**

D. (...), Letrado del Ilustre Colegio de Abogados (...) con número de colegiado (...) y de **D/D.ª** (...), de (...) años de edad, titular del DNI/NIF núm. (...), con domicilio en (...) en la calle (...) número (...) piso (...) puerta (...), en virtud del poder para pleitos que será otorgado *apud acta* ante Secretario Judicial comparece y como mejor procede en derecho **DICE**:

Que por medio del presente escrito, bajo la dirección técnica del letrado *ut supra* reseñado, pasa a formular **denuncia** por lesiones causadas como consecuencia de atropello de circulación contra D/D.ª (...). Con domicilio en calle (...) núm. (...). Piso (...), puerta (...); conductora/titular del vehículo, matrícula 0000BBB; y su aseguradora (...), número de póliza (...).

HECHOS

PRIMERO. El día (...) de (...) de 2020 en (...) la ahora denunciante circulaba con su vehículo, matrícula 0000AAA (...) por la calle (...), cuando fue colisionada frontolateralmente por el turismo matrícula 0000BBB.

La lesionada había reanudado la marcha en luz verde para vehículos, tras haber estado detenida en primera posición ante el semáforo que regula la intersección de la avda. (...) con el pso. (...). No pudo hacer nada por evitar la colisión, ya que no se percata de la presencia del vehículo que se aproxima a gran velocidad por su derecha. El mismo era conducido por D/D.ª (...).

Como consecuencia del fuerte impacto D/D.ª (...) fue trasladada por una dotación de SACyL 112 al Hospital (...). Para justificar este extremo se adjunta como doc. Núm. 1 parte de asistencia del servicio de urgencias.

Posteriormente, se dirige a dependencias de la Policía Local/Guardia Civil de (...) donde interpone la correspondiente denuncia.

De lo acontecido se incoan diligencias con número de informe técnico/atestado número (...)/2020.

SEGUNDO. Con posterioridad al accidente, la denunciante fue sometida a distintas pruebas, dado que no mejoraba de sus dolencias con un cuadro lesional significativo: (...).

Para justificar este extremo, se adjunta como doc. Núm. 2 parte de seguimiento de lesiones aconsejando cirugía en zona cervical si con el tratamiento rehabilitador no mejora.

TERCERO. Los hechos descritos, salvo mejor criterio del juzgador, pueden ser constitutivos de infracción penal. Todo ello en virtud del artículo 152.2 del Código penal, según redacción dada por la Ley Orgánica 2/2019, de 1 de marzo:

El que por imprudencia menos grave causare alguna de las lesiones a que se refieren los artículos 147.1, 149 y 150, será castigado con la pena de multa de tres meses a doce meses.

Las lesiones que presenta D./D.ª (...) coinciden con las que tipifica el propio artículo 147.1. No se trata de una simple vigilancia o seguimiento evolutivo del cuadro lesional originado con ocasión del siniestro, sino de la estabilización lesional o curación, incluso a través de cirugía, de las alteraciones orgánico-funcionales que han sido irrogadas a nuestra mandante.

CUARTO. En otro orden de cosas, cabe poner de manifiesto la transcendencia de la imprudencia que lleva a cabo la conductora del turismo que arrolla a D./D.ª (...). En todo caso calificada como infracción grave o muy grave prevista en los artículos 76 y 77 del Real Decreto Legislativo 6/2015, de 30 de octubre, por el que se aprueba el Texto Refundido de la Ley de Tráfico, Circulación de Vehículos a motor y Seguridad Vial.

La acción realizada por la denunciada encaja en lo previsto por el artículo 146 del Reglamento General de Circulación al no respetar la conductora de un turismo la luz roja no intermitente de un semáforo, o bien que la misma conduce de forma temeraria en relación con el artículo 3 del mismo cuerpo legal. Como hemos apuntado infracciones que responden a la conducta desplegada por la conductora del turismo responsable del accidente. En virtud de lo que establece el artículo 152.2 parágrafo segundo del Código penal, si así lo aprecia o considera el Juez o Tribunal.

Por tanto, dado el grado de imprudencia y en orden a su calificación esta parte considera que la colisión se produce por una falta de diligencia en la conducción.

Para el caso que nos ocupa, habrá que valorar la imprudencia no en función del resultado producido sino, esencialmente, por el elemento del deber de cuidado que la conductora omitió, habida cuenta de las propias características de la acción, el mayor o menor peligro provocado y el área de influencia tanto individual como colectivo que pueda tener su actuación, así como la mayor o menor previsibilidad de las consecuencias y de la normas de convivencia social concatenadas a la acción imprudente,

Por todo ello, como quiera que los hechos son susceptibles de ser incardinados en el tipo del artículo 152.2 del Código penal presentamos esta denuncia y proponemos las siguientes diligencias para el esclarecimiento de dicho siniestro, sin perjuicio de practicar otras que se consideren necesarias.

1. Que se libre atento oficio a la Policía Local/Guardia civil de (...) para que remita al Juzgado las diligencias a prevención instruidas con ocasión del accidente de tráfico, número de atestado (...).

2. Que sean examinada D/D.ª (...) por el Médico Forense del Juzgado de (...). Todo ello para que pueda realizar una evaluación objetiva de las mismas.

3. Citación del denunciado al que se instruirá de la presente denuncia y requerirá para que exhiba ante el juzgado el permiso de conducción, documentación y seguro obligatorio del automóvil con acreditación de su vigencia al momento del accidente y dejando reseñados en autos dichos documentos.

4. Que en su momento se convoque a las partes a la celebración del juicio oral.

Por todo lo expuesto,

SUPLICO AL JUZGADO, que teniendo por presentado este escrito, se sirva admitirlo, tenga por efectuada denuncia por lesiones contra D./D. (...), con domicilio en calle (...) núm. (...); conductora/titular del vehículo, matrícula 0000BBB; y su aseguradora (...) como responsable civil directo.

Es justicia que pido en (...) a (...) de (...) de 2020

Firmas

ANEXO 7
ESCRITO DEMANDA RESPONSABILIDAD CIVIL DERIVADA DE LA CIRCULACIÓN DE VEHÍCULOS A MOTOR

AL JUZGADO DE PRIMERA INSTANCIA DECANO DE LOS DE (...)

D./D.ª (...), Procurador de los Tribunales, en nombre y representación de D./D.ª (...), según acredito mediante poder notarial que acompaño, rogando me sea devuelto una vez testimoniado en autos, ante el Juzgado comparezco bajo la dirección letrada de D./D.ª (...), y como mejor proceda en derecho

DIGO:

Que mediante el presente escrito interpongo demanda ejercitando acción en reclamación de indemnización por daños derivados de la circulación de vehículos a motor en la cuantía de (...) euros de principal, que se tramitará por el cauce del juicio declarativo ordinario contra D./D.ª (...), mayor de edad, casado, con domicilio en (...) y DNI número (...); D./D.ª (...), mayor de edad, soltero, de profesión (...), con domicilio en (...) y DNI número (...), y contra la Compañía de Seguros (...) con sede social en esta ciudad en (...), con base en los siguientes

HECHOS

PRIMERO. El día (...) de (...) de (...), a las (...) horas D./D.ª (...) conducía el vehículo de su propiedad, modelo (...), matrícula (...), por la C/ (...) de esta ciudad cuando, al detenerse en primera posición ante la luz roja no intermitente (vehículos) del semáforo que regula la intersección de la avda. (...).con el pso. (...) fue alcanzado en la parte posterior de su automóvil por el coche modelo (...), matrícula (...).

SEGUNDO. Este segundo vehículo era conducido por D./D.ª (...) con permiso de su propietario D./D.ª (...) y, al momento de ocurrir el accidente estaba asegurado por la Compañía (...) con la póliza número (...).

(...) Adjuntamos como documento número (...) copia de informe técnico incoado al efecto por los funcionarios de policía que acudieron al lugar donde consta la titularidad, el conductor y la aseguradora que cubre el riesgo de dicha unidad de tráfico

(...) Adjuntamos como documento número (...) certificado de la Dirección Provincial de Tráfico donde consta la titularidad del mismo.

(...) Adjuntamos como documento número (...) certificado del FIVA acreditando que la Compañía de Seguros que cubre los riegos del vehículo causante del accidente es la codemandada.

TERCERO. El accidente se produjo por no prestar la atención debida el conductor. Infracción que fue denunciada por los agentes de Policía Judicial de Tráfico que acudieron al lugar del siniestro

(...)

CUARTO. Los daños ocasionados en el automóvil de mi representado ascienden a (...) euros según (...) que adjuntamos como documento número (...). De estos gastos nunca quiso hacerse cargo ninguno de los demandados.

Adjuntamos también informe pericial emitido por D./D.ª (...), (...), sobre los daños del vehículo y, en atención a los mismos, sobre la forma de producirse el accidente.

QUINTA. Los daños fueron causados por el conductor D./D.ª (...). Concurren los tres requisitos de la responsabilidad extracontractual:

— Una acción que, en este caso, ha carecido de la diligencia y el cuidado debido, al conducir el demandado sin guardar la distancia de seguridad.

— Un resultado dañoso en los bienes del actor.

— Relación de causalidad entre acción y daño. Efectivamente el perjuicio patrimonial es consecuencia directa de la acción imprudente de D./D.ª (...), ya que las normas de Circulación obligan a guardar una distancia de seguridad que el causante del accidente no respetó.

SEXTO. La responsabilidad se extiende de forma directa y solidaria a la Compañía de Seguros (...) y de forma subsidiaria al propietario del vehículo D./D.ª (...), puesto que no empleó toda la diligencia necesaria para prevenir el daño.

SÉPTIMO. Con carácter previo a la presente demanda se dirigió reclamación extrajudicial a la aseguradora quien dejó transcurrir el plazo de tres meses sin transmitir oferta motivada, por lo que nos vemos obligados a la interposición de la presente demanda en defensa de los intereses de mi representado. En prueba de ello acompaño como documento (...) el requerimiento realizado.

FUNDAMENTOS DE DERECHO

SÉPTIMA. I. Jurisdicción y competencia. Los artículos 21 y 22 de la LOPJ y 36 de la LEC atribuyen con carácter general a la jurisdicción española y al orden civil el conocimiento de esta materia. Los artículos 85 de la LOPJ y 45 de la LEC designan a los Juzgados de Primera Instancia como los órganos que específicamente resolverán estos pleitos. Finalmente el artículo 52.1.9.º de la LEC establece que será Juzgado competente en los juicios en que se pida indemnización de los daños y perjuicios derivados de la circulación de vehículos de motor el Tribunal del lugar en que se causaron los daños.

OCTAVA. II. Tramitación. Atendiendo a la cuantía reclamada, (...) euros, se seguirá el cauce procesal del juicio declarativo ordinario, en aplicación del artículo 249.2 de la LEC.

NOVENA. III. Legitimación. El artículo 10 de la LEC legitima para comparecer y actuar en juicio a los titulares de la relación jurídica o del objeto litigioso. En este caso la relación existente entre demandante y demandados se basa en la responsabilidad extracontractual. El primero por haber sufrido daños en su propiedad que pretende que le sean indemnizados, y los segundos por las siguientes causas:

El primer demandado o conductor por ser el causante directo del perjuicio, en aplicación del artículo 1 de la Ley sobre Responsabilidad Civil y Seguro en la Circulación de Vehículos a Motor.

El segundo demandado como propietario en aplicación del precepto citado anteriormente y del artículo 1903 del CC.

La Compañía aseguradora de la responsabilidad civil es demandada en virtud del artículo 73 de la Ley 50/1980 de Contrato de Seguro y 7 de la Ley sobre Responsabilidad Civil y Seguro en la Circulación de Vehículos a Motor.

El artículo 12.1 de la LEC permite demandar de forma conjunta a todos los responsable

DÉCIMA. IV. Postulación. En aplicación de los artículos 23 y 31 de la LEC las partes deberán comparecer representadas por Procurador y asistidas por Letrado por superar la cuantía de la reclamación a los 2000 euros.

DECIMAPRIMERA.

FONDO DEL ASUNTO

Primero. Artículos 1089, 1093, 1902 y 1903 del CC sobre obligaciones que nacen de culpa o negligencia.

Ya hemos indicado que en este caso se dan los requisitos necesarios para apreciar la obligación que nace de culpa o negligencia: la acción imprudente, el resultado dañoso y la relación de causalidad entre ambos.

Segundo. Artículos 1100, 1101 y 1104 del CC sobre la responsabilidad civil por culpa o negligencia y mora.

Tercero. Nos encontramos ante un hecho de la circulación según regula el artículo 2 del Real Decreto 1507/2008, de 12 de septiembre, por el que se aprueba el Reglamento del seguro obligatorio de responsabilidad civil en la circulación de vehículos a motor.

Cuarto. Artículos 1 y 7 de la Ley sobre Responsabilidad Civil y Seguro en la Circulación de Vehículos a Motor sobre la responsabilidad civil de los distintos implicados.

Tales preceptos determinan la responsabilidad, primero del conductor en virtud del riesgo creado en la conducción, que en este caso se ha concretado en unos daños al vehículo; segundo, del propietario no conductor por su vinculación con el conductor al manejar éste el vehículo con expreso consentimiento de aquél y, finalmente, de la Compañía de Seguros que, dentro del ámbito del seguro obligatorio, habrá de satisfacer al perjudicado el importe de los daños sufridos.

Quinto. Artículos 21.1 y 22.2 del Texto refundido de la Ley sobre Tráfico, Circulación de Vehículos a Motor y Seguridad Vial de 30 de octubre de 2015 que obliga a dejar entre vehículos un espacio libre que permita detenerse al que circula detrás en caso de frenazo brusco del anterior sin colisionar con él.

Sexto. A la cantidad reclamada como principal se añadirán los intereses de mora en aplicación del artículo 20 de la Ley 50/1980, de 8 de octubre, de contrato de seguro y del artículo 9 del Real Decreto Legislativo 8/2004, de 29 de octubre, por el que se aprueba el Texto Refundido de la de la Ley de Responsabilidad Civil y Circulación de Vehículos a Motor.

DECIMASEGUNDA. En aplicación del artículo 394 de la LEC deberán imponerse a los demandados.

Por lo expuesto,

SUPLICO AL JUZGADO: Que tenga por presentado este escrito con los documentos que acompaño y copia de todo ello, admita a trámite la presente demanda y, previos los trámites pertinentes, en su día dicte sentencia por la que se condene a D. (...) y a la Compañía aseguradora (...) de manera solidaria y a D. (...) de manera subsidiaria a que indemnicen al demandante D. (...). en la suma de (...) euros por los daños sufridos y al pago de los intereses (...), con expresa imposición de costas a los demandados.

Es justicia que pido en (...), a (...) de (...) de (...)

ANEXO 8
INFORME TIPO BIOMECÁNICO DE ACCIDENTE DE TRÁFICO

Informe biomecánico

[tipo]

Número de unidades de tráfico: **2 (A y B)**

Tipo: **furgoneta y turismo**

Tipo de colisión: **por alcance**

Número de lesionados:

Características de las lesiones:

Características de los daños materiales:

Objeto del informe

Determinar la velocidad máxima a al que pudo impactar el vehículo A sobre el vehículo B y a la velocidad máxima que pudo salir proyectado el vehículo B tras recibir la colisión por alcance, con el objeto de determinar si existe casusa-efecto entre los daños materiales y las lesiones reclamadas, sobre la base del incremento de velocidad transmitido al habitáculo de los vehículos implicados

Antecedentes

El accidente se produjo con ocasión de la colisión por alcance entre ambos vehículos. De tal forma que el vehículo reseñado en el croquis de referencia con la letra A alcanza al vehículo B que circula por el mismo carril y la misma dirección

La metodología que se ha utilizado se basa en los estudios y ensayos documentados en publicaciones técnicas de centros de investigación de reconocido prestigio mundial como son: AZT, SAE, y D.S.D.

Estos estudios se basan en:

a) las deformaciones producidas en los vehículos a baja velocidad, consistente en ensayos realizados por el *Arbeitsgrppe Für Urfallmechanik* (AUG) de

Zurich, donde se documentan las variables cinemático-dinámicas obtenidas en una amplia colección de ensayos de impacto por alcance a baja velocidad (Anexo I).

b) Los valores tolerables en humanos para producirse lesiones cervicales, dorsales y lumbares, recogidos en su *J885 SAE Standard Report*: *Human Tolerante to impact to motor vehicle desing* (Anexo II), donde se concluye, que un alcance a un vehículo que lo proyecte hacia delante a una velocidad de 8 Km/h está dentro de los límites tolerables, sin que puedan derivarse del mismo síntomas leves (dolor de cabeza, cervical, o rigidez muscular ligera) que se prolonguen más allá de las horas posteriores al impacto, o en algún caso de unos días posteriores a la colisión.

c) Whiplash Initiative Natural Course of Injury and pathophysiology, de donde se extrae que el umbral de las lesiones por cambio de velocidad en un impacto trasero está en 8Km/h. (Anexo III).

Consideraciones

a. Descripción y valoración de los daños

En este apartado se incluye el informe fotográfico de cada uno de los vehículos. En él se detallan y describen los daños. Junto a este material fotográfico se añade un informe de valoración de los daños

b. Estudio Técnico

El latigazo cervical es un mecanismo de transferencia de energía en el cuello debido a un proceso de aceleración-desaceleración, que suele ocurrir como resultado de colisiones por alcance entre vehículos o en embestidas, tanto perpendiculares como oblicuas.

Tanto los daños como la descripción del siniestro indican que se trata de un impacto por colisión posterior, entre ambos vehículos, con pocos daños materiales, lo que indica que se produjo a baja velocidad, tal y como procedemos a explicar en los siguientes puntos del informe.

i. Elementos de seguridad del automóvil

Los fabricantes de automóviles han trabajado durante años para conseguir mejorar su producto en materia de seguridad.

Los fabricantes adaptan las nuevas tecnologías a las normas dictadas por organismos internacionales que realizan investigaciones sobre las causas de los accidentes de circulación.

Actualmente son dos los tipos de seguridad que funciona en los vehículos con el fin de proteger la integridad del conductor y los demás usuarios, la activa y la pasiva.

ii. Degradación programada de la energía en caso de colisión frontal

La seguridad activa es el conjunto de todos aquellos elementos que contribuyen a proporcionar una mayor eficacia y estabilidad al vehículo en marcha, y en la medida de lo posible, evitar un accidente.

La seguridad pasiva está representada por los elementos que reducen al mínimo los daños que se pueden producir cuando el accidente es inevitable y eta encaminado a minimizar las consecuencias sobre el pasajero en caso de que se produzca el mismo.

— Elementos de seguridad activa

• El alumbrado

Su función es la de permitir ver y ser visto.

• Los neumáticos

El neumático es una pieza de caucho que forma parte exterior de la rueda. Su función principal es lograr un contacto adecuado con pavimento con adherencia y fricción, posibilitando al arranque, frenado y guía de vehículo.

• Los frenos

La función de los frenos es la de disminuir progresivamente la velocidad de nuestro vehículo o, cuando se encuentra inmóvil, mantenerlo, detenido.

• Suspensión y amortiguación

El sistema de suspensión y amortiguación es el encargado de mantener el contacto del vehículo con el asfalto garantizando su estabilidad.

○ Sistemas de control de estabilidad

También conocidos «antivuelcos» son muy útiles en caso de que el conductor pierda el control del automóvil. Mediante sensores que perciben la velocidad de cada unas de las llantas, la posición del volante y la posición de pedal del acelerador, un procesador electrónico determina las acciones a tomar: frenar una o más ruedas o manteniendo las llantas en los apropiados controles de tracción. Sus siglas más extendidas y conocidas sean ESP.

○ El sistema de dirección

Garantiza la correcta maniobra del vehículo. Los sistemas de dirección de los coches actuales se endurecen a altas velocidades para evitar posibles accidentes.

Elementos de seguridad pasiva

○ Chasis y carrocería (estructura de deformación programada)

Es un elemento importante de la seguridad pasiva, ya que en caso de colisión absorbe la mayor cantidad de anergia posible.

También puede ser considerados como elemento de seguridad activa ya que influyen en la estabilidad del vehículo y, consecuentemente, a evitar los accidentes.

La estructura del vehículo se diseña de manera que se deforme, protegiendo el habitáculo y a los ocupantes.

Durante años se equiparó la idea de rigidez con la idea de seguridad- sin embargo, esa identificación es parcialmente errónea, ya que cuando sobreviene una colisión la energía del impacto se trasmite. Si la carrocería no es capaz de absorber esa energía serán los ocupantes quienes la absorban.

El diseño de todas las carrocerías se basa en la disipación de desaceleraciones superiores a las que pueda soportar el cuerpo humano.

Con la estructura de deformación programada en la carrocería absorbe, hasta cierto punto la energía del impacto tal y como se ha programado que lo haga, a través de la deformación en puntos concretos que, en ocasiones, son visibles en forma de orificios, acanaladuras o pliegues en los largueros y travesaños que la componen.

También la disposición de estos elementos es importante, ya que se colocan de manera que absorban la energía de forma progresiva, distribuyendo las fuerzas por toda la carrocería, siempre reduciendo los riesgos para el habitáculo.

La investigación y desarrollo de la seguridad de los vehículos ha llevado a que la estructura de la zona frontal y trasera de todos los vehículos sea muy similar, existiendo un conjunto de elementos que asociados entre ellos permite la absorción y la trasferencia a otros de la energía transferida en la colisión contra otro vehículos, en caso de que esta sea de gran magnitud.

○ Paragolpes

Son fabricados en material plástico de alta densidad para permitir que en caso de deformaciones a baja velocidad, vuelvan a su posición inicial. La tendencia actual es el aumento de la superficie de los paragolpes y por tanto más envolventes para proteger a los peatones en caso de atropello.

○ Absorbedores de espuma

Fabricado en polipropileno expansible tiene la función de ocupar espacio entre el paragolpes y la traviesa y absorber en casos de deformación del paragolpes el espacio contraído reduciendo la posibilidad de rotura.

○ Traviesa y Absorbedores de impacto

Este conjunto de elementos, en algunos vehículos viene ensamblados en una única pieza y en otros están separados los dos absorbedores y la traviesa.

La función que tienen es absorber la energía en caso de impacto cuando esta es superior a la máxima admisible por el paragolpes. Inicialmente esta energía se trasfiere a la traviesa y posteriormente a los absorbedores.

Las traviesas además tienen la fusión de protección de otros elementos del vehículo. Están fabricadas en acero, aluminio o fibra en función de la necesidad de crear zonas de deformación programadas.

Los absorbedores deformables están fabricados en material metálico e incluso en plástico de alta densidad. Tienen un diseño de deformación telescópica o de forma de fuelle para disipar la energía antes que lleguen a los largueros del vehículo.

○ Largueros

Son elementos estructurales de la carrocería del vehículo y tienen la función de absorber la energía transferida en una colisión, cuando esta es muy elevada, para que llegue al habitáculo de los ocupantes del vehículo. En caso de ser muy alta esta energía se transfiere a otros elementos estructurales de la carrocería para proteger la vida de sus ocupantes.

Dentro de la estructura de deformación programada se pueden contemplar también los elementos retráctiles o colapsarles, tales como la columna de dirección, los componentes del motor las ruedas. Todos ellos se diseña de manera que en caso de colisión m eviten la penetración en el habitáculo o en elementos sensible svomo peue se el depósito de carburante.

○ Pretensores y cinturones de seguridad

Es un dispositivo de seguridad que en caso de colisión frontal con fuerte desaceleración tensa el cinturón de seguridad para que el tronco de la persona que viaja en el vehículo no se separe del asiento. El sistema de control de este elemento necesita la premisa de una desaceleración determinada y una velocidad mínima de 20Km/h.

○ Airbag

Su función es amortiguar con bolsas inflables el impacto de los ocupantes del vehículo contra el salpicadero y/o el volante. Estas bolsas se inflan en pocos milisegundos cuando existen unas premisas mínimas de desaceleración (3 G`s) y velocidad (40 km/h.). Cabe destacar que su funcionamiento está asociado a los pretensores y cinturones de seguridad.

○ Reposacabezas

Son elementos fundamentales en la protección de la persona frente al latigazo cervical, ya que frena el movimiento del cuello en caso de accidente y evita lesiones cervicales. Debe estar colocado a un máximo de cuatro centímetros de la cabeza.

Con una velocidad de choque de hasta 15 Km/h entran en funcionamiento los tubos estructurales con deformación programada, de acción soplada y simultánea (Real Decreto 2028/1986, de 6 de junio, por el que se dictan normas para la aplicación de determinadas Directivas de la CEE, relativas a la homologación de tipos de vehículos automóviles, remolques y semirremolques, así como de partes y piezas de dichos vehículos).

En colisiones frontales graves (a partir de 30 Km/h), toda la estructura frontal participa en la absorción de la energía.

De esta forma se lleva a cabo una absorción exactamente calculada y programada de la energía.

Los diferentes elementos no se deforman ni más ni menos de lo que resulta necesario para la óptima protección de todos los implicados en el accidente.

También ha sido considerada la posibilidad de mantener limitados los daños del vehículo mismo.

Mediante resistentes uniones transversales ha quedado establecido, que el sistema no sólo funciona perpendicularmente contra una pared, según el choque clásico, sino que también sea eficaz en caso de impacto contra un árbol, un obstáculo descentrado o de cualquier otra índole.

iii. Conceptos biomecánicos en alcances

Para determinar las lesiones cervicales que se pueden ocasionar como consecuencia de un impacto por alcance se debe comprender el mecanismo que las produce. Durante el alcance el impulso es transmitido a los pasajeros a través del respaldo del asiento.

En los alcances durante un breve instante aparece una fuerza de cizallamiento en el región cervical ya que la cabeza del pasajero mantiene su velocidad original mientras que el tronco es acelerado hacia adelante.

Esta diferencia de aceleración entre la cabeza u el tronco genera un desplazamiento horizontal relativo entre las vértebras, creándose en la columna cervical una forma «S».

iv. Ensayos reales en humanos

Valores admisibles para no ocasionarse lesiones.

Existen estudios realizados por prestigiosos centros de investigación (SAE, AZR, y DAD), referentes a ensayos de alcances a baja velocidad a vehículos con voluntarios vivos en su interior.

Estos estudios recogen un total de 33 ensayos de colisión con las siguientes características:

- ◦ Las edades de los voluntarios estaban comprendidas entre los 22 y 58 años.

- ◦ Las pruebas se realizaron con voluntarios que se encontraban sanos y con otros que presentaban patologías cervicales y lumbares anteriores al ensayo.

- ◦ Bajó todas las condiciones de frenado (sin frenado, con frenado post-impacto y con el freno posado ya previamente al impacto).

- ◦ Bajo todas las configuraciones de contacto (parachoques contra parachoques, o impacto bajo paragolpes trasero).

En todas ellas se estableció que un alcance a un vehículo que lo proyecta hacia delante a una velocidad de 8 Km/h está dentro de los límites tolerables, sin que puedan de derivarse del mismo síntomas leves (dolor de cabeza, cervical, o rigidez muscular ligero) que se prolonguen más allá las horas posteriores al impacto, o en algún caso de los días inmediatamente posteriores a la colisión.

c. Desarrollo técnico

El desarrollo técnico lo realizaremos a través de dos métodos, el primero teórico basado en la Conservación de la energía y en el conocimiento del comportamiento de los vehículos ante distintos tipos de colisiones, y el segundo por comparación de daños para lo cual comprobaremos los daños ocasionados en el siniestro con los ocasionados en un ensayo real.

1. Desarrollo teórico

Una colisión por alcance, se modela en mecánica Física mediante la Teoría de Conservación de Cantidad de Movimiento antes y después de la colisión.

$$m_1.v_1 + m_2.v_2 = m_1.v_1' + m_2.v_2'$$

— m es la masa y los subíndices 1 y 2 se refieren a cada uno de los vehículos

— v es la velocidad antes del impacto y los subíndices 1 y 2 se refieren a cada uno de los vehículos.

— v´ es la velocidad después del impacto y los subíndices 1 y 2 se refieren a cada uno de los vehículos

Y mediante la Ecuación Fundamental de la Conservación de la Energía aplicada a colisiones inelásticas.

$$E_{\text{cinética antes del impacto}} = E_{\text{cinética después del impacto}} + E_{\text{absorbida}}$$

$$\tfrac{1}{2}\, m_1 v_1^2 + \tfrac{1}{2}\, m_2 v_2^2 = \tfrac{1}{2}\, m_1 v_1'^2 + \tfrac{1}{2}\, m_2 v_2'^2 + E_{\text{absorbida}}$$

donde:

— m es la masa y los subíndices 1 y 2 se refieren a cada uno de los vehículos

— v es la velocidad antes del impacto y los subíndices 1 y 2 se refieren a cada uno de los vehículos

— v´ es la velocidad después del impacto y los subíndices 1 y 2 se refieren a cada uno de los vehículos.

La principal característica de este tipo de choque es que existe una disipación de la energía, ya que tanto el trabajo realizado durante la deformación de los cuerpos como el aumento de su energía interna se obtiene a costa de la energía cinética de los mismos antes del choque. En cualquier caso, aunque no se conserve la energía cinética.

En esta última aparece un factor, llamado coeficiente de Restitución, que mide precisamente la cantidad de energía que se absorbe en el momento de la colisión.

$$\varepsilon = -\,(v_1' - v_2')/(v_1 - v_2)$$

donde:

— v es la velocidad antes del impacto y los subíndices 1 y 2 se refieren a cada uno de los vehículos

— v´ es la velocidad después del impacto y los subíndices 1 y 2 se refieren a cada uno de los vehículos.

Resulta evidente que si el coeficiente de restitución es una característica propia de cada uno de los cuerpos que se contactan en la colisión para el caso de choques entre dos automóviles el valor del ε del impacto está asociado a una combinación de las características de ambos vehículos. Apoyado en esta evidencia intuitiva y operando con las ecuaciones derivadas de los Principios de Conservación de la Cantidad de Movimiento y de la Energía durante el choque. Richard Howar, halló la ecuación que relaciona el coeficiente de restitución específico de un choque, con los valores determinados en el ensayo y las masas de los vehículos involucrados:

$$\varepsilon_{ab}^2 = 1 + (m_b(\varepsilon_a^2 - 1) + m_a(\varepsilon_b^2 - 1))/(m_b - m_a)$$

donde:

— m es la masa y los subíndices a y b refieren a cada uno de los vehículos.

266

Como se ha mencionado, la restitución es un fenómeno asociado a la respuesta elástica de los materiales durante un choque. Sin embargo, históricamente se ha relacionado el valor del coeficiente de restitución con el grado de severidad del impacto.

En este contexto, T. SATO en 1967 propuso la siguiente ecuación empírica:

$$\mathcal{E} = 0{,}574 \; e^{(-1419 \, v)}$$

Donde:

— v es el módulo de la velocidad de impacto expresado en m/s.

En los últimos años se han realizado nuevos avances en la investigación de la característica inelástica de los automóviles, sobre todo con la introducción de elementos absorbedores de energía cinética en los paragolpes y sus vinculaciones a las estructuras de los automóviles.

En un trabajo reciente en el año 2003, GARCÍA, en relación con el empleo de modelos dinámicos en el análisis de colisiones se ha corregido la ecuación de SATO, que resulta atractiva y de fácil manejo en las estimaciones analíticas por su similitud, la corrección sugerida se expresa de la siguiente manera:

$$\mathcal{E} = 0{,}45 \; e^{(-0{,}145 \, v)} \quad \text{para v < 15 m/s}$$

$$\mathcal{E} = 0{.}12 \; e^{(-0{,}055 \, v)} \quad \text{para v > 15 m/s}$$

Donde:

— v es el módulo de la velocidad de impacto expresado en m/s.

Si el término velocidad lo expresamos en Km/h, la expresión:

$$\mathcal{E} = 0{,}45 \; e^{(-0{,}145 \, v)}$$

Para v < 15/m/s resulta:

Expresión que utilizaremos para el cálculo del coeficiente de restitución al tratarse de una colisión a baja velocidad.

Por lo que a la vista de los daños descritos en el apartado sobre descripción y valoración de este informe, y teniendo en cuenta lo expuesto en el punto sobre degradación programada de la energía en caso de choque frontal, en el que, indicaba, que en pequeños golpes de hasta 4 Km/hm no se producía daño alguno en el vehículo, ya que no se ve superado el límite elástico de los materiales que intervienen en la colisión.

Partiendo de estos datos, la velocidad máxima a la que se produjo habría sido de 5 Km/h, si bien consideramos una velocidad de impacto de 10 Km/h.

Dado que el vehículo alcanzado inicialmente estaba parado, esta fórmula resulta ser:

$$\varepsilon = 0,45 \; e^{(-0,04(10-0))}$$

Donde:

— v1 es la velocidad del vehículo que impacta. Velocidad 10 Km/h

— v2 es la velocidad del vehículo impactado. Velocidad 0 Km/h

$$\varepsilon = 0,30$$

Empleando de Huygens-Newton que relaciona las velocidades de ambos vehículos antes y después de la colisión en choques inelásticos, obtenemos que la velocidad del vehículo causante después de la colisión viene dada por:

$$m_1.v_1 + m_2.v_2 = m_1.v_1' + m_2.v_2'$$

Obtenemos que:

$$v_1' = (m_1 - \varepsilon m_2) \, v_1 / (m_1 + m_2)$$

Siendo:

— m1 la masa del vehículo que impacta 1.635 Kg.

— m2 la masa del vehículo impactado 1.287 Kg.

— V1 la velocidad del vehículo que impacta 10Km/h.

Sustituyendo datos en la ecuación anterior, obtenemos que la velocidad del vehículo que impacta después de la colisión es de:

$$v_1' = 4.27 \; km/h$$

Por consiguiente, se ha producido una absorción de velocidad del vehículo causante del accidente

$$V_{a1} = v_1 - v_1'$$

$$V_{a1} = 10 - 4.27$$

$$\boxed{V_{a1} = 5,73 \; Km/m}$$

Decremento de velocidad que se transmite la habitáculo del vehículo causante, denominado Delta-V, resultando su valor:

$$\Delta v_1 = v_1 - v_{a1}$$

$$\Delta v_1 = 10 - 5,73$$

$$\boxed{\Delta v_1 = 4,27 \text{ Km/h}}$$

Análogamente calculamos la velocidad del vehículo impactado después de la colisión, velocidad del vehículo impactado:

$$\boxed{v_1' = v_2' - \mathcal{E}.v_1}$$

$$m_1 v_1 = m_1 v_1' + m_2 v_2'$$

$$m_1 v_1 = m_1(v_2' - \mathcal{E}.v_1) + m_2 v_2'$$

$$\boxed{v_2' = m_1(1 + \mathcal{E})v_1 / (m_1 + m_2)}$$

Siendo:

— m1 la masa del vehículo que impacta, es decir la masa de vehículo que impacta 1.635Km/h.

— m2 la masa del vehículo impactado 1.287Km/h.

— v1 la velocidad del vehículo que impacta es de 10 km/h.

Conteniéndose como velocidad transmitida al vehículo alcanzado:

$$\boxed{v_2' = 7,27 \text{ Km/h}}$$

Mediante el principio de Conservación de la Energía aplicado a colisiones inelásticas se tiene:

$$\tfrac{1}{2} m_1 v_1^2 + \tfrac{1}{2} m_2 v_2^2 = \tfrac{1}{2} m_1 v_1'^2 + \tfrac{1}{2} m_2 v_2'^2 + E_{absorbida}$$

$$\tfrac{1}{2} m_1 v_1^2 + \tfrac{1}{2} m_2 v_2^2 = \tfrac{1}{2} m_1 v_1'^2 + \tfrac{1}{2} m_2 v_2'^2 + \tfrac{1}{2} m_1 v_{a1}^2 + \tfrac{1}{2} m_2 v_{a2}^2$$

$$V_{a2}= \sqrt{\left[\left(1-\varepsilon^2\right)\frac{m_1}{m_1+m_2}v_1^2 - \frac{m_1}{m_2}v_{a1}^2 \right]}$$

$$V_{a2}=2,74 \ Km/h$$

Finalmente, el incremento de la velocidad que se trasmite al habitáculo del vehículo alcanzado es la diferencia de velocidades:

$$\Delta v_2 = v_2' - v_{a2}$$

$$\Delta v_2 = 7,27 - 2,74$$

$$\Delta v_2 = 4,53 \ Km/h$$

En una colisión por alcance, los vehículos reciben un impacto que provoca una aceleración que se trasmite a los ocupantes. Dado que los ocupantes, generalmente, tienen el cinturón de seguridad del vehículo abrochado, la energía que no es capaz de disipar el chasis del vehículo a través de los elementos anteriormente citados, trasmite una aceleración al ocupante que se manifiesta en forma de movimiento de la cabeza. Esta aceleración que soporta la cabeza, según diversos estudios biomecánicos (CHOLEWIKI, 1997, ITO S, IVANCIC PC, PANJABI MM, CUNNIGHAM BW, 2004) no debe ser superior a 3G-5G es la aceleración de la gravedad (9,8 m/s²), ya que de otra forma podría originar daños por superar los límites fisiológicos de la columna cervical y elongaciones en la musculación que sostiene la cabeza.

Teniendo en cuenta lo anterior, y que la cabeza en el momento de la colisión describe un arco de 15 cm, es inmediato poder calcular el límite del incremento de velocidad que puede sufrir el ocupante del vehículo por encima del cual pudiera manifestar lesiones cervicales.

Para ello utilizamos que:

$$\Delta v = \sqrt{(2ae)}$$

Despejando la aceleración de la fórmula anterior obtenemos la siguiente expresión donde la aceleración se expresa en m/s².

Donde:

— a representa la aceleración en m/s².

— ΔV representa el incremento de velocidad expresado en Km/h.

Resultando una aceleración de:

$$a_1 = 0,26 \, \Delta v_1^2$$

$$a_1 = 0,26(4,27)^2$$

$$\boxed{a_1 = 4,74 \text{ m/s}^2}$$

Para los ocupantes del vehículo que impacta:

$$\boxed{a_1 = 0,48G}$$

Siendo:

G = 9, 81 m/s²

Y para los ocupantes del vehículo que recibe el impacto:

$$a_2 = 0,26 \, \Delta v_2^2$$

$$a_2 = 0,26(4,53)^2$$

$$\boxed{a_2 = 5,33 \text{ m/s}^2}$$

En el caso de los ocupantes del vehículo causante:

$$\boxed{a_2 = 0,54G}$$

siendo:

G = 9, 81 m/s²

ANEXO 9
ATESTADO POR ACCIDENTE DE TRÁFICO

ATESTADO POR ACCIDENTE DE TRÁFICO

ATESTADO núm. 2020 , de fecha [día] de [mes] de 2020 , instruido por accidente de tráfico ocurrido sobre las [hh.mm] del día [dd de mes de aaaa] , en Salamanca (Salamanca), en [lugar: vía y núm.] , al [tipo de accidente y definición de los vehículos y usuarios implicados] con el resultado de:

Persona/s lesionada/s :

— [Nombre APELLIDOS APELLIDOS] , [resultado] ;

Daños materiales:

    — [Definición] , matrícula [matrícula] ;

    — [Definición] , matrícula [matrícula]

ATESTADO POR ACCIDENTE DE TRÁFICO

EXPOSICIÓN DE HECHOS

El/los Funcionario/s del Cuerpo de Policía Local de Salamanca (Salamanca) con la/s categoría/s de [categoría profesional] y con número/s de identificación profesional/es (NIP) [números de identificación profesionales] por el presente atestado hace/n constar:

Que sobre las [hh.mm] horas del día [dd de mes de aaaa] , en Salamanca (Salamanca), [lugar de ocurrencia del accidente] , ocurrió un accidente de tráfico al [indicar: tipo de accidente y tipo de vehículos implicados, así como la matrícula de los mismos; en el caso de peatón/es atropellado/s indicar sexo y edad] , a consecuencia del cual resultaron [consecuencias del accidente] .

CONOCIMIENTO DEL ACCIDENTE Y TRASLADO AL LUGAR DE LOS HECHOS

El aviso del accidente fue dado a esta Policía Local sobre las [hh.mm] horas del día [de la fecha de inicio de las presentes] / [dd-mm-aaaa] , al recibir [Dependencia o

Funcionario —NIP— que recibe la comunicación del accidente] una [tipo de aviso] de [datos del comunicante] , alertando o comunicando que: [extracto de la comunicación] .

Policía/s Instructor/es

— [Categoría] N.I.P. [NIP]

[Acto seguido] / [A las hh.mm horas del día dd-mm-aaaa] el/los Funcionario/s de Policía que consta/n [se trasladan al lugar del suceso] , en el que comparece/n a las [hh.mm] , y adopta/n la/s siguiente/s medida/s: [reseña de las medidas adoptadas, en caso que no hubieran sido ya adoptadas] .

A su llegada se encontraban en el lugar: [hacer referencia a las personas que se encontraban en el lugar del accidente] ; y se había/n producido la/s siguiente/s modificaciones: [referencia de las modificaciones realizadas en las posiciones finales de las personas y/o vehículos implicados] .

IDENTIFICACIÓN Y MANIFESTACIÓN DE CONDUCTOR/A Y RESEÑA DE VEHÍCULO A

Para hacer constar la identificación de persona implicada en accidente de tráfico en calidad de [conductor/a] del vehículo matrícula [matrícula] :

Que acreditó ser y llamarse, mediante la exhibición del [tipo de documento con el que se identifica: D.N.I., N.I.E., D.O.I., pasaporte, etc.] , núm. [reseñar la numeración completa, con letras, si existen, y de forma fiel a como consta en el documento del que se toma; ejemplo: 09999999-X] , [Nombre APELLIDO APELLIDO] , nacido/a en [localidad] ([provincia]) el [dd-mm-aaaa] , hijo/a de [nombre del padre y de la madre] , con domicilio en [localidad] ([provincia]), [tipo de vía —ejemplo: calle, avenida, etc.—, nombre de la vía, núm. de la vía, portal, escalera, piso, puerta] , teléfono/s núm. [000 000 000] , fax núm. [000 000 000] y dirección de correo electrónico [dirección/carece] .

El/la reseñado/a [manifestó no haber sufrido lesión alguna] / [resultó] [ileso, herido leve, herido menos grave, herido grave] , siendo asistido/a en el lugar del accidente por una dotación sanitaria de [denominación del servicio] y, posteriormente, [pasó a su domicilio/fue trasladado al centro sanitario —denominación—] .

[Sí/No] hacía uso de los elementos de seguridad.

Requerido/a para realizar las pruebas de detección de alcohol en aire espirado e informado/a e instruido/a de los derechos y obligaciones y responsabilidad en las que podría incurrir, accedió a realizar las mismas dando un resultado [negativo] / [positivo] ([0,00] miligramos de alcohol por litro de aire espirado). Dicho requerimiento e información se documentó en acta que se adjunta a las presentes.

Solicitada la correspondiente autorización administrativa para conducir exhibe [permiso] / [licencia] de conducción con núm. [número/coincidente con el del

DNI] , de la clase [clase] , expedido/a el [dd-mm-aaaa] en [lugar de expedición] y válido/a desde el [dd-mm-aaaa] hasta el [dd-mm-aaaa] y en el que constan las siguientes restricciones, menciones y/o observaciones: [códigos comunitarios armonizados y nacionales] .

—**Vehículo.** El/la conductor/a reseñado/a conducía el vehículo [definición] , marca [marca] , modelo [modelo] , color [color], del que exhibe autorización administrativa para circular ([permiso] / [licencia]), número [número/carece] , expedida a nombre de [Nombre APELLIDO APELLIDO/RAZÓN SOCIAL] , con domicilio en [localidad] ([provincia]), [dirección completa] , [documento de identificación: D.N.I., N.I.E., D.O.I., pasaporte, C.I.F. etc.] núm. [reseñar la numeración completa, con letras, si existen, y de forma fiel a como consta en el documento del que se toma; ejemplo: 09999999-X] , teléfono/s núm. [000 000 000] y dirección de correo electrónico [dirección/carece] . Dicha autorización fue expedida el [dd-mm-aaaa] en [lugar de expedición] , constando como fecha de matriculación el [misma día de expedición/dd-mm-aaaa] y fecha de primera de matriculación el [misma día de expedición/dd-mm-aaaa] .

Dicho vehículo, por su antigüedad, [está exento de ser presentado a inspecciones técnicas periódicas] / [ha sido presentado a inspección técnica periódica en la Estación de I.T.V.] núm. [código Estación ITV] el [dd-mm-aaaa] y valedera hasta el [dd-mm-aaaa] / [no ha sido presentado a inspección técnica periódica en el plazo debido] , habiendo sido presentado previamente en la Estación de I.T.V. núm. [código Estación ITV] el [dd-mm-aaaa] y valedera hasta el [dd-mm-aaaa] .

El/la [conductor/titular] exhibe [tipo de documento con el que acredita la existencia de SOA] para acreditar que tiene concertado certificado de seguro obligatorio de responsabilidad civil, póliza/certificado internacional de seguro núm. [número] y validez desde el [dd-mm-aaaa] hasta el [dd-mm-aaaa] , con la Compañía [NOMBRE] , con domicilio social en [localidad] ([provincia]), [dirección completa] , teléfono/s núm. [000 000 000] , fax núm. [000 000 000] y dirección de correo electrónico [dirección/carece] . De dicho seguro es/consta como tomador/a del mismo [Nombre APELLIDO APELLIDO/RAZÓN SOCIAL] , con domicilio en [localidad] ([provincia]), [dirección completa] , [D.N.I., N.I.E., D.O.I., pasaporte, C.I.F. etc.] núm. [reseñar la numeración completa, con letras, si existen, y de forma fiel a como consta en el documento del que se toma; ejemplo: 09999999-X], teléfono/s núm. [000 000 000] , fax núm. [000 000 000] y dirección de correo electrónico [dirección/carece] .

Al observarse como presunta/s infracción/es administrativa/s la/las que a continuación se relaciona/n, se formula la/s correspondiente/s denuncia/s, cuyo/s número/s de boletín/s-expediente/s también se expresa/n, de la/s que se da traslado a la Autoridad administrativa competente:

— [reseñar el/los hecho/s denunciado/s] , [número de expediente] .

— **Manifestación.** Informado/a el/la reseñado/a de los derechos y deberes que le asisten y preguntado/a sobre las circunstancias en las que se produjo el accidente en el que se ha visto implicado/a, libre y voluntariamente MANIFIESTA:

[«manifestación»] .

El/la reseñado/a fue informado/a de los derechos que le asisten como posible perjudicado/a, de la obligación que tiene de comparecer ante la Autoridad Judicial de ser citado/a para ello y de que el vehículo queda en su depósito o persona que se designe a disposición de la Autoridad Judicial.

IDENTIFICACIÓN Y MANIFESTACIÓN DE CONDUCTOR/A Y RESEÑA DE VEHÍCULO B.

Para hacer constar la identificación de persona implicada en accidente de tráfico en calidad de [conductor/a] del vehículo matrícula [matrícula] :

Que acreditó ser y llamarse, mediante la exhibición del [tipo de documento con el que se identifica: D.N.I., N.I.E., D.O.I., pasaporte, etc.] , núm. [reseñar la numeración completa, con letras, si existen, y de forma fiel a como consta en el documento del que se toma; ejemplo: 09999999-X] , [Nombre APELLIDO APELLIDO] , nacido/a en [localidad] ([provincia]) el [dd-mm-aaaa] , hijo/a de [nombre del padre y de la madre] , con domicilio en [localidad] ([provincia]), [tipo de vía —ejemplo: calle, avenida, etc.—, nombre de la vía, núm. de la vía, portal, escalera, piso, puerta] , teléfono/s núm. [000 000 000] , fax núm. [000 000 000] y dirección de correo electrónico [dirección/carece].

El/la reseñado/a [manifestó no haber sufrido lesión alguna]/[resultó] [ileso, herido leve, herido menos grave, herido grave] , siendo asistido/a en el lugar del accidente por una dotación sanitaria de [denominación del servicio] y, posteriormente, [pasó a su domicilio/fue trasladado al centro sanitario —denominación—] .

[Sí/No] hacía uso de los elementos de seguridad.

Requerido/a para realizar las pruebas de detección de alcohol en aire espirado e informado/a e instruido/a de los derechos y obligaciones y responsabilidad en las que podría incurrir, accedió a realizar las mismas dando un resultado [negativo] / [positivo] ([0,00] miligramos de alcohol por litro de aire espirado). Dicho requerimiento e información se documentó en acta que se adjunta a las presentes.

Solicitada la correspondiente autorización administrativa para conducir exhibe [permiso] / [licencia] de conducción con núm. [número/coincidente con el del DNI] , de la clase [clase], expedido/a el [dd-mm-aaaa] en [lugar de expedición] y válido/a desde el [dd-mm-aaaa] hasta el [dd-mm-aaaa] y en el que constan las siguientes restricciones, menciones y/o observaciones: [códigos comunitarios armonizados y nacionales] .

—**Vehículo.** El/la conductor/a reseñado/a conducía el vehículo [definición] , marca [marca] , modelo [modelo] , color [color], del que exhibe autorización administrativa para circular ([permiso] / [licencia]), número [número/carece] , expedida a nombre de [Nombre APELLIDO APELLIDO/RAZÓN SOCIAL] , con domicilio en [localidad] ([provincia]), [dirección completa] , [documento de identificación: D.N.I., N.I.E., D.O.I., pasaporte, C.I.F. etc.] núm . [reseñar la numeración completa, con letras, si existen, y de forma fiel a como consta en el documento del que se toma; ejemplo: 09999999-X] , teléfono/s núm. [000 000 000] y dirección de correo electrónico [dirección/carece]. Dicha autorización fue expedida el [dd-mm-aaaa] en [lugar de expedición] , constando como fecha de matriculación el [misma día de expedición/dd-mm-aaaa] y fecha de primera de matriculación el [misma día de expedición/dd-mm-aaaa] .

Dicho vehículo, por su antigüedad, [está exento de ser presentado a inspecciones técnicas periódicas]/[ha sido presentado a inspección técnica periódica en la Estación de I.T.V.] núm. [código Estación ITV] el [dd-mm-aaaa] y valedera hasta el [dd-mm-aaaa] / [no ha sido presentado a inspección técnica periódica en el plazo debido] , habiendo sido presentado previamente en la Estación de I.T.V. núm. [código Estación ITV] el [dd-mm-aaaa] y valedera hasta el [dd-mm-aaaa] .

El/la [conductor/titular] exhibe [tipo de documento con el que acredita la existencia de SOA] para acreditar que tiene concertado certificado de seguro obligatorio de responsabilidad civil, póliza/certificado internacional de seguro núm. [número] y validez desde el [dd-mm-aaaa] hasta el [dd-mm-aaaa] , con la Compañía [NOMBRE] , con domicilio social en [localidad] ([provincia]), [dirección completa] , teléfono/s núm. [000 000 000] , fax núm. [000 000 000] y dirección de correo electrónico [dirección/carece] . De dicho seguro es/consta como tomador/a del mismo [Nombre APELLIDO APELLIDO/RAZÓN SOCIAL] , con domicilio en [localidad] ([provincia]), [dirección completa] , [D.N.I., N.I.E., D.O.I., pasaporte, C.I.F. etc.] núm. [reseñar la numeración completa, con letras, si existen, y de forma fiel a como consta en el documento del que se toma; ejemplo: 09999999-X] , teléfono/s núm. [000 000 000] , fax núm. [000 000 000] y dirección de correo electrónico [dirección/carece] .

Al observarse como presunta/s infracción/es administrativa/s la/las que a continuación se relaciona/n, se formula la/s correspondiente/s denuncia/s, cuyo/s número/s de boletín/s-expediente/s también se expresa/n, de la/s que se da traslado a la Autoridad administrativa competente:

— [reseñar el/los hecho/s denunciado/s] , [número de expediente] .

— **Manifestación.** Informado/a el/la reseñado/a de los derechos y deberes que le asisten y preguntado/a sobre las circunstancias en las que se produjo el accidente en el que se ha visto implicado/a, libre y voluntariamente MANIFIESTA:

[«manifestación»] .

El/la reseñado/a fue informado/a de los derechos que le asisten como posible perjudicado/a, de la obligación que tiene de comparecer ante la Autoridad Judicial de ser citado/a para ello y de que el vehículo queda en su depósito o persona que se designe a disposición de la Autoridad Judicial.

IDENTIFICACIÓN Y MANIFESTACIÓN DE USUARIO/A DE VEHÍCULO B

Para hacer constar la identificación de persona implicada en accidente de tráfico en calidad de [usuario/a] del vehículo matrícula [matrícula] :

Que acreditó ser y llamarse, mediante la exhibición del [tipo de documento con el que se identifica: D.N.I., N.I.E., D.O.I., pasaporte, etc.] , núm. [reseñar la numeración completa, con letras, si existen, y de forma fiel a como consta en el documento del que se toma; ejemplo: 09999999-X] , [Nombre APELLIDO APELLIDO] , nacido/a en [localidad] ([provincia]) el [dd-mm-aaaa] , hijo/a de [nombre del padre y de la madre] , con domicilio en [localidad] ([provincia]), [tipo de vía —ejemplo: calle, avenida, etc.—, nombre de la vía, núm. de la vía, portal, escalera, piso, puerta] , teléfono/s núm. [000 000 000] , fax núm. [000 000 000] y dirección de correo electrónico [dirección/carece] .

El/la reseñado/a [manifestó no haber sufrido lesión alguna] / [resultó] [ileso, herido leve, herido menos grave, herido grave] , siendo asistido/a en el lugar del accidente por una dotación sanitaria de [denominación del servicio] y, posteriormente, [pasó a su domicilio/fue trasladado al centro sanitario —denominación—] .

[Sí/No] hacía uso de los elementos de seguridad.

Requerido/a para realizar las pruebas de detección de alcohol en aire espirado e informado/a e instruido/a de los derechos y obligaciones y responsabilidad en las que podría incurrir, accedió a realizar las mismas dando un resultado [negativo] / [positivo] ([0,00] miligramos de alcohol por litro de aire espirado). Dicho requerimiento e información se documentó en acta que se adjunta a las presentes.

— **Manifestación.** Informado/a el/la reseñado/a de los derechos y deberes que le asisten y preguntado/a sobre las circunstancias en las que se produjo el accidente en el que se ha visto implicado/a, libre y voluntariamente MANIFIESTA:

[«manifestación»] .

El/la reseñado/a fue informado/a de los derechos que le asisten como posible perjudicado/a y de la obligación que tiene de comparecer ante la Autoridad Judicial de ser citado para ello.

IDENTIFICACIÓN Y MANIFESTACIÓN DE TESTIGO

Para hacer constar la identificación de la persona que manifestó haber presenciado el accidente de tráfico de referencia:

Que acreditó ser y llamarse, mediante la exhibición del [tipo de documento con el que se identifica: D.N.I., N.I.E., D.O.I., pasaporte, etc.], núm. [reseñar la numeración completa, con letras, si existen, y de forma fiel a como consta en el documento del que se toma; ejemplo: 09999999-X] , [Nombre APELLIDO APELLIDO] , nacido/a en [localidad] ([provincia]) el [dd-mm-aaaa] , hijo/a de [nombre del padre y de la madre] , con domicilio en [localidad] ([provincia]), [tipo de vía —ejemplo: calle, avenida, etc.—, nombre de la vía, núm. de la vía, portal, escalera, piso, puerta] , teléfono/s núm. [000 000 000] , fax núm. [000 000 000] y dirección de correo electrónico [dirección/carece] .

El/la reseñado/a, en el momento de ocurrir el accidente, se encontraba en [lugar] y estaba realizando la siguiente actividad: [actividad] .

— **Manifestación.** Informado/a el/la reseñado/a de los derechos y deberes que le asisten y preguntado/a sobre las circunstancias en las que se produjo el accidente, libre y voluntariamente MANIFIESTA:

[«manifestación»] .

El/la reseñado/a fue informado/a de la obligación que tiene de comparecer ante la Autoridad Judicial de ser citado para ello.

INSPECCIÓN OCULAR

La inspección ocular practicada en el lugar de los hechos, sobre las [hh.mm] horas del día [de inicio de las presentes] / [dd-mm-aaaa] , por el/los Policía/s que instruye/ n, refleja los siguientes datos:

1. **Tipo e identificación del accidente.**

Accidente de tráfico ocurrido sobre las [hh.mm] horas del día [dd-mm-aaaa] , en Salamanca (Salamanca), en [lugar del accidente] , al [tipo de accidente y tipo de vehículos implicados, así como la matrícula de los mismos; en el caso de peatón/es atropellado/s indicar "Nombre APELLIDO APELLIDO"] , a consecuencia del cual resultaron [consecuencias del accidente] .

2. **Sentidos de circulación.**

La inspección ocular se realiza tomando el sentido de circulación [denominación del sentido de circulación] , que era el seguido por [vehículo A] .

El vehículo [A] circulaba en sentido [sentido en que circulaba] . El vehículo [B] circulaba en sentido [sentido en que circulaba] .

El peatón transitaba por [lugar de la vía por el que lo hacía y sentido que llevaba] .

Como puntos fijos de referencia (PFR) se toman los siguientes:

— Punto fijo de referencia A (PFRA): [denominación] .

— Punto fijo de referencia B (PFRB): [denominación] .

3. **Características de la vía.**

— **Vía.** La vía donde ocurrió el accidente es una [vía urbana/travesía] , con circu- lación en [un único sentido/en los dos sentidos] , siendo un tramo [recto, curva, etc.] y [llano, ascendente, etc.] . En el momento de producirse el accidente concurrían las siguientes circunstancias: [descripción de las circunstancias que hayan podido tener relación con el accidente] .

El margen derecho de la vía está delimitado por [edificio, explanada, etc.] y el margen izquierdo por [edificio, explanada, etc.] .

— **Calzada/s.** La vía está formada por [núm. de calzadas] calzada/s [para dicho sentido/para ambos sentidos/para cada sentido] , de [anchura en metros] metros [—/cada una/__ la de la derecha y __ la de la izquierda] . Las calzadas están separadas por [separación entre calzadas] elevada sobre las calzadas [altura en metros] metros. Los sentidos de circulación están delimitados por [indicar el tipo de delimitación de los sentidos] .

La calzada consta de [núm.] carril/es de [anchura en metros] metros, delimitados por [indicar el tipo de delimitación de los carriles] .

La calzada consta de [núm.] carril/es de [anchura en metros] metros, delimitados por [indicar el tipo de delimitación de los carriles] .

El tipo de firme de la calzada es de [asfalto, hormigón, adoquines, etc.] , encontrándose la superficie en el momento del accidente [estado y posibles obstáculos] .

La calzada, por su margen derecho, está delimitada por [zona de estacionamiento, acera, etc.) de [metros] de anchura y [elevado o no] metros, al que sigue [descripción de otra delimitación] .

La calzada, por su margen izquierdo, está delimitada por [zona de estacionamiento, acera, etc.) de [metros] de anchura y [elevado o no] metros, al que sigue [descripción de otra delimitación] .

— **Intersección.** [Hacer una descripción del tipo de intersección, las vías que confluyen, su acondicionamiento y su trazado] .

La prioridad en dicha intersección está regulada por [tipo de regulación] .

— **Señalización**. En el lugar del accidente se encuentra la siguiente señalización: [tipo, nomenclatura, denominación y situación, así como su estado y la visibilidad posible para cada uno de los implicados] .

— **Luminosidad, visibilidad y factores atmosféricos.** [Describir la visibilidad en el tramo de vía, la luminosidad, los factores atmosféricos y, en su caso, el posible deslumbramiento para alguno de los implicados, indicando las causas que lo pudieran haber producido] .

— **Velocidad**. La velocidad en el lugar del accidente es la establecida, con carácter general, en 50 kilómetros por hora para vías urbanas y travesías, sobre la que prevalece la de [velocidad prevalente] , fijada [a través de la correspondiente señalización/al conductor del vehículo ?/etc.] .

— **Circunstancias transitorias**. [Describir aquellas relacionadas con la vía o sus elementos] .

4. **Huellas y vestigios.**

En el lugar del accidente se observan los siguientes de:

— **Frenada:** [Fijar su situación en la vía] .

— **Fricción:** [Fijar su situación en la vía] .

— **Otras de neumáticos**. [Fijar su situación en la vía] .

— **Arañazos**. [Fijar su situación en la vía] .

— **Raspaduras**. [Fijar su situación en la vía] .

— **Surcos y hendiduras**. [Fijar su situación en la vía] .

— **Infraestructura de vehículos**. [Fijar su situación en la vía y su pertenencia] .

— **Líquidos**. [Fijar su situación en la vía y su pertenencia] .

— **Sangre y ropas**. [Fijar su situación en la vía y su pertenencia] .

— **Otros restos**. [Fijar su situación en la vía y su pertenencia] .

5. **Otras circunstancias.**

[Día de la semana, intensidad de la circulación, y otras circunstancias de interés] .

6. **Posición/es final/es de la/s persona/s y/o vehículo/s.**

— **Conductor/a [Nombre y apellidos o denominación] del vehículo [A]** . Quedó localizado/a en [posición final de las personas atrapadas o en situación estática] .

— **Conductor/a [Nombre y apellidos o denominación] del vehículo [B]** . Quedó localizado/a en [posición final de las personas atrapadas o en situación estática] .

— **Usuario/a [Nombre y apellidos o denominación] del vehículo [B]** . Quedó localizado/a en [posición final de las personas atrapadas o en situación estática] .

— **Vehículo [A]** . Quedó localizado en [posición final del vehículo] .

— **Vehículo [B]** . Quedó localizado en [posición final del vehículo] .

7. **Examen del/de los vehículo/s implicado/s y retirada del lugar del accidente.**

— **Vehículo [A] , matrícula [matrícula] y número de bastidor [número de bastidor]** . Presentaba impacto en [parte del vehículo donde presenta la fuerza principal del impacto] y los siguientes desperfectos: [En esta descripción se comenzará con una reseña de la zona afectada y su amplitud —puertas, aletas, capó, etc.—, así como su consideración, para después describir las características y detalle de los daños —abolladuras, deformaciones, fracturas, etc.—] .

281

El estado inicial del vehículo, aparentemente, es el siguiente: [descripción del estado inicial] .

La palanca de cambios de velocidad se encontraba en [marcha] . El velocímetro marcaba [kms/h] km/h, un total de [km] km y un parcial de [km] km.

El mando indicador de dirección se encontraba en posición [posición] y su funcionamiento era [funcionamiento] . El mando o interruptor del alumbrado se encontraba en posición [posición] y su funcionamiento era [funcionamiento] . Otros dispositivos de alumbrado y señalización: [en su caso, describir posición de sus interruptores y su funcionamiento] .

La visibilidad desde el interior del vehículo es: [describir la visibilidad desde el interior del vehículo y sus posibles restricciones en relación con las partes diáfanas del mismo y sus espejos retrovisores] .

La visibilidad desde el interior del vehículo es: [describir la visibilidad desde el interior del vehículo y sus posibles restricciones en relación con las partes diáfanas del mismo y sus espejos retrovisores] .

[El resultado del examen del tacógrafo y su disco diagrama se realiza en acta aparte que se adjunta a las presentes] .

Comprobación de otros sistemas, órganos y elementos del vehículo:

— Sistema y órganos de dirección: [funcionamiento] .

— Sistema y órganos de suspensión: [funcionamiento] .

— Sistema y órganos de transmisión: [funcionamiento] .

— Sistema y órganos de frenado: [funcionamiento] .

— Neumáticos: [descripción del estado en el que se encuentra cada neumático] . [Un examen más detallado de los neumáticos se realiza en acta aparte que se adjunta a las presentes] .

El vehículo portaba la/s siguiente/s señale/s: [nomenclatura y procedencia o no en virtud del tipo de vehículo u otras circunstancias] . El vehículo carecía de la/s siguiente/s señale/s: [nomenclatura y procedencia o no en virtud del tipo de vehículo u otras circunstancias] .

Del examen del informe de la última inspección técnica periódica se destaca/n el/los siguiente/s dato/s: [datos más relevantes]

En virtud de los daños observados, se propone a la Jefatura de Tráfico la inspección técnica del vehículo citado previa a su nueva puesta en circulación, en cumplimiento de lo dispuesto en el art. 6.5 del Real Decreto 2042/1994, de 14 de octubre.

El vehículo fue retirado del lugar por [Nombre APELLIDO APELLIDO/RAZÓN SOCIAL de la persona que retira el vehículo y que se hace cargo del mismo] con domicilio en [localidad] ([provincia]), [tipo de vía —ejemplo: calle, avenida, etc.—, nombre de la vía, núm. de la vía, portal, escalera, piso, puerta] , [DNI/NIE/DOI/CIF etc.] núm. [reseñar la numeración completa, con letras, si existen, y de forma fiel a como consta en el documento del que se toma; ejemplo: 09999999-X] , teléfono/s núm./s. [000 000 000] , fax núm. [000 000 000] y dirección de correo electrónico [dirección/carece], que también se hace cargo del mismo y de sus pertenencias, quedando depositado en [lugar de depósito].

— **Vehículo [B] , matrícula [matrícula] y número de bastidor [número de bastidor]** . Presentaba impacto en [parte del vehículo donde presenta la fuerza principal del impacto] y los siguientes desperfectos: [En esta descripción se comenzará con una reseña de la zona afectada y su amplitud —puertas, aletas, capó, etc.—, así como su consideración, para después describir las características y detalle de los daños —abolladuras, deformaciones, fracturas, etc.—] .

El estado inicial del vehículo, aparentemente, es el siguiente: [descripción del estado inicial] .

La palanca de cambios de velocidad se encontraba en [marcha] . El velocímetro marcaba [kms/h] km/h, un total de [km] km y un parcial de [km] km.

El mando indicador de dirección se encontraba en posición [posición] y su funcionamiento era [funcionamiento] . El mando o interruptor del alumbrado se encontraba en posición [posición] y su funcionamiento era [funcionamiento] . Otros dispositivos de alumbrado y señalización: [en su caso, describir posición de sus interruptores y su funcionamiento] .

La visibilidad desde el interior del vehículo es: [describir la visibilidad desde el interior del vehículo y sus posibles restricciones en relación con las partes diáfanas del mismo y sus espejos retrovisores] .

La visibilidad desde el interior del vehículo es: [describir la visibilidad desde el interior del vehículo y sus posibles restricciones en relación con las partes diáfanas del mismo y sus espejos retrovisores] .

[El resultado del examen del tacógrafo y su disco diagrama se realiza en acta aparte que se adjunta a las presentes] .

Comprobación de otros sistemas, órganos y elementos del vehículo:

— Sistema y órganos de dirección: [funcionamiento] .

— Sistema y órganos de suspensión: [funcionamiento] .

— Sistema y órganos de transmisión: [funcionamiento] .

— Sistema y órganos de frenado: [funcionamiento] .

— Neumáticos: [descripción del estado en el que se encuentra cada neumático] . [Un examen más detallado de los neumáticos se realiza en acta aparte que se adjunta a las presentes] .

El vehículo portaba la/s siguiente/s señale/s: [nomenclatura y procedencia o no en virtud del tipo de vehículo u otras circunstancias] . El vehículo carecía de la/s siguiente/s señale/s: [nomenclatura y procedencia o no en virtud del tipo de vehículo u otras circunstancias] .

Del examen del informe de la última inspección técnica periódica se destaca/n el/los siguiente/s dato/s: [datos más relevantes]

En virtud de los daños observados, se propone a la Jefatura de Tráfico la inspección técnica del vehículo citado previa a su nueva puesta en circulación, en cumplimiento de lo dispuesto en el art. 6.5 del Real Decreto 2042/1994, de 14 de octubre.

El vehículo fue retirado del lugar por [Nombre APELLIDO APELLIDO/RAZÓN SOCIAL de la persona que retira el vehículo y que se hace cargo del mismo] con domicilio en [localidad] ([provincia]), [tipo de vía —ejemplo: calle, avenida, etc.—, nombre de la vía, núm. de la vía, portal, escalera, piso, puerta] , [DNI/NIE/DOI/ CIF etc.] núm. [reseñar la numeración completa, con letras, si existen, y de forma fiel a como consta en el documento del que se toma; ejemplo: 09999999-X] , teléfono/s núm./s. [000 000 000] , fax núm. [000 000 000] y dirección de correo electrónico [dirección/carece] , que también se hace cargo del mismo y de sus pertenencias, quedando depositado en [lugar de depósito] .

8. Daños materiales ajenos a los vehículos implicados.

— [Describir el vehículo estacionado u otro bien mueble o inmueble dañado, haciendo constar su ubicación antes del accidente, el impacto recibido y los daños sufridos, y, en su caso, su retirada de la vía y quién la realiza] .

DEPÓSITO DE VEHÍCULO

Para hacer constar que por disposición del/de la Ilmo./a. Sr./Sra. Magistrado/a Juez del Juzgado de Instrucción de Guardia, se procede a depositar en poder de don/D.ª [Nombre APELLIDO APELLIDO] , nacido/a en [Localidad] ([Provincia]) el día [dd-mm-aaaa] , hijo/a de [padre y madre] , con domicilio en [Localidad] ([Provincia]), [dirección completa] , con [DNI] / [NIE] / [DOI] núm. 00000000-X , expedido el [dd-mm-aaaa] , teléfono núm. [000 000 000] , fax núm. [000 000 000] y dirección de correo electrónico [dirección] , el vehículo matrícula [matrícula] , marca [marca] , modelo [modelo] , color [color] , en calidad de depositario/a, implicado en el accidente que motiva la presente.

Dicha actuación se documenta en acta que se adjunta a las presentes.

DILIGENCIA DE INFORME.

De la inspección ocular practicada del lugar de los hechos y/o al/los vehículo/s implicado/s, huellas diversas, manifestaciones de interés y demás circunstancias, barajadas distintas hipótesis, es parecer de los Funcionarios de Policía actuantes que el accidente pudo tener el siguiente desarrollo: [una descripción objetiva de la forma en que ocurrió el accidente, basada en los datos y pruebas con los que se cuente, sin añadir hipótesis ni opiniones subjetivas y haciendo referencia a las manifestaciones de los implicados] .

A juicio de los Funcionarios de Policía que instruyen, la causa que posiblemente originó el accidente pudo ser [causa o causas que, a juicio de los intervinientes, originaron el suceso] .

Como causa/s influyente/s en el accidente se observa/n: [hacer referencia a éstas cuando hubieran afectado a la ocurrencia del suceso, con independencia de la causa directa] .

DILIGENCIA DE TERMINACIÓN Y REMISIÓN.

No teniendo otras actuaciones que practicar, se dan por terminadas las presentes, siendo remitidas al Juzgado de Instrucción de Guardia de los de Salamanca (Salamanca), a las que se acompaña croquis comprensivo del lugar del accidente, informe fotográfico y los siguientes documentos o efectos:

— Documento núm. 1: Acta de requerimiento e información de derechos en prueba de alcoholemia.

— Documento núm. 2: Acta de depósito del vehículo.

— [Descripción y pertenencia] .

Se significa que del presente atestado se remite copia al Ilmo. Sr. Fiscal Jefe de la Audiencia Provincial y se da conocimiento al Cuerpo Nacional de Policía . CONSTE Y CERTIFICO

ANEXO 10
INFORME TÉCNICO POR ACCIDENTE DE TRÁFICO

INFORME POR ACCIDENTE DE TRÁFICO

El/los Funcionario/s del Cuerpo de Policía Local con número/s de identificación profesional/es [números de identificación profesionales] hace/n constar que sobre las [hh.mm] horas del día [dd-mm-aaaa] , en Salamanca (Salamanca), en [tipo de vía, denominación y núm.] , ocurrió un accidente de tráfico al [tipo de accidente y tipo de vehículos implicados, así como la matrícula de los mismos] , a consecuencia del cual resultaron [consecuencias del accidente] .

IDENTIFICACIÓN DE PERSONAS Y VEHÍCULOS IMPLICADOS

Conductor del vehículo A , matrícula [matrícula] .

—**Conductor/a**: [Nombre APELLIDO APELLIDO] , nacido/a el [dd-mm-aaaa] , con domicilio en [localidad] ([provincia]), [tipo de vía, denominación, núm., portal, escalera, piso, puerta] , con teléfono núm. [000 000 000] y D.N.I./D.O.I./Pasaporte núm. [00000000-X] . Exhibe [permiso/licencia] de conducción de la clase [clase], en vigor. El/la reseñado/a manifestó no haber sufrido lesión alguna resultó herido/a leve , siendo asistido/a en el lugar del accidente por una dotación sanitaria de [denominación del servicio de urgencia] y, posteriormente, trasladado/a al Centro sanitario [denominación del centro sanitario] /pasó a su domicilio. La prueba de alcoholemia dio un resultado de negativo / positivo .

—**Vehículo**: [definición] , marca [marca] , modelo [modelo] , color [color] , que posee autorización administrativa para circular expedida a nombre de [Nombre APELLIDO APELLIDO] , con domicilio en [localidad] ([provincia]), [tipo de vía, denominación, núm., portal, escalera, piso, puerta] . El vehículo ha sido presentado a inspección técnica en el plazo debidoestá exento de ser presentado a inspecciones periódicas . Acredita que tiene concertado certificado de seguro obligatorio con la Compañía [NOMBRE] , póliza núm. [núm.] , con validez hasta el [dd-mm-aaaa] .

—**Reconocimiento de daños:** el vehículo presentaba impacto en [lugar de impacto] y los siguientes desperfectos: [desperfectos] . Se propone a la Jefatura de Tráfico su inspección técnica previa a su nueva puesta en circulación, en cumplimiento de lo dispuesto en el art. 6.5 del Real Decreto 2042/1994, de 14 de octubre.

Conductor del vehículo B , matrícula [matrícula] .

—**Conductor/a**: [Nombre APELLIDO APELLIDO] , nacido/a el [dd-mm-aaaa] , con domicilio en [localidad] ([provincia]), [tipo de vía, denominación, núm., portal, escalera, piso, puerta] , con teléfono núm. [000 000 000] y D.N.I./D.O.I./Pasaporte núm. [00000000-X] . Exhibe [permiso/licencia] de conducción de la clase [clase] , en vigor. El/la reseñado/a manifestó no haber sufrido lesión alguna resultó herido/a leve, siendo asistido/a en el lugar del accidente por una dotación sanitaria de [denominación del servicio de urgencia] y, posteriormente, trasladado/a al Centro sanitario [denominación del centro sanitario] /pasó a su domicilio. La prueba de alcoholemia dio un resultado de negativo / positivo .

—**Vehículo**: [definición] , marca [marca] , modelo [modelo] , color [color] , que posee autorización administrativa para circular expedida a nombre de [Nombre APELLIDO APELLIDO] , con domicilio en [localidad] ([provincia]), [tipo de vía, denominación, núm., portal, escalera, piso, puerta] . El vehículo ha sido presentado a inspección técnica en el plazo debidoestá exento de ser presentado a inspecciones periódicas . Acredita que tiene concertado certificado de seguro obligatorio con la Compañía [NOMBRE] , póliza núm. [núm.] , con validez hasta el [dd-mm-aaaa] .

—**Reconocimiento de daños:** el vehículo presentaba impacto en [lugar de impacto] y los siguientes desperfectos: [desperfectos] . Se propone a la Jefatura de Tráfico su inspección técnica previa a su nueva puesta en circulación, en cumplimiento de lo dispuesto en el art. 6.5 del Real Decreto 2042/1994, de 14 de octubre.

Usuario del vehículo B, matrícula [matrícula] .

— [Nombre APELLIDO APELLIDO] , nacido/a el [dd-mm-aaaa] , con domicilio en [localidad] ([provincia]), [tipo de vía, denominación, núm., portal, escalera, piso, puerta] , con teléfono núm. [000 000 000] y D.N.I./D.O.I./Pasaporte núm. [00000000-X] . El/la reseñado/a manifestó no haber sufrido lesión alguna resultó herido/a leve, siendo asistido/a en el lugar del accidente por una dotación sanitaria de [denominación del servicio de urgencia] y, posteriormente, trasladado/a al Centro sanitario [denominación del centro sanitario] /pasó a su domicilio.

RESEÑA DE OTROS DAÑOS MATERIALES

En vehículo estacionado, matrícula [matrícula] .

— **Vehículo**: [definición] , marca , modelo , color , que posee autorización administrativa para circular expedida a nombre de [Nombre APELLIDO APELLIDO] , nacido/a el [dd-mm-aaaa] , con domicilio en [localidad] ([provincia]), [tipo de vía, denominación, núm., portal, escalera, piso, puerta] . El vehículo ha sido presentado a inspección técnica en el plazo debidoestá exento de ser presentado a inspecciones periódicas . Acredita que tiene concertado certificado de seguro obligatorio con la Compañía [NOMBRE] , póliza núm. [número] , con validez hasta el [dd-mm-aaaa] .

— **Reconocimiento de daños:** el vehículo presentaba impacto en [lugar de impacto] y los siguientes desperfectos: [desperfectos] . Se propone a la Jefatura de Tráfico su inspección técnica previa a su nueva puesta en circulación, en cumplimiento de lo dispuesto en el art. 6.5 del Real Decreto 2042/1994, de 14 de octubre.

APRECIACIÓN DE LA FORMA EN QUE SE PRODUJO EL ACCIDENTE Y CAUSAS Y FACTORES

De la inspección ocular practicada del lugar de los hechos y/o al/los vehículo/s implicado/s, huellas diversas, manifestaciones de interés y demás circunstancias (suprimir lo que no proceda), es parecer de los Funcionarios de Policía actuantes que el accidente pudo tener el siguiente desarrollo: [desarrollo]

A juicio de los Funcionarios de Policía que realizan el presente informe, la posible causa del accidente pudo ser [causa] . Como factor/es influyente/s en el accidente se observa: [factores, si se observan] .

OBSERVACIONES

A este informe, que contiene los datos más relevantes de las personas y vehículos implicados, así como la apreciación de la forma en que se pudo producir el accidente y sus causas y factores, se adjunta un croquis comprensivo de la situación del accidente y/o informe fotográfico .

ANEXO 11
INFORME INDICIARIO SOBRE POSIBLE FRAUDE

CASO REAL

Sucinta exégesis del caso:

Accidente simulado entre dos turismos, uno de ellos con daños anteriores de otro accidente también atendido por la fuerza actuante en el que se produjeron importantes daños y que a día de la fecha no habían sido reparados.

El ardid o engaño a la Cía. Aseguradora: tratar de repercutir unos daños preexistentes mediante la simulación de una colisión entre dos turismos. El vehículo que se utiliza es dado de baja definitiva el mismo día del siniestro.

Utilizan un Fiat, Cinquecendo de color blanco.

INFORME INIDICIARIO SOBRE POSIBLE FRAUDE A ASEGURADORA

Los Funcionarios de Policía hacen constar que sobre las horas del día (...), en (...) ocurrió un accidente de tráfico al colisionar frontolateralmente dos turismos, que presenta indicios o sospechas de fraude a aseguradora. En el vehículo perjudicado de la colisión presentaba daños materiales de otro accidente anterior, registrado en otro atestado núm. (...).

1. TIPO DE ACCIÓN DETECTADA

Mediante el presente informe los Funcionarios de Policía tienen a bien participar a la Cía. aseguradora (...) los siguientes aspectos relacionados con las características del accidente. Le anticipamos que se han detectado indicios significativos de que el accidente ha sido amañado o pactado entre los conductores implicados.

2. EXPOSICIÓN DE HECHOS

Que sobre las (...) del día (...) los policías actuantes fueron comisionados por la sala de comunicaciones, ya que al parecer había ocurrido un accidente de circulación en la Calle (...). El aviso fue dado por el alertante D. (...) desde el teléfono móvil (...).

Acto seguido se trasladan al lugar los integrantes de la patrulla de atestados, agentes (...) y observan a dos turismos en mitad de la calzada, en la calle (...).

El vehículo A, se encontraba situado en la calle (...) invadiendo el carril por el que circulaba el vehículo B, se había producido una colisión frontolateral. La parte frontal del vehículo A impacta contra lateral izquierdo trasero del vehículo B. En el vehículo A viajaba el conductor, no había usuarios.

El vehículo B se encuentra en carril derecho, sentido calle (...) con dirección entrada ciudad. Éste se encontraba realizado maniobra de cambio de dirección a la derecha, incorporándose a la calle (...). La parte trasera izquierda presentaba daños. En el vehículo B viajaban tres usuarios y el conductor. Los usuarios se encontraba dentro del vehículo en el momento en que se personan los agentes instructores del presente informe.

En el lugar del accidente se lleva a cabo la inspección ocular, informe fotográfico, toma de datos y manifestaciones de los conductores encartados. En el transcurso de las presentes diligencias los agentes intervinientes se percatan de las siguientes circunstancias:

— El siniestro puede ser creado de forma deliberada y fraudulentamente para reparar los daños materiales que presentaba el vehículo B (anteriores al accidente), sirviéndose del Seguro Obligatorio del Automóvil del vehículo A (Fiat Cinquequento).

El vehículo B (BMW) presentaba daños anteriores de otro accidente acaecido en (...) en el pso. (...) con avda. (...) el día (...), diligencias núm. (...). Dicha circunstancia se constató al encontrarse restos de pintura roja en el mismo lugar donde impacta el vehículo A (éste era de color blanco). En el accidente ulterior el conductor del vehículo, que ahora resuelta perjudicado era el responsable de los daños.

Por su parte, los daños materiales que se pretende repercutir fraudulentamente a la aseguradora (...) se **produjeron como consecuencia de la colisión acaecida con anterioridad al siniestro** que nos ocupa. Además de la abolladura en puerta trasera izquierda, aleta, paragolpes, llanta y catadióptrico trasero se observa activación de elemento de seguridad pasiva *airbag* laterales (puertas y cortinas en habitáculo lateral izquierdo). Todo ello, con ocasión de la trasferencia de pintura roja en puerta y llanta trasera izquierda, que era el color del vehículo que colisiona contra éste. Por tanto, daños no compatibles con el golpe que se aduce por pate de los encartados.

Imágenes de detalle de los daños:

Daños irrogados en vehículo BMW como consecuencia de accidente anterior. Diligencias (...). Y vehículo encartado en aquel de color rojo

Daños irrogados en vehículo BMW como consecuencia de accidente simulado anterior al que nos ocupa. Diligencias (...). Se aprecian restos de pintura roja de accidente anterior.

— El siniestro puede ser creado de forma deliberada y fraudulenta por los propios encartados en el siniestro, utilizando un vehículo averiado y dado de baja en el mismo día que ocurrieron los hechos.

Observaciones

En consecuencia, dado el tipo de colisión frontolateral, la escasa velocidad a la que circulaban los vehículos, las características de los daños materiales del vehículo B (BMW), cuyos desperfectos fueron irrogados como consecuencia de un accidente anterior, sin haber sido reparados; de la inmediatez de la baja definitiva del vehículo causante de los daños que ahora se pretenden repercutir a la aseguradora por la presunta colisión con un vehículo dado de baja el mismo día del accidente, y teniendo en cuenta, que el vehículo BMW presentaba importantes desperfectos en los sistemas de seguridad pasiva «airbag» laterales. Así como, la presunta avería del embrague que poco o nada tiene que ver con la dinámica del accidente que nos ocupa, es parecer de los funcionarios que suscriben el presente informe,

QUE EL ACCIDENTE HA SIDO SIMULADO, PACTADO O AMAÑADO ENTRE LOS CONDUCTORES DE LOS VEHÍCULOS PARA REPERCUTIR LOS DAÑOS MATE-RIALES IRROGADOS AL VEHÍCULO BMW (DAÑOS OCASIONADOS EN UNA COLISOIÓN ANTERIOR) A LA CÍA ASEGURADORA.

POR TANTO EL ACCIDENTE QUE AHORA NOS OCUPA FUE AMAÑADO DE FORMA DELIBERADA Y FRAUDULENTA PARA REPARAR EL VEHÍCULO BMW.

BIBLIOGRAFÍA

Alonso Pedraz, M.: *Dirección Medieval Español. Desde las Glosas Emilianenses y Silenses (s. X) hasta el siglo XV*. Universidad Pontifica de Salamanca (UPSA). Salamanca, 1986. Pp. 684.

Arregi, C. D., Luzón Narro, J., López Valdés. F. J., Del Pozo de Dios, E., Seguí Gómez, M.: *Fundamentos de Biomecánica en las Lesiones por Accidente de Tráfico*. Editorial tráfico Vial, S.A (Etrasa 4ª Edición Madrid 2012. Pp. 35-97.

Badillo Arias, J. A.: «El dolo y la culpa en el contrato de seguro». *Revista de Responsabilidad Civil y Seguro*.

Villar Calabuig, J.M.: *El siniestro en el seguro del automóvil y su tramitación. La reclamación extrajudicial y la oferta o respuesta motivada del asegurador*. Artículo Monográfico. Editorial Sepín jurídica noviembre 2015.

Carmona Ruano, M.: «Concurrencia de culpas: Casco protector y cinturón de seguridad». *Revista de Responsabilidad civil y seguro*. Ponencia presentada en las VI Jornadas de Responsabilidad Civil y Seguro (Almería 2008). Pp. 59 a 84.

Choclán Montalvo, J. A.: *El delito de estafa*. Bosch. Barcelona, 2000. P. 351.

De Miguel Miranda J. L. y Cisneros López O.: *Descripción del Reposacabezas y evidencias científicas de su efectividad*. Fundación Instituto Tecnológico para la Seguridad del Automóvil (FITSA).Madrid 2005- Pp. 10-94.

De Paúl Velasco, J. M.: *La asunción del riesgo por la víctima como factor de reducción indemnizatoria en el ámbito de la responsabilidad civil automovilística, con especial referencia a la omisión de medidas preceptivas de seguridad pasiva*. I Congreso Nacional sobre Responsabilidad y Seguro. I. C de abogados de Islas Baleares, Palma, 22 y 23, septiembre de 2005.

Díez Ballesteros, J. A.: «La asunción del riesgo por la víctima en la responsabilidad civil extracontractual. (Un estudio jurisprudencial)». *Actualidad civil*, núm. 4, 2000. Pp. 1343-1382.

ELVIK, R.: *El manual de medidas de seguridad vial.* Traducción de Jesús Mondus, 2.ª ed. Fundación Mapfre, Madrid 2003. Tabla 1. Efecto de la utilización del cinturón de seguridad sobre la probabilidad de lesión en caso de accidente.

H. de Haven: Mechanical analysis of survival in fails from heights of fifty feet. Inj Prev. 2000 mar; 6 (1): 62–68. https://www.ncbi.nlm.nih.gov/pmc/articles/PMC1730592/citedby/.

Heredero, J. L.: *La responsabilidad sin culpa.* Ediciones Nauta, S.A. Barcelona 1964. Pp. 137-146.

Irigoyen Alba, J. y Rapún Ara, A.: «Bases anatómicas y fisiológicas de las lesiones cervicales traumáticas». *Revista Española de Abogados Especializados en Responsabilidad Civil y Seguro*, núm. 48. Año 2003. Pp. 17-26.

Cobo González, P.: *Manual de investigación de siniestros y lucha contra el fraude en el Seguro de Automóviles.* Mapfre. Madrid, 1993, Pp. 3 y 4.

De Dios de Dios, M. A.: «El precio del atestado: la tasa por la expedición de informes derivados del accidente de tráfico». *Responsabilidad civil, seguro y trafico: cuaderno jurídico*, núm. 59. Pp. 13-27.

— *Culpa exclusiva de la víctima en los accidentes de circulación.* Editorial La Ley. Las Rozas (Madrid), 2012. Pp. 101 a 168.

Díez Ballesteros, J. A.: *La asunción del riesgo por la víctima en la responsabilidad civil extracontractual. (Un estudio jurisprudencial).* Actualidad civil, núm. 4, 2000. Pp. 1343-1382.

Díez-Picazo.: *La Responsabilidad Civil hoy.* Bilbao 1979. Publica Universidad Deusto. Pp. 9 y ss.

Díez-Picazo y Ponce de León, L.: *Sistema de Derecho Civil.* Vol. II. El contrato en general. La reacción obligatoria. Contrato en especial. Ed. Tecnos, 2001. P. 551.

D´órs A., Hernández-Tejero F., Fuenteseca P., García Garrido M. y Burillo J., *El Digesto de Justiniano.* Aranzadi, Pamplona 1968. Para profundizar sobre textos del Corpus iuris civilis que tratan el tema de la culpa de la víctima *vide* Gorgi, G.: *Teoría de las Obligaciones en Derecho Moderno*, vol. 5º, 2ª edic. Madrid, 1980. Págs. 245 a 246.

E. CLARAMUNT, M.M. y FORTIANA. J.: *Herramientas estadísticas para el estudio de perfiles de riesgo*, Anales del Instituto de Actuarios Españoles, Tercera Época 7. Pp. 59-89.

FRAGA MANDIÁN, A.: *Guía práctica de valoración de daños personales: Nuevo Baremo*. Editorial jurídica Sepín S. L. 2015.

FERREIRO LAPATZA, J.J.: *Curso de Derecho Financiero Español*, 19 edición, Capítulo XII: «La configuración jurídica del tributo. La obligación tributaria», punto V: «La obligación tributaria. Concepto y características». Marcial Pons, Ediciones Jurídicas y Sociales, S.A., Madrid, 1997.

FUSTER MARTÍN, R.: *Criterios de Valoración de las Secuelas en los Accidentados*. Thomson Reuters Aranzadi. Primera edición, 2019. Pp. 542-543.

GALLARDO SAN SALVADOR, N.: «El informe médico concluyente». *Revista de la Asociación Española de Abogados Especializados en Responsabilidad Civil* número 57. Primer trimestre, 2016, Madrid. Pp. 49-56.

GARCÍA PÉREZ, J. J.: *La praxis jurisprudencial sobre el fraude de seguro como delito de estafa*. Estudios, Boletín del Ministerio de Justicia núm. 2032. 2007, Págs. 719-740.

GATIUS CASABÓN. M.: *La falta de nexo causal en la Ley 35/2015*. Editorial Sepín jurídico. Artículo Monográfico. Abril 2018.

GAY, J.R., ABBOTT, K. H.: *Common whiplash injuries of the neck*. AMA. 1953. Pp. 1698-1704.

GIULIANI FONROUGE, Carlos: *Derecho Financiero*. Novena Edición. Buenos Aires. Editorial La Ley. Tomo I. Pág. 253). En el mismo sentido GIANNINI (GIANNINI, A.D. 1957. Instituciones de Derecho Tributario. Séptima Edición. Madrid. Editorial de Derecho Financiero. P. 42. 2004.

GORGI, G.: *Teoría de las Obligaciones en Derecho Moderno*, vol. 5º, 2ª edición. Madrid, 1980. Pp. 245 a 246.

HURTADO YELO, J. J.: *La determinación del alcance del art. 135 LRCSCVM. Traumatismos con síntomas exclusivamente subjetivos. (Análisis de la SAP, Sección 6º, La Coruña, núm. 200/2017, de 23 de octubre)*. Laleydigital 1382/2019. P. 9.

ICEA: *Manual de lucha contra el fraude en el seguro de automóviles.* Madrid, 1995.

JIMÉNEZ SEGADO, C.: «Eliminar las faltas tiene delito (leve)». *Diario la Ley*, núm. 8223. Ed. La Ley. Las Rozas, Madrid 2014.

JOSSERAND, L.: *La responsabilité envers sois-même.* DH, 1934, núm. 28. Chronique, P. 73-76.

JOUVENCEL, M. R.: *Biocinemática del accidente de tráfico.* Díaz de Santos S. A. Madrid, 2000. P. 16.

— *Latigazo cervical y colisiones a baja velocidad. La ausencia de daños en el vehículo no supone inexistencia de lesiones en los ocupantes.* Ed. Díaz De Santos, S.A. Madrid, 2003.

LLAMAS POMBO. E.: «Prevención y reparación, las dos caras del Derecho de daños». Ed. Dykinson, Madrid 2007. Pp. 443-478. *Revista de responsabilidad civil y seguro*, núm. 29. Año 2009. Pp. 35-60.

LARENZ, K.: «Derecho de las obligaciones». T, I, versión española y notas de J Santos Briz. Editorial *Revista de Derecho Privado*, Madrid 1958. P. 219-220.

LARROSA AMANTE, M. A.: «Las colisiones por alcance. Especial referencia a la pericial biomecánica y su valoración judicial». *Revista de Responsabilidad Civil, Circulación y Seguro.* Año 51. Núm. 5, mayo, 2015. Pp. 6-29.

— «El nexo de causalidad en las colisiones por alcance a baja velocidad». *Revista de la Asociación Española de Abogados Especializados en Responsabilidad Civil y Seguro número 47- 2013. Pp. 9-32.*

LEÓN GONZÁLEZ, J. M.: *La responsabilidad civil de Roma al Derecho moderno. Significado y función de la culpa en el actual Derecho de daños. (Especial consideración de la culpa de la víctima).* IV Congreso Internacional y VII Congreso Iberoamericano de Derecho Romano. Universidad de Burgos. 2001. También «La culpa del dañado en la responsabilidad extracontractual». *Práctica Derecho de daños*, año IX, núm. 90, febrero, 2011. Pp. 6-22.

LASARTE, C.: *Principios de Derecho civil. Derecho de obligaciones.* Tomo II. 8ª edición. Editorial Marcial Pons, Madrid 2003. Pp. 246 y ss.

López Buedo, A. I.; Ortega Rubio, E.; Perales Pardo, R.; Amores Valenciano, P.: «Validación de la Regla Canadiense de la Columna Cervical para el uso de radiografías». *Revista Clínica de Medicina de Familia* 2006. Disponible en:<http://www.redalyc.org/articulo.oa?id=169617622007>.

López Peña, F.: *La culpabilidad en la responsabilidad civil extracontractual.* Ed. Comares. Granada 2002, P. 42.

Magro Servet, V.: «El informe médico concluyente, informe médico definitivo e informe pericial en la siniestralidad vial adicionado al parte forense tras la LO 2/2019, de 1 de marzo». *Tráfico y seguridad vial,* núm. 243. Madrid, 2019.

Marchal Escalona, A. N.: *El Atestado. Inicio del proceso penal.* Ed. Thomson Aranzadi. Pamplona 2008. Pág. 25 y ss.

Martín Ancín, F. y Álvarez Rodriguez, J. R.: *Metodología del atestado policial. aspectos procesales y jurisprudenciales.* Tecnos Madrid 2003. Pág. 69.

Martín-Caro Sánchez, J. A.: *Lesiones: comentario del artículo 147 del Código.* Artículo Monográfico. Editorial Jurídica. Sepín. Mayo 2020.

Martín Zurro, A. y Cano Pérez J. F.: *Atención primaria. Conceptos, organización y práctica clínica.* 5º edición. Elsevier, 2003. Pp. 1332-1333.

Medina Crespo, M.: *Revista Noticias de la Unión Europea,* número 139-140. 1996, P. 85 y ss.

Messineo, F.: *Manuale di Diritto Civile e Comerciale,* t I, 9ª edición. Giuffre. Milano 1957.

O´Callaghan Muñoz. Xavier: «La responsabilidad objetiva». Coord. Por Juan Antonio Moreno Martínez. Ed. Dykinson, Madrid 2007. Pp. 799 y ss.

Ortega Pérez, A.: «Revisión crítica sobre el síndrome del latigazo cervical (I): ¿de veras existe una lesión anatómica?/Revisión crítica sobre el síndrome del latigazo cervical (II): ¿cuánto tardará en curar?». *Cuadernos de Medicina Forense* núm. 34. Octubre, Málaga 2003. Pp. 1135-7606.

Pérez Alonso, E.J.: «La estafa de seguro». *La Ley Penal. Revista jurídica española de doctrina, jurisprudencia y bibliografía,* núm. 33. Año III, 2006. P. 1.

Pérez Vázquez, J. P.: «La carga de evitar o mitigar el daño derivado del incumplimiento del contrato». *InDret. Revista para el análisis del Derecho.* Barcelona, enero 2015. Pp. 6-8.

Pugliatti. S.: *Responsabilitá Civile*. Doit. A. Giuffré Editore. Milano, 1968. P. 14.

Robaina Padrón F. J.: «Esguince cervical. Características generales y aspectos médico legales». *Rev Soc Esp Dolor*. 1998. Pp. 214-223.

Rast, Peter H. Steams, Robert E.: «Low Speed Accidents: Investigation. Documentation and Case Preparation». *Lawers & Judges Publishing Company*. Incorporated 2000.

Reglero Campos, L.F.: *Accidentes de Circulación: Responsabilidad Civil y Seguro*. Aranzadi, 4ª ed., 2018, P. 171.

Represas Vázquez, C., Muñoz Barús, J. I., luna Maldonado, A.: «Importancia de la biomecánica del impacto en la valoración pericial del síndrome del latigazo cervical». *Revista Española de Medicina Legal*. A Coruña, 2015. P. 74.

Roca. E.: *Derecho de Daños. Textos y materiales*. Valencia 2007. Tirant lo blanch, 5ª Edición. P. 302.

Romero Coloma, A. M.: «Accidentes de tráfico: Los supuestos de culpa exclusiva de la víctima, caso fortuito u fuerza mayor». *Revista de responsabilidad civil, circulación y seguro*. 1998 Madrid. Pp. 528-530.

Santos Briz, J.: *La responsabilidad civil. Derecho sustantivo y derecho procesal*. Ed. Montecorvo. S. A. Madrid 1986 P. 213.

Savatier, R.: *Traité de la Responsabilité Civile*. Tome deuxiemé. París 1951. P. 531.

Seoane Spiegeiberrg, J. L.: «La prueba pericial e n los procedimientos de tráfico». *Revista de la Asociación Española de Abogados Especializados en Responsabilidad Civil y Seguro* número 19. Tercer trimestre, 2006. Pp. 68-74.

Solaz Solaz, E.: *La estafa procesal*. Tirant lo Blanch monografías 861. Valencia, 2013. Pp. 76-84.

Solera Calleja, I.: «La prueba biomecánica asume un significativo componente estadístico que puede no alcanzar el grado de completud probatoria. En cuanto a las secuelas, la Ley exige un «informe médico concluyente» y no puede tenerse por tal la apreciación de limitaciones de movilidad del informe médico aportado: SAP de Madrid (Secc. 11ª) de 11 de abril de 2018, sentencia 119/2018». *Revista de responsabilidad civil, circulación y seguro*, núm. 7. Madrid. Pp. 61-62.

— «Análisis judicial sobre el alcance y significado del término "concluyente" previsto en el apartado 2 del artículo 135 de la LRCSCVM. Necesidad de informe médico concluyente. Se estima el recurso del perjudicado contra la sentencia que había desestimado la secuela derivada de un traumatismo menor de columna. SAP de Murcia de 30 de septiembre de 2019». *Revista de responsabilidad civil, circulación y seguro*, núm. 1,2020, Madrid. Pp. 50-52.

— «Se desestima la reclamación de secuelas, al no haber aportado un informe médico concluyente en los términos exigidos en el artículo 135 de la Ley 35/2015, de 22 de septiembre: SAP de Bilbao (Secc. 5ª) de 4 de diciembre de 2017, resolución 318/2017». *Revista de responsabilidad civil, circulación y seguro,* núm. 6. Madrid, 2018. Pp. 43-43.

— «El informe concluyente será el de alta, que pone fin al proceso de curación, cuando en él se consignan determinadas deficiencias residuales por parte del médico o el servicio que ha seguido la evolución de su tratamiento: SAP de Girona de 15 de mayo de 2020». *Revista de responsabilidad civil, circulación y seguro*, núm. 8. Madrid, 2020. Pp. 50-50.

VALLE MUÑIZ, J. M.: *El delito de estafa. Delimitación jurídico-penal con el fraude civil.* Ed. Bosch, Barcelona 1987, P. 274.

VELASCO PERDIGONES, J. C.: «Los criterios de causalidad genérica en las colisiones a baja velocidad y la pericial biomecánica a raíz de la Ley 35/2015, de 22 de septiembre de reforma del sistema para la valoración de los daños y perjuicios causados a las personas en accidente de circulación». *Revista La Ley Digital* núm. 3114/2016. Pp. 4-5.

VILLANUEVA CAÑADAS, E.: *Gisbert Calabuig. Medicina Legal y Toxicología.* Séptima edición. Editorial Elsevier España S. L. U. 2019. P. 1430.

VICENTE BAÑOS, A.: «Diagnóstico, tratamiento y pronóstico del síndrome del latigazo cervical». Universidad Católica de Murcia (UCAM). *Revista de Fisioterapia*. Guadalupe 2009. Recuperado el 31 de mayo de 2019.

VON TUHR, A.: *Tratado de las obligaciones.* Traducido y coordinado por W. Roces Suárez. Reus. Madrid 1934. Pág. 78. *ww.ucam.edu/revistafisio/cident/volumen-8/numero-1-junio-20.*

YOGANANOAN, NARAYAN. PUNTEA FRANK A.: *Frontiers in whiplash truma. Clinical & Biomechanical.* Ed. Ios Press. USA 2000. Pp. 17-24.

ZITELMANN, E.: *Bügerliches Geseztbuch, Allgemeiner Teil, Leipzig 1900.* P. 166.

JURISPRUDENCIA

TRIBUNAL SUPREMO

30/06/2000	661/2000	D. Jesús Corbal Fernández	Relación de causalidad
17/01/2019	35/2019	D. Antonio Salas Carceller	Investigación accidente. Conducción del vehículo
17/01/2019	35/2019	D. Antonio Salas Canceller	Cinturón de seguridad
19/07/2018	471/2018	D. Eduardo Baena Ruiz	Valoración informes periciales
16(06/2016	518/2016	D. Julián Sanchez Melgar	Tratamiento médico
06/02/2014	34/2014	D. Juan Ramón Berdugo de la Torre	Tratamiento médico
26/06/2013	562/2013	D. Joaquín Giménez García	Preponderancia probática
31/10/2013	796/2013	D. Juan Ramón Berdugo de la Torre	Rotura o perdida de piezas dentales
21/05/2013	409/2013	D. Juan Ramón Berdugo de la Torre	Tratamiento médico
10/04/2013	381/2013	D. Antonio del Moral García	Delito de estafa
15/02/2012	1118/2012	D. Juan Saavedra Ruiz	Delito de estafa procesal
14/12/2011	902/2011	D. Francisco Javier Arroyo Fiestas	Enfermedad previa al accidente
27/10/2011	1100/2011	D. Juan Ramón Berdugo de la Torre	Delito de estafa procesal

22/04/2011	393/2010	D. Joaquín Delgado García	Puntos de sutura
26/11/2010	1170/2010	D. Enrique Bacigalupo Zapater	Tratamiento médico
06/02/2009	85/2006	D. Perfecto Agustín Andrés Ibáñez	Tratamiento médico
12/06/2009	656/2009	D. Perfecto Agustín Andrés Ibáñez	Tratamiento médico
22/10/2009	1137/2009	D. Joaquín Giménez García	Concepto de tratamiento médico
16/10/2009	6982/2009	D. Adolfo Prego de Oliver Tolivar	Delito de estafa
16/10/2009	6473/2009	D. Francisco Monterde Ferrer	Delito de estafa
28/10/2009	1015/2009	D. Juan Ramón Verdugo de la Torre	Delito de estafa procesal
22/12/2008	7314/2008	D. José Manuel Maza Martín	Delito de estafa
26/02/2007	214/2007	D. Juan Artemio Sánchez Melgar	Delito de estafa
07/04/2006	403/2006	D. Diego Antonio Ramos Cancedo	Tratamiento médico
11/03/2002	1696/2002	D. José Ramón Soriano	Principio de asegurabilidad
14/10/1994	2861/94	D. Joaquin Martín Canivell	Valoración de la prueba
20/01/1993	85/1993	D. Cándido Conde Pumpido Ferreiro	Valor de la prueba

AUDIENCIAS PROVINCIALES

Fecha	Lugar	Jurisdicción	Núm. sentencia	Ponente	Objeto
15/01/2020	Madrid	Civil/Secc. 10	17/2020	D. José Zarzuelo Descalzo	Informe biomecánico
14/01/2020	Lugo	Civil/Secc. 1	10/2020	D.ª María Inmaculada García Mazas	Informe biomecánico
20/02/2020	Valladolid	Civil/Secc. 1	59/2020	D. Francisco Salinero Román	Colisión de baja intensidad. Desestima
14/02/2020	Pontevedra	Civil/Secc. 1	881/2019	D. Manuel Almenar Belenguer	Informe biomecánico
13/07/2020	Murcia	Civil/Secc. 1ª	180/2020	D. Cayetano Ramón Blasco Ramón	Perjuicio moral leve por perdida de la calidad de vida
28/07/2020	Mallorca	Civil/Secc. 3ª	156/2020	D.ª Ana Calado Orejas	Perjuicio moral leve por perdida de la calidad de vida
08/07/2020	Barcelona	Civil/Secc. 11ª	192/2020	D.ª Cristina Daroca Haller	Perjuicio moral leve por perdida de la calidad de vida
07/07/2020	Ceuta	Civil/Secc. 6ª	21/2020	D. Emilio José Martín Salinas	Perjuicio moral leve por perdida de la calidad de vida
03/07/2020	Lugo	Civil/Secc. 1ª	347/2020	D. José Luis Deaño Rodríguez	Perjuicio moral leve por perdida de la calidad de vida
02/07/2020	Madrid	Civil/Secc. 10ª	299/2020	D.ª Amelia de Santísima Trinidad Sanz Franco	Perjuicio moral leve por perdida de la calidad de vida
17/06/2020	Ciudad Real	Civil/Secc. 2ª	360/2020	D. Fulgencio Víctor Velásquez Castro Poeta	Perjuicio moral leve por perdida de la calidad de vida
15/06/2020	Pontevedra	Civil/Secc. 3ª	187/2020	D. Antonio Juan Gutierrez	Perjuicio moral leve por perdida de la calidad de vida

Fecha	Lugar	Jurisdicción	Núm. sentencia	Ponente	Objeto
				Rodriguez Moldes	
10/06/2020	Madrid	Civil/Secc. 25ª	197/2020	D. Guillermo Cortés Gómez Moreno	Perjuicio moral leve por perdida de la calidad de vida
20/09/2019	Salamanca	Civil/Secc. 1ª	444/2019	D. Eugenio Rubio García	Criterio cronológico
04/06/2019	Pontevedra	Civil/Secc. 1	318/2019	D.ª María Begoña Rodriguez Gonzalez	Indeterminación de los informes biomecánicos
17/06/2019	Barcelona	Civil/Secc. 1ª	150/2019	D.ª Isabel Adela García de La Torre Fernández	Informe desvirtuado por informe médico
25/01/2019	Madrid	Civil/Secc. 10ª	40/2019	D. Juan J. Hurtado Yelo	Criterios de causalidades genérica
04/05/2019	Murcia	Civil/Secc. 4ª	283/2019	D. Juan Martínez Pérez	Patologías previas
31/07/2019	Vitoria-Gasteiz	Civil/Secc. 1ª	631/2019	D.ª Silvia Viñez Argueso	Secuela traumatismo menor
13/11/2019	Lugo	Civil/Secc. 1	475/2019	D. José Antonio Varela Agrelo	Concurrencia de culpas
25/10/2018	Barcelona	Civil/Secc. 17ª	764/2018	D.ª Mireia Borguño Ventura	Criterio cronológico
27/09/2018	Albacete	Civil/Secc. 1ª	322/18	D. José García Bleda	Criterio cronológico
19/03/2018	Vizcaya	Civil/Secc. 4	165/2018	D. Edmundo Rodríguez Achutegui	Seguimiento lesiones del perjudicado
12/12/2018	Navarra	Civil/Secc. 1ª	608/2018	D.ª Edorta Josu Echarando Herrera	Nexo de causalidad, sin embargo no hay indemnización
16/02/2018	Barcelona	Civil/Secc. 1ª	84/2018	D.ª Aurora Figueras Izquierdo	Informe biomecánico desvirtuado por informe médico.
02/03/2017	Cádiz	Civil/Secc. 2	60/2017	D. Concepción Carranza Herrera	Nexo de causalidad

Fecha	Lugar	Jurisdicción	Núm. sentencia	Ponente	Objeto
03/04/2017	Madrid	Penal/ Secc. 15	213/2017	D. Luis Carlos Pelluiz Robles	Posición ocupantes
21/11/2016	Valladolid	Civil/Secc. 3ª	320/2016	D. Ángel Muñiz Delgado	Nexo de causalidad
23/11/2015	Madrid	Penal/Secc. 7	1128/2015	D. Francisco José Goyena salgado	Tratamiento médico
30/12/2014	León	Civil/Secc. 1ª	274/2014	D. Manuel García Prada	Delito de estafa
23/06/2014	León	Civil/ Secc. 1	119/2014	D. Ricardo Rodríguez López	Prueba informe biomecánico
23/06/2014	León	Civil/Secc. 1	118/2014	D. Ricardo Rodríguez López	Informe biomecánico
29/09/2014	Pontevedra	Civil/Secc. 6ª	546/2014	D. Eugenio Francisco Miguel Tabares	Nexo de causalidad
25/03/2014	Zamora	Civil/Secc. 1ª	30/2014	D.ª María Esther González González	Ruptura del nexo de causalidad
26/03/2013	Salamanca	Civil/Secc. 1ª	122/2013	D. José Antonio Martín Pérez	Ruptura del nexo de causalidad
25/03/2013	Salamanca	Civil/Secc. 1ª	118/2013	Ángel Salvador Carabias García	Ruptura del nexo de causalidad
02/07/2013	Cartagena	Penal/Secc. 5ª	193/2013	D. Miguel Ángel Larrosa Amante	Colisión a baja velocidad
02/07/2013	Cartagena	Penal/Secc. 5ª	193/2013	D. Miguel Ángel Larrosa Amante	Colisión a baja velocidad
27/02/2012	Sevilla	Civil/Secc. 5	103/2012	D. Fernando Sanz Talayero	SLC, lesiones leves, ausencia de prueba objetiva, sin secuelas
12/06/2012	A Coruña	Civil/Secc. 5ª	90/2012	D. Julio Tasende Calvo	Falta de acreditación del tratamiento

Fecha	Lugar	Jurisdicción	Núm. sentencia	Ponente	Objeto
27/10/2011	Murcia	Civil/Secc. 1	520/2011	D. Carlos Morneo Millán	Valoración de la prueba
22/07/2010	Burgos	Penal/Secc. 1	1043/2010	D. Luis Antonio Caballera Simón	Informe biomecánico de las lesiones
06/11/2008	Salamanca	Civil/Secc. 1ª	314/2008	D. José Antonio Martín Pérez	Valoración de la prueba

LEGISLACIÓN DE REFERENCIA

— Constitución Española de 1978.

— Ley Orgánica 10/1995, de 23 de noviembre, del Código Penal.

— Real Decreto de 24 de julio de 1889 por el que se publica el Código civil.

— Real Decreto de 22 de agosto de 1885 por el que se publica el Código de Comercio.

— Ley 35/2015, de 22 de septiembre, de reforma del sistema para la valoración de los daños y perjuicios causados a las personas en accidentes de circulación.

— Orden INT/2223/2014, de 27 de octubre, por la que se regula la comunicación de la información al Registro Nacional de Víctimas de Accidentes de Tráfico.

— Anuario Estadístico de Accidentes 2018. Ministerio del Interior. Dirección General de Tráfico (DGT). Madrid, 2017. http://www.dgt.es/Galerias/seguridad-vial/estadisticas-e-indicadores/publicaciones/anuario-estadistico-de-accidentes/Anuario-estadistico-de-accidentes-2017.

— Ley 50/1980, de 8 de octubre, de Contrato de Seguro.

— Ley 20/2015, de 14 de julio, de ordenación, supervisión y solvencia de las entidades aseguradoras y reaseguradoras.

— Real Decreto Legislativo 7/2004, de 29 de octubre, por el que se aprueba el Texto Refundido del Estatuto Legal del Consorcio de Compensación de Seguros.

— Real Decreto 1507/2008, de 12 de septiembre, por el que se aprueba el Reglamento del seguro obligatorio de responsabilidad civil en la circulación de vehículos a motor.

— Real Decreto 1575/1989, de 22 de diciembre, por el que se aprueba el Reglamento del Seguro Obligatorio de Viajeros.

— Ley 5/2012, de 6 de julio de Mediación en Asuntos Civiles y Mercantiles.

— Ley 41/2002, de 14 noviembre, básica reguladora de la autonomía del paciente y de derechos y obligaciones en materia de información y documentación.

— Real Decreto 1148/2015, de 18 de diciembre, por el que se regula la realización de pericias a solicitud de particulares por los Institutos de Medicina Legal y Ciencias Forenses, en las reclamaciones extrajudiciales por hechos relativos a la circulación de vehículos a motor.

— Ley 1/2000, de 7 de enero, de Enjuiciamiento Civil.

— Real Decreto de 14 de septiembre de 1882 por el que se aprueba la Ley de Enjuiciamiento Criminal.

— Real Decreto Legislativo 6/2015, de 30 de octubre, por el que se aprueba el Texto Refundido de la Ley sobre Tráfico, Circulación de Vehículos a Motor y Seguridad Vial.

— Real Decreto Legislativo 8/2004, de 29 de octubre, por el que se aprueba el Texto Refundido de la Ley sobre responsabilidad civil y seguro en la circulación de vehículos a motor.

— Real Decreto 1507/2008, de 12 de septiembre, por el que se aprueba el Reglamento del seguro obligatorio de responsabilidad civil en la circulación de vehículos a motor.

— Real Decreto 2822/1998, de 23 de diciembre, por el que se aprueba el Reglamento General de Vehículos.

— Real Decreto 1428/2003, de 21 de noviembre, por el que se aprueba el Reglamento General de Circulación para la aplicación y desarrollo del texto articulado de la Ley sobre tráfico, circulación de vehículos a motor y seguridad vial, aprobado por el Real Decreto Legislativo 339/1990, de 2 de marzo.

— Real Decreto 2028/1986, de 6 de junio, por el que se dictan normas para la aplicación de determinadas Directivas de la CEE, relativas a la homologación de tipos de vehículos automóviles, remolques y semirremolques, así como de partes y piezas de dichos vehículos.

— Real Decreto 769/1987, de 19 de junio, sobre regulación de la Policía Judicial.

— Ley Orgánica 2/1986, de 13 de marzo, de Fuerzas y Cuerpos de Seguridad.

— Ley Orgánica 4/2015, de 30 de marzo, de Protección de la Seguridad Ciudadana.

— Real Decreto Legislativo 5/2015, de 30 de octubre, por el que se aprueba el Texto Refundido de la Ley del Estatuto Básico del Empleado Público.

— Ley Orgánica 3/2018, de 5 de diciembre, de Protección de Datos Personales y garantía de los derechos digitales.

— Ley 5/2012, de 6 de julio, de mediación en asuntos civiles y mercantiles.

— Ley de ordenación del sistema de seguridad pública de Cataluña 4/2003, de 7 de abril.

— Ley 4/1992, de 17 de julio, de Policía del País Vasco) y de Navarra.

— Decreto 84/2005, de 10 de noviembre, por el que se aprueban las Normas Marco a las que han de ajustarse los Reglamentos de las Policías Locales en el ámbito de la Comunidad de Castilla y León.

— Ley Foral 8/2007 de 23 de marzo de Policías de Navarra.

— Ley 4/1998, de 22 de julio, de Policías Locales de Cataluña.

— Ley 4/1992, de 8 de julio, de Policías Locales de la Comunidad de Madrid.

— Ley 4/1992, de 17 de julio, de Policías del País Vasco.

— Ley 4/1998, de 22 de julio, de Policías Locales de Murcia.

— Ley 5/2000, de 15 de diciembre, Policías Locales de Cantabria.

— Ley 22/2006, de 4 de julio, de Capitalidad y Régimen Especial de Madrid.

— Ley 23/2006, de 20 de diciembre, de Capitalidad de Palma de Mallorca de las Illes Baleares.

— Ley Foral 8/2007, de 23 de marzo, de Policías de Navarra.

— Ley 4/2007, de 20 de abril, de Coordinación de Policías Locales de Galicia.

— Ley 27/1992, de 24 de noviembre, de Puertos del Estado y de la Marina Mercante.

Acceda a la versión electrónica de esta obra en la Biblioteca Digital smarteca

Traumatismos cervicales leves derivados de los accidentes de tráfico

Código Descuento*: 2025RQ8Y

Disponga de la versión electrónica del libro, *Traumatismos cervicales leves derivados de los accidentes de tráfico* **siguiendo las siguientes instrucciones:**

1. Abra su navegador de internet y acceda a la tienda **Wolters Kluwer** en la siguiente URL: https://tienda.wolterskluwer.es/p/traumatismos-cervicales-leves-derivados-de-los-accidentes-de-trafico

2. Seleccione formato Biblioteca Digital smarteca y pulse en el botón "Comprar ahora".

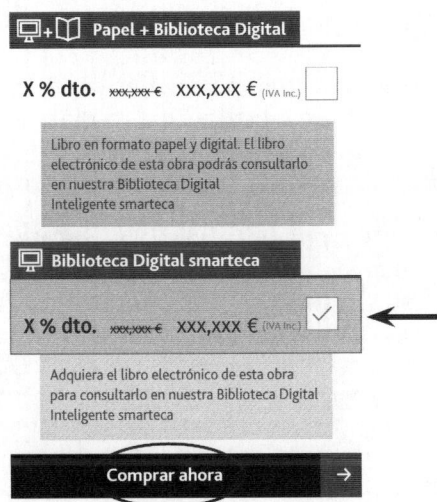

3. En la casilla **Código Descuento** introduzca el Código Descuento que aparece al inicio de esta página y pulse "Aplicar" para completar la compra sin efectuar pago alguno.

4. Pulse **Tramitar pedido**.

   Si no está previamente identificado, se abrirá una pantalla en la que deberá:

   a. Identificarse si ya está registrado con anterioridad en Smarteca. En tal caso, pulse **Acceder a mi cuenta**.

   b. Registrarse como nuevo usuario rellenando los datos solicitados en el cuestionario de esa misma ventana.

5. Una vez identificado, pulse **Comprar** para finalizar el proceso de compra.

   Terminado el proceso, podrá entrar en su biblioteca para ver el libro en su estantería.

* Este código podrá ser utilizado para una descarga, dejará de estar operativo a partir del momento en el que exista una edición posterior o descatalogación. Le recomendamos que proceda a la descarga de la obra en smarteca lo antes posible.

smarteca
biblioteca inteligente profesional

Descubre las ventajas de Smarteca

Smarteca es la biblioteca digital de Wolters Kluwer donde puedes ver y trabajar con todos los contenidos de autor que te ofrecemos en los libros.

Además, si tus libros contienen formularios los podrás editar.

También dispondrás de otros contenidos de autor: anuarios, libros, obras actualizables y revistas profesionales.

⚲ BÚSQUEDA

Obtén la información que necesitas. Gracias al potente y preciso buscador encuentras la información sobre los textos de todas tus obras y dosieres creados.

♀ GESTIÓN DE CONOCIMIENTO GLOBAL

Ofrecemos a tu organización y profesionales la posibilidad de seleccionar y asignar a sus equipos el acceso a los contenidos imprescindibles para su trabajo.

🖥 MOVILIDAD

Consulta las obras en los diferentes dispositivos que utilices (móvil, portátil, tablet y ordenador) en cualquier momento y lugar. Si utilizas para tu trabajo más de un dispositivo (p.ej. ordenador y tablet), éstos se sincronizan automáticamente. Con el modo offline, también accedes a las obras sin conexión a internet.

↺ ACTUALIZACIÓN PERMANENTE

Dispones de la actualización automática de tus obras, manteniendo versiones anteriores y traspasando notas personales. Además, te informamos por email de las novedades en tus publicaciones, serás el primero en conocer las modificaciones.

📖 PERSONALIZACIÓN

Cuentas con innovadoras funcionalidades que permiten personalizar los contenidos (subrayar, realizar anotaciones, marcadores, compartir, enviar, etc.). También puedes subir a tu biblioteca contenidos propios. Incluso te ofrecemos la opción de crear y gestionar tus propios dosieres.

MÁS INFORMACIÓN
Servicio de Atención al Cliente
Tel: 91 602 01 82
clienteslaley@wolterskluwer.es